Buñuel ni Buñuel

PLOT

Buñuel por Buñuel

TOMÁS PÉREZ TURRENT
JOSÉ DE LA COLINA

Diseño de cubierta: Juan Carlos Sastre
Foto de portada: Carlos Saura
Agradecimientos: Luis Alegre, Pedro Christian Buñuel, Dolores Devesa, Filmo-
    teca Española, Alicia Potes, Carlos Saura, Miguel Soria y Jordi Vendrell.

Fotografías: Filmoteca Española, Tomás Pérez Turrent, Archivo Vendrell, Pedro
    Christian Buñuel.

Primera edición: abril de 1993

© 1993 José de la Colina y Tomás Pérez Turrent
© 1993 PLOT Ediciones, S.A.
    Antonio Cavero, 37
    28043 Madrid
    Fax: 3000104

Fotocomposición: Angela Zambrano
Fotomecánica: Joisa, S.A.
Imprenta: Lavel, S.A.
ISBN: 84-86702-20-8
Depósito legal: M. 5.461-1993

Impreso en España

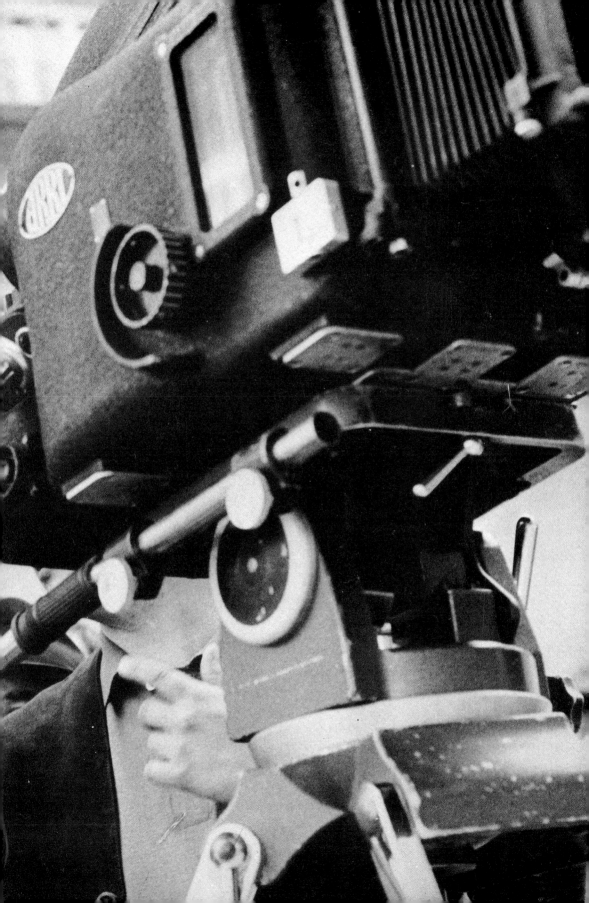

INDICE

La historia de este libro

Supe quién era Luis Buñuel desde el momento en que el cine fue para mí otra cosa además de una diversión. Un día lo encontré en París en plenos Campos Elíseos. Sabía que en esos días empezaría a filmar *Diario de una camarera*; lo abordé; le dije que era mexicano y que trabajaba en la Cinemateca Francesa; que había pertenecido al grupo *Nuevo Cine* y que quería —nada más— asistir al rodaje de su película en calidad de *stagiaire* (una especie de meritorio). Don Luis me explicó que era imposible, por razones sindicales. Pero que si quería podría visitarlo en el estudio Billancourt, cuando regresaran de filmar en exteriores. La visita no se realizó.

Al regresar a México en 1968 tuve la oportunidad de conocer «formalmente» a don Luis por medio de Arturo Ripstein y Gustavo Alatriste y de empezar a frecuentarlo con el propio Ripstein, Rafael Castanedo, José de la Colina, Emilio García Riera, Alberto Isaac y otros amigos relacionados con el cine.

Sobre Buñuel se había escrito mucho, cosas muy buenas y cosas menos buenas. Después de leer *Bergman on Bergman* (Bergman por Bergman), libro de entrevistas de Stig Bjorkman, Torsten Manns y Jonas Sima con el cineasta sueco (otro del que se había escrito mucho), llegué a la conclusión de que el único libro posible sobre Luis Buñuel sería una entrevista hecha por dos o tres personas. José de la Colina tenía la misma idea. Desde hacía tiempo disfrutábamos de la hospitalidad y la amistad de don Luis. Pero conociendo su aversión por las entrevistas no nos atrevimos a hablarle de nuestro proyecto.

En junio de 1972 en París, de regreso del festival de Cannes, don Luis aceptó que Alexis Grivas y yo fuésemos a verlo a los estudios Billancourt para hacer un reportaje filmado sobre el rodaje de *El discreto encanto de la burguesía*. El día señalado llegamos Grivas con su cámara Eclair 16 y yo con el Nagra. Buñuel aceptó que filmáramos e incluso permitió que su voz fuese registrada. Este reportaje se pasó en el canal 11, en el programa *Tiempo de cine*, del que formábamos parte De la Colina, García Riera, Fernando Gou y yo.

Entonces advertimos que no era imposible llevar adelante nuestro proyecto. Pero no lo planteamos inmediatamente. Sabíamos que Buñuel detestaba las entrevistas, que sentía horror por ese aparato electrónico llamado magnetofón y por la forma «fálica» (decía) de los micrófonos. Un día, hacia finales de 1974, en una de esas comidas que se habían hecho ya rituales en el restaurante «Charleston» de Don Tino (la presencia de Buñuel bastaba para que no cobrara la cuenta), a la cual asistían Emilio García Riera, Alberto Isaac, Francisco Sánchez, José de la Colina, yo y quizá algún otro amigo que no recuerdo, entre el cabrito y el vino le propusimos nuestro proyecto. Con gran sorpresa nuestra don Luis aceptó inmediatamente. Fue un poco más reticente cuando le hablamos de la grabadora que sería testigo de nuestras conversaciones: «No creo que resulte —nos dijo—, pero vamos a intentarlo. Si el libro de entrevistas sale bien, ya no estaré obligado a dar ninguna otra y remitiré al libro a todos los que me pidan una.»

La primera entrevista tuvo lugar el 15 de enero de 1975. Don Luis empezaba a arrepentirse, sobre todo por el empleo de la grabadora.

De la Colina lo convenció diciéndole que se trataría de un aparato muy discreto —una pequeña grabadora Sony— y sin micrófono. Las primeras entrevistas terminaron en febrero, cuando don Luis viajó a Europa.

Nos volvimos a encontrar a finales de 1975 y principios de 1976. Casi todas las conversaciones tuvieron lugar en su casa de la cerrada de Félix Cuevas. Cuando don Luis la construyó, en los años cincuenta, era un tranquilo barrio residencial que se encontraba de hecho en las afueras de la ciudad. Ahora es un barrio ruidoso, lleno de comercios y con un tráfico incesante.

El lugar de nuestros encuentros fue siempre el bar de su casa: una barra, tres sillones y sobre la pared un plano del metro de París. Una cafetera, una buena provisión de whisky, ginebra, cerveza y los ladridos constantes de la perrita Tristana.

En 1976, don Luis nos invitó a pasar unos días en el hotel balneario de San José Purúa, a unos trescientos kilómetros de la capital. Fue en este lugar donde escribió la mayor parte de sus guiones, con Luis Alcoriza, Julio Alejandro o Jean Claude Carrière (allí también se filmaron unas secuencias de ***Robinson Crusoe***). El viaje a San José tenía un objetivo: terminar de grabar las conversaciones para el libro.

Todo el mundo lo conocía en el hotel, sabía quién era, incluso los camareros jóvenes que habían visto a menudo su fotografía en *Esto*. Fue una estancia fructífera puesto que trabajamos a fondo, hablamos mucho y descubrimos muchas cosas nuevas acerca de nuestro entrevistado.

Creímos que ya todo estaba terminado. Y no había sido fácil. Buñuel no es de esos cineastas que gustan de teorizar sobre su obra. Cuando habla de cine lo hace en relación a hechos concretos: el lugar de la cámara, la actitud de los actores, los incidentes del rodaje, etcétera. Por otra parte, y quizá como producto de su pudor fundamental, se defiende mucho, prohíbe totalmente que uno intente «asomarse a su interior». El proceso del libro fue una verdadera lucha, un acoso constante del que a

▲ **Con Tomás Pérez Turrent, uno de los autores.**

menudo era él quien salía triunfante. Dice De la Colina que en cierta forma fue como una serie de asaltos. Y no se trataba sólo de hablar de los recuerdos, los amigos, los gustos y las fobias de Buñuel sino de desentrañar, aunque fuera en mínima parte, los mecanismos de su obra cinematográfica. Aquí fue definitiva la posición que adoptó De la Colina en muchas ocasiones: la de abogado del diablo.

Habíamos convenido que nada se publicaría sin que él hubiera visto la transcripción de nuestras conversaciones e hiciera los cambios y correcciones que considerara pertinentes. Pero la transcripción se alargó más de lo previsto. En la lentitud tuvimos que ver nosotros mismos, pues no podíamos dedicarle más tiempo a causa de nuestras respectivas ocupaciones, pero también las diversas secretarias que abordaron el trabajo, la mayoría de las cuales renunció nada más iniciada la labor. A fin de cuentas, dos años y medio después, nosotros mismos tuvimos que encargarnos de la transcripción, volviendo a hacer las partes que las secretarias ya habían hecho.

Entretanto, don Luis viajó a Europa varias veces e hizo todavía una película, *Ese oscuro objeto de deseo*, en 1977, y por poco no nos atrevimos a pedirle una nueva entrevista sobre ella. El preguntaba por el libro y cuánto avanzaba la transcripción. Por fin, en 1979, cuatro años después de haber iniciado el trabajo, le llevamos una primera parte ya redactada para su corrección. Pero el proceso fue todavía largo, nuestras ocupaciones nos impedían dedicarle un par de meses al trabajo. Cuando llevaba más de la mitad corregida vino a México Jean Claude Carrière para proponerle *Mi último suspiro*. Era 1981. Seis meses después se publicaba el libro de Carrière.

Nuestro libro tiene algunas relaciones con *Mi último suspiro* (es la misma persona hablando de las mismas cosas), pero el nuestro está centrado fundamentalmente en el cine. En cierta forma se complementan.

Lo único que sentimos es que don Luis no haya visto el libro publicado. Muchas veces en el curso de nuestras conversaciones nos comunicaba sus dudas: «¿A quién le puede interesar un libro sobre mis películas?», y nos pedía hacerlo lo más breve posible para que no fuese «tan» aburrido. Cuando corrigió la versión definitiva le pareció que después de todo no estaba mal, que tal vez muchas personas se interesarían por él.

Tomás Pérez Turrent

II

En 1949 yo, que tenía quince años, era un cinéfilo casi de tiempo completo y, cuando los periódicos de la ciudad de México publicaron que Luis Buñuel requería actores juveniles no profesionales para una película que se titularía *La manzana podrida*, pensé que esa sería una oportunidad de ver cómo trabajaba un «cineasta maldito» del que hablaban los libros sobre cine y del que por mi parte aún no había visto nada. Envié mis fotos y mis datos a Ultramar Films y un par de semanas después fui convocado, con otros aspirantes, a una prueba ante las cámaras en los Estudios Tepeyac. Apenas recuerdo cómo interpreté las dos cuartillas de texto mecanografiado que correspondía al papel de «Pedrito». Más que la mirada de la cámara me impresionaba la de aquel hombre robusto con aspecto de boxeador o de carretero, cabeza «de estatua de excavación» (según Ramón Gómez de la Serna) y una fuerte voz con acento aragonés, que nos veía actuar, me pareció, como el cazador acecha a su presa. Buñuel estaba entonces cerca de los cincuenta años y su fama de cineasta de vanguardia ya casi era cosa del pasado.

Tardé unos años en tener un nuevo encuentro con Buñuel, porque no fui llamado al rodaje de *La manzana podrida*. La película, definitivamente llamada *Los olvidados*, se estrenó en 1950 y fue violentamente atacada en cierta prensa. Un periódico dominical me publicó una carta, rebosante de citas de André Breton, Sade, Lautréamont y otras referencias librescas, en las que defendía a la película y a su autor.

Volví a ver a Buñuel la noche en que él mismo presentó en el cineclub del Instituto Francés de la América Latina —al que tanto deben las primeras generaciones cinéfilas de México— un programa antológico compuesto de *Un perro andaluz*, entero, el rollo final de *La Edad de Oro* y algunas secuencias de sus películas mexicanas: el sueño de *Los olvidados*, la ensoñación erótica en el autobús de *Subida al cielo*, el delirio final de *El* y la secuencia de los matarifes de *La ilusión viaja en tranvía*. Saludé a Buñuel, que no me reconoció. El escritor Max Aub le dijo que yo era el autor de aquella carta publicada en defensa de él y de su película, y Buñuel se extrañó de mi edad: él pensaba que aquello lo habría escrito alguien de su generación. De pronto, recordó: «Caramba, si yo lo conozco. Usted iba a ser Pedrito. Yo lo había elegido para el papel, pero el productor no quiso, porque no daba usted el tipo de niño mexicano.»

Invitado por Aub asistí a un par de comidas, en un restaurante tipo francés, con algunos intelectuales españoles y mexicanos, y allí volví a encontrar a Buñuel. Para el futuro autor de *Tristana* —una película en la que *Cahiers du Cinéma* hallarían un gran número de motivos gastronómicos— la comensalidad, el rito civilizado de comer y beber en cordial compañía, tenía una esencial importancia. En la segunda de las comidas, hacia los postres, los camareros del restaurante, y hasta el capitán y el cocinero, se le acercaban a pedirle su autógrafo. Extrañado y divertido, él lo daba, y finalmente preguntó a uno de los solicitantes por qué sucedía aquello. «Es que, sabe usted —le respondieron—, por cien autógrafos como el de usted se puede obtener uno de María Félix.» Tras un breve desconcierto, Buñuel se echó a reír. La broma la había organizado Max Aub y seguramente en la siguiente comida don Luis habría de contraatacar.

Hacia finales de los años cincuenta, un pequeño número de cinéfilos, críticos de cine y aspirantes a cineastas, que más tarde formaríamos el grupo *Nuevo Cine* y publicaríamos la revista homónima, visitábamos a veces a Buñuel en su casa de la cerrada Félix Cuevas. Bebíamos, y Buñuel más que nadie, sin que esto pareciera afectar a sus facultades. A pesar de ello, un día hubo un incidente. Entre él y yo se entabló una discusión acerca de la pornografía, que yo defendía por un trasnochado gusto del escándalo a la manera surrealista, y que Buñuel, que ya había comenzado a revisar críticamente algunos postulados del surrealismo, rechazaba porque, decía, había perdido virtud subversiva y se había convertido en objeto de comercio y en un nuevo «opio de los pueblos». El fervor alcohólico encrespó la discusión. Buñuel me llamó reaccionario, yo respondí diciendo que el reaccionario era él y que iba a terminar como Dalí, en el seno de la Iglesia Católica. Creo que lo de Dalí fue lo que más le molestó: «¡Haga usted el favor de salir de esta casa!», me dijo, y yo, dolido y furioso, pero sintiéndome acompañado por el Buñuel de los años veinte, salí a la calle. Daba ya la vuelta a la esquina cuando Buñuel me alcanzó, con García Riera y González de León.

«Hombre, Colina, esto ha sido una insensatez de los dos, es cosa del vino —me dijo—. Olvidémoslo y tomemos una copa más.» Yo seguía sintiendo a mi lado al Buñuel que había filmado *Un perro andaluz* como «una llamada al asesinato», y en ese momento me creía más surrealista que el mismo André Breton. «Lo siento, don Luis —le dije—, pero usted me ha decepcionado.» Y él respondió: «En ese caso, no hay nada más que hablar. Adiós y muy buenas.»

Poco después, en una exhibición privada de *Viridiana*, nos saludamos y hablamos con la cordialidad de siempre. Buñuel comió varias veces con los de *Nuevo Cine*, que hicimos sobre él un número monográfico de nuestra revista, el primero de ese tipo en habla española y quizá en cualquier otra lengua. Solíamos ir a un restaurante especializado en cabrito asado, donde don Luis pedía, y nos aconsejaba pedir, los sesos del cabrito presentados en el cráneo partido por la mitad. Pienso que este detalle, una mera preferencia gastronómica, habría entusiasmado a los posibles cultivadores de la leyenda del Buñuel sádico, sacerdote de misas negras y participante en festines diabólicos.

Disuelto *Nuevo Cine*, algunos de sus miembros seguíamos reuniéndonos dos o tres veces al año con Buñuel. Entendíamos que él nos honraba con su trato y nunca pretendimos aprovechar esta circunstancia para sacar tajada periodística. Por eso Pérez Turrent y yo casi nos caímos de espaldas en aquella sobremesa en que aceptó grabar con nosotros una serie de entrevistas sobre su obra. Pero, aun con su buena disposición, la empresa, como recuerda Pérez Turrent, no fue fácil y no sólo por la creciente sordera del entrevistado, que al fin y al cabo no fue el mayor obstáculo, sino principalmente porque Buñuel, que decía ser «no psicoanalizable», era también poco entrevistable. Se resistía a «explicar» sus películas y, si bien negaba rotundamente que éstas carecieran de sentido, ni afirmaba ni negaba nuestras interpretaciones. En sesiones enteras, o en ciertos puntos, «no soltaba prenda». Era también desconcertante: a veces nos pedía que borráramos de la cinta, o tacháramos en la transcripción mecanográfica, una confesión que nos parecía trivial, y en cambio dejaba pasar otra que hubiéramos jurado que censuraría. Con frecuencia, donde más rendía era en las digresiones, en los márgenes del tema, aun en el andarse por las ramas. Sobre algunos asuntos volvía de manera casi obsesiva: la destrucción del medio natural, la proliferación del ruido, las polaridades políticas, los fanatismos ideológicos, el terrorismo, la comercialización de la personalidad y del erotismo, etc.

Durante todas las entrevistas, que sumaron unas cincuenta horas grabadas, la perrita Tristana, que finalmente murió ciega, y a la que Buñuel hacía bromas inocentes, no se apartaba de su lado, sentada en el sofá y con la cabeza apoyada en la rodilla de su amo. Buñuel lloró su muerte y, cuando la sustituyó por un perro de la misma raza al que llamó León, a veces, distraído, lo llamaba Tristana o Tristanita.

Poco antes de morir, Buñuel se fue preparando para el trance: nos citaba a los amigos, nos regalaba algo que le había acompañado durante años y se despedía, con la solicitud muy precisa de que ya no lo buscáramos. Era pudor respecto a su propio final. Ya nos había prevenido de cuál sería su actitud llegado el momento, y a veces añadía: «Entonces ya no hablarán ustedes conmigo ni mediante la tabla *ouija*». Pero cuando, con una previsión increíblemente exacta, consideró que el momento estaba muy cercano, ya no hacía la broma y sus palabras eran graves sin solemnidad.

Quiero terminar estas líneas con una imagen muy distinta de él.

Cuando grabábamos las últimas entrevistas, Buñuel nos invitó a Tomás y a mí a pasar cinco días en el balneario de San José Purúa. Tácitamente acordamos respetar horarios y costumbres personales. El siempre se levantaba más temprano que nosotros, y cuando coincidíamos en el desayuno ya había dado una vuelta por los alrededores. Lo acompañábamos en una vuelta más y con frecuencia aquel hombre setentón nos dejaba atrás, jadeantes. Comía dos horas antes que nosotros. Una tarde dejamos el restaurante para buscarlo en la terraza, que daba a pico sobre un barranco exuberante de vegetación tropical. A unos diez metros de distancia de él, nos detuvimos respetuosamente, sin saber muy bien por qué. Estaba sentado junto al pretil de la terraza, de perfil respecto a nosotros, respirando más que viendo el paisaje bajo el pleno sol. Su solo estar allí era de una intensidad impresionante. En ese lugar precisamente había filmado algunas escenas de su Robinson Crusoe, y eso parecía él: Robinson que había recuperado su isla y dialogaba silenciosamente con ella, a la orilla de la Historia y hasta del tiempo.

José de la Colina

La comida en la que Buñuel aceptó hacer este libro: En pie a la izquierda José de la Colina y Emilio ▲ García Riera; sentados Pérez Turrent, Buñuel y Alberto Isaac.

1. Comienzos

NIÑEZ. CALANDA. MADRID.
LA RESIDENCIA DE ESTUDIANTES

BUÑUEL: Podemos tomar el café con un poco de ron, como en los pueblos de España. Estilo campo. Eso le da un buen perfume.

JOSÉ DE LA COLINA: Bueno, don Luis, ¿empezamos?

Empezamos la tentativa.

J. de la C.: ¿Cuál era el ambiente de Calanda en su niñez?

Completamente feudal. Las campanas del pueblo tocaban a rebato, a muerto, a nacimiento, a misa, al Angelus. Recuerdo a las plañideras en los entierros: «¡Ay, hijo de mi alma, que ya no te veré más!» Siempre aquel sentimiento de la muerte en torno a uno.

TOMAS PEREZ TURRENT: Háblenos de su familia.

Mi familia era burguesa. Mi padre, al volver de Cuba, se instaló en Calanda, para recordar sus buenos tiempos. Al año de estar allí, se aburrió y nos fuimos a Zaragoza, pero los veranos los pasábamos en Calanda. Eramos una tribu de veraneantes: los padres, siete hermanos, las sirvientas, los amigos de la casa. Una familia muy religiosa, desde luego.

J. de la C.: ¿Qué ideas políticas tenía su padre?

Era un liberal de la época, no un revolucionario. Algunos años comulgaba, otros no. Como buen burgués, le alarmaba mucho la situación política de entonces: las huelgas generales, la revolución.

J. de la C.: ¿Comentaba la política con usted?

No, nunca. Mi padre era muy severo y justo.

Yo le quería mucho y él siempre me trataba bien, pero guardando cierta distancia. Me contaba cosas de su juventud, se interesaba mucho por mis estudios, pero de cuestiones religiosas y sociales no hablaba conmigo jamás, ni aun cuando fui mayor. Recuerdo que a veces acompañaba a mi padre en sus caminatas, cuando íbamos a alguna de las fincas. Un día, sentimos un olor terrible en uno de aquellos olivares. Un olor a putrefacción. «¿Qué será?» Mi padre se quedó atrás fumando un cigarrillo. Yo me metí entre los olivos y vi un inmenso animal rodeado de unos buitres enormes, que parecían curas. Los campesinos, cuando las bestias de labor morían, las dejaban al aire libre para que al pudrirse abonasen la tierra. Más tarde, teniendo yo veintitantos años, maté a un burro con un rifle, para esperar a los buitres.

T. P. T.: ¿Notaba usted ya las diferencias de clases?

Los pobres venían a pedir a la casa y se les daba un panecillo y diez céntimos. Venían niñas con sus hermanitos a cuestas, con las moscas pegadas a los lagrimales y en las comisuras de la boca.

J. de la C.: Siempre se mencionan mucho sus estudios con los jesuitas. En un libro sobre usted se recoge un hecho curioso: que a usted lo castigó su padre por haber dicho que en la sopa del colegio de jesuitas, en Zaragoza…

¿Que encontré en la sopa una rata? En realidad encontré un trozo de bata. Se dicen muchas cosas de los jesuitas. Yo, por ejemplo, nunca vi un caso de homosexualidad, ni entre los alumnos, ni entre alumnos y curas. Había mucha vigilancia. Formábamos brigadas, cada una de ochenta alumnos, o cien. Había semi-

◀ **Retrato del artista adolescente. En San Sebastián a los 15 años (Estudio Barrera).**

pensionistas, internos, «inspeccionados» de familias bien, y externos, que eran una especie de miserables a los que casi ni les hablábamos.

T. P. T.: Entonces había allí un reflejo del sistema de clases.

Sí, mucho. Un sistema de clases perfectamente definido: o por aristocracia o por fortuna.

T. P. T.: En Zaragoza, donde ustedes vivían la mayor parte del año, ¿cuál era el ambiente?

El de una capital decimonónica, muy atrasada.

J. de la C.: ¿Había movimiento obrero?

A Zaragoza la llamaban «la perla del sindicalismo». Yo, desde el balcón de mi casa, he visto una carga de la guardia civil. Dos mil obreros y dos escuadrones de guardias, frente a frente en la Plaza de la Constitución. Los obreros lanzaban mueras. El comandante de la guardia ordenó tocar la trompeta y los jinetes cargaron contra los manifestantes. Eran guardias muy profesionales e intocables.

J. de la C.: De niño, ¿veía usted cine?

Sí. Incluso cine parlante y en colores, en la sala Coine, de Zaragoza. Se veía un cerdo, con faja de comisario de policía y sombrero de copa, cantando una canción. Era un dibujo animado, con colores muy malos que se salían de las figuras, y el sonido venía de un gramófono.

J. de la C.: ¿Cuál es la primera película que recuerda haber visto?

Una de un paralítico asesinado, que me impresionó mucho. Había un matrimonio que vivía en una casa aislada en el campo: se veía a un paralítico en un sillón y a su mujer. La mujer lo mataba. Luego el fantasma del paralítico se aparecía en aquel sillón y la mujer gesticulaba horrorizada.

T. P. T.: ¿En aquel tiempo tenía usted alguna inquietud religiosa?

Yo era muy creyente, pero a los catorce o quince años empecé a perder la fe. Había una editorial famosísima, fundada por Blasco Ibáñez: Editorial Sempere, que publicaba libros de Spencer, Darwin, Kropotkin, Nietzsche, etcétera, y yo los leía. Me impresionó sobre todo *El origen de las especies*. Y di «el gran viraje». Mi padre me daba a leer a Quevedo, Pérez Galdós, *Gil Blas de Santillana*... Él tenía cierta

cultura de autodidacta. Siempre le he visto leer clásicos españoles, nunca noveluchas.

J. de la C.: Pero supongo que usted leía novelas de aventuras.

Sí. Leía a los doce o trece años las aventuras de Sherlock Holmes, Ito Naki, Nick Carter y demás detectives, y sobre todo Salgari. Como me prohibían leer aquellas cosas, lo hacía a escondidas. Los padres pensaban que esas lecturas no eran convenientes porque los chicos se creaban un mundo de fantasía y abandonaban los estudios. Yo a veces cometía una travesura para no salir con la familia, para quedarme castigado en casa y dedicarme a leer.

J. de la C.: ¿Qué vocación tenía usted?

No recuerdo. Tal vez ninguna. No he tenido «vocación» nunca, si por vocación se entiende fuerza de voluntad.

J. de la C.: Pero se sabe que usted estudió música, que tocaba el violín.

Estudié a los ocho o diez años el violín, pero por libre. ¡Horrible instrumento! En Zaragoza un maestro me daba lecciones en casa. Cuando terminé el bachillerato y mi padre me preguntó qué carrera quería estudiar, le dije que deseaba ir a la Schola Cantorum. Yo lo que quería en realidad era escapar de la familia y de Zaragoza. Mi padre me dijo que la carrera de músico era para morirse de hambre, que pensara en una cosa más seria. «Bueno —le dije—, pues Ciencias Naturales... Entomología». Me aconsejó la carrera de Ingeniero Agrónomo, que era compatible con la Biología y podía ser útil en sus propiedades del pueblo.

T. P. T.: ¿Cómo se interesó usted por la Entomología?

No sé, tal vez porque me atraían todos los seres vivos. Empecé leyendo los maravillosos libros de Fabre. Me apasiona la vida de los insectos. Allí está todo Shakespeare y Sade...

J. de la C.: Rozamos otra leyenda buñueliana. ¿Es verdad que una vez se desmayó usted al ver una araña?

(*Ríe*) No, pero sí lo es que tengo miedo a las arañas. Toda mi familia lo tiene. Esos bichos me horrorizan, pero también me atraen mucho. Conozco bastante sus costumbres.

T. P. T.: Estábamos en que lo mandaron a Madrid a estudiar.

Tenía yo diecisiete años. En biología fui el número uno, pero por tres años me supendieron

en matemáticas. Así que dejé la carrera de ingeniero agrónomo y me pasé a ciencias naturales.

T. P. T.: ¿Qué fue para usted el cambio de Zaragoza a Madrid?

Ah, fue una maravilla encontrarme en Madrid, verme tan libre de pronto. Mi padres me acompañaron a ver dónde me instalaba. Mi madre desconfiaba de las pensiones. Un amigo de mi padre les aconsejó que me metieran en la Residencia de Estudiantes. Era una institución estilo inglés, muy moderna, muy liberal, con campos deportivos, biblioteca, laboratorios, y mis padres quedaron encantados. Lo único que a mi madre no le gustaba era que pudiéramos salir por las noches.

J. de la C.: Allí conoció usted a sus amigos de juventud, a muchos de los que formarían la Generación del 27.

Sí. Nuestro grupo se formó en seguida. Nos reuníamos en la habitación de alguno de nosotros para tomar té, discutir, leernos poemas. A veces Federico García Lorca y yo improvisábamos obras de teatro, ¡hasta óperas! El grupo éramos diez o doce: Federico, Emilio Prados, Moreno Villa y otros. Moreno Villa y yo éramos los más antiguos en el grupo. Luego vinieron Dalí, Pepín Bello.

J. de la C.: ¿Qué movimientos culturales les interesaban?

Entonces nacía el ultraísmo[1]; era hacia el año 19, si no recuerdo mal. En el ultraísmo estaban Guillermo de Torre, Humberto Rivas, Borges, Barradas, Chabás, Pedro Garfias. Nos interesaba todo, y particularmente la cuestión social. Una vez participamos en una manifestación contra la pena de muerte, a las puertas de la cárcel. Fue cuando el juicio del crimen del Expreso de Andalucía, que hizo mucho ruido en España, porque uno de los asesinos era hijo de un coronel de la Guardia Civil. Luego estaba la lucha sindical, a la cual nos acercamos mucho en los años veinte.

J. de la C.: ¿La CNT?

Sí, y también el anarquismo. Entre los ultraístas había algunos anarquistas, como Garfias y Angel Samblancat. Yo sentía simpatía

---

[1] *Ultraísmo*: movimiento poético promulgado en España en 1918 por escritores españoles y latinoamericanos: Cansinos Asséns, Guillermo de Torre, Xavier Bóveda, Mauricio Bacarisse, Jaime Torres Bodet, Pedro Garfias, etc. Proponía la imagen pura, sin retórica ni sentimentalismo, relacionada con elementos de la vida moderna.

La familia Buñuel, Zaragoza, 1912. ▲

por los anarquistas. Nos reuníamos en los cafés, como el de Platerías, donde encontrábamos a Santaolaria, que tenía un periódico de ideas ácratas, como se decía entonces. En aquel tiempo los que, como yo, se interesaban por el aspecto sociopolítico de la época, no podían sino acercarse al anarquismo.

J. de la C.: La Residencia de Estudiantes es tema inseparable del de la Generación del 27. Háblenos usted más de ella.

Estuve en la Residencia de Estudiantes desde 1917 hasta 1924, el año en que me fui a París. Esos siete años fueron muy importantes para mi formación. Pasé de agronomía a ciencias naturales y finalmente a filosofía y letras. Aunque «estudiaba muy poco, esta carrera, que era de cuatro años, la hice en dos. Todo era ir a los cafés y charlar con los amigos. Reuniones de una amistad cálida, estupenda. Hacíamos disparates. Por ejemplo: nos disfrazábamos de cualquier cosa. Ibamos a Toledo a emborracharnos durante cinco días, hasta besar las piedras toledanas.

J. de la C.: ¿Es verdad que provocaban ustedes a los cadetes del Alcázar?

Tuvimos una pelea con cadetes, pero no la provocamos nosotros. (Según se vea). En Toledo estaba la Academia Militar de Infantería, y a veces había roces entre civiles y cadetes. Una vez hubo un gran choque. Nosotros estábamos en la Posada de la Sangre, que luego quedaría destruida durante la Guerra Civil. Era exactamente el mismo edificio en que ocurre la acción de *La ilustre fregona* de Cervantes. No le habían cambiado un solo ladrillo: era una maravilla. Desde el balcón vimos pasar a unos cadetes que perseguían a unos civiles y les insultamos.

T. P. T.: ¿Por qué había esos choques?

Por una chica o por algún incidente callejero en el que no quedaba muy bien parado un cadete. Entonces toda la Academia de Infantería salía a vengar a su compañero.

J. de la C.: Se dice que también gastaban la broma de disfrazarse de curas.

Sí, nos disfrazábamos de todo: de barrendero, de ujier universitario, de cura. Era como una divertida forma de explorar las clases sociales. Un día fui a una tienda de ropajes de teatro y me vestí de cura, con teja, manteo y sotana, y bajo el brazo llevaba envuelto el disfraz de García Lorca, que me esperaba en la Residencia para disfrazarse también. De pron-

to, en el trayecto, vi venir a una pareja de la Guardia Civil, y me puse a temblar, porque se podía encarcelar hasta por cinco años a quien se disfrazase de cura o militar. También en una ocasión me disfracé de teniente de Sanidad y arresté a un compañero de mi regimiento, en la calle de Montera, porque no me había hecho el saludo. El y yo éramos simples artilleros, pero —¡lo que hace el uniforme!— no me reconoció.

T. P. T.: ¿Pero es verdad que usted hizo el servicio militar?

J. de la C.: Hay una foto en que está usted montando guardia en una garita.

Sí. Fue por el año de la catástrofe de Annual. Mi regimiento no iba a Africa y estuve «emboscado» en Madrid. Los que podían dar diez mil pesetas servían sólo cinco meses. El infeliz que no podía pagar eso servía tres años. Don Miguel Primo de Rivera fue el que me recomendó al coronel del Regimiento número Uno de Madrid, que estaba de reserva y no llegó a ir a Africa. Eramos cien «cuotas» allí. Hacíamos guardias en el cuartel o en Palacio.

J. de la C.: ¿Ya eran amigos Dalí y usted?

Mucho, grandes amigos. En él ya estaba en potencia todo lo que luego ha sido, para bien o para mal. Muy trabajador: se pasaba todo el día pintando, iba a la Academia de San Fernando. El vestía, cuando lo conocí, una chaqueta de terciopelo que le llegaba hasta las rodillas, una gran chalina de artista, chambergo, melena (que eso entonces era increíble) y polainas de cuero. Y nos cayó muy bien a todos.

J. de la C.: En alguna parte he leído que tenían ustedes una gran influencia de Ortega y Gasset.

Mucha no. En todo caso, sólo algunos. Era más bien influencia francesa: Apollinaire, Cocteau, etc. También adorábamos la literatura rusa. Había dos excelentes traductores del ruso, entonces. Más tarde Breton y los surrealistas se admirarían de nuestros conocimientos en novela rusa. Yo conocía a casi todos los autores rusos del XIX y de principios de siglo.

J. de la C.: ¿Y cuáles le interesaban más?

Andreiev, su *Sacha Yegulev*. Pero mucho después, en Hollywood, durante los años cuarenta, lo releí y me pareció deleznable. Leí también a Garin, Lermontov, Chejov, Turguéniev y, claro, Dostoievski.

J. de la C.: ¿Y a Galdós?

Entonces éramos bastante antigaldosianos. A Galdós empecé a leerlo en mi primer viaje a los Estados Unidos, el de los años treinta.

J. de la C.: ¿Y a los autores de la Generación del 98?

Admirábamos a algunos: Ortega, Unamuno, Valle Inclán. Lo admirable de Valle Inclán es el lenguaje: arcaísmos, neologismos, mexicanismos, valleinclanismos. Su teatro, aparte del lenguaje, no lo considero interesante. Entonces nos gustaban mucho sus «esperpentos». Otros escritores, como Baroja, nos interesaban menos. Ya entonces estábamos muy influidos por los franceses y buscábamos otros horizontes. Eramos, ¡perdón!, vanguardistas.

J. de la C.: Moreno Villa dice en su *Vida en claro* que era usted muy deportista, que lo veía salir a usted en las frías mañanas madrileñas con una garrocha al hombro.

Sí, fui algo deportista.

T. P. T.: Y fue campeón de boxeo...

J. de la C.: E incluso ganó el sobrenombre de «El León de Calanda».

Han confundido ustedes todo. Estuve a punto de ser campeón de boxeo en categoría amateur. Llegué a la final del campeonato y combatí con un chico llamado Naval. Yo era más fuerte y mejor, pero él atacaba y yo me cubría. Lo del sobrenombre es que, cuando luchábamos los chicos en la calle, nos poníamos apodos: «El Tigre del Desierto», «El León de Calanda», etc.

T. P. T.: En la Residencia debían tener ustedes mucho interés por el cine.

Sólo como espectáculo. Nos gustaban las películas cómicas norteamericanas. García Lorca, Alberti, Dalí y yo íbamos mucho al cine, para reírnos con Keaton, Ben Turpin, Ambrosio. Sobre todo con Keaton. No nos importaba si el cine era arte o no. Eso sí, nos gustaban el humor y la poesía que encontrábamos en él. Lorca y Alberti hicieron poemas a los cómicos del cine norteamericano.

PARIS. *EL RETABLO DE MAESE PEDRO. LAS TRES LUCES.* LOS SURREALISTAS

T. P. T.: Llegamos a su viaje a París, hacia 1925, y su experiencia teatral con *El Retablo de Maese Pedro*.

En una excursión estudiantil a Salamanca, Américo Castro, que nos acompañaba, me dijo

Con Federico García Lorca, en la verbena de San Antonio de la Florida, Madrid, 1924. ▲

que en las universidades francesas solicitaban lectores de español. Como vio que esto me interesaba, me recomendó que dejase la agronomía y que estudiara filosofía, historia, letras. Ya les he dicho que cambié de estudios y que mi padre murió en 1923 creyendo que yo estudiaba ciencias naturales. El conocido pianista español Ricardo Vines me habló de aquella representación de la pequeña ópera de cámara de Falla. La primera representación se había hecho toda con títeres y yo sugerí que podría hacerse con títeres y actores humanos, para que hubiera distinción entre los personajes de carne y hueso y los del retablo, como en el *Quijote*. La obra iba a ser representada en Amsterdam, con cantantes de la ópera cómica, entre otros la célebre Vera Janocópulos, y bajo la dirección musical de Willen Mengelberg. Me nombraron director escénico. Yo no tenía más experiencia teatral que las «óperas» que también improvisábamos en broma en la Residencia de Estudiantes. Me equivoqué en la distribución de las luces y al principio, por eso, no lograba dar profundidad en el escenario. Los ensayos duraron un mes. La obra se representó en Amsterdam dos días; al siguiente corregí las luces. Era una audacia mía ese trabajo de *régisseur*, pero creo que la idea de combinar títeres con actores de carne y hueso pareció bien.

J. de la C.: Sí, porque precisamente la obra de Falla trata del encuentro de don

Quijote y sus acompañantes con el teatro de muñecos de maese Pedro, y de lo que sucedía cuando don Quijote confundía a éstos con seres humanos reales.

Don Quijote creía que era verdad lo que sucedía entre los títeres y sacaba la espada para defender a don Gaiferos y a Melisenda. El trujamán trataba de calmarlo: «Ponga usted cuidado don Quijote, que esto no es verdad, y nos ganamos la vida con estos muñecos.» Pero en don Quijote la ilusión podía más que la verdad, y acababa destruyendo el teatrillo.

T. P. T: ¿Esta ha sido su única tentativa en el teatro?

Ya aquí en México monté, por los años cincuenta, *Don Juan Tenorio*, de Zorrilla, en el Día de Todos los Santos. Quise hacer un Tenorio tradicional, antiguo, como el que se representaba antes en España en esa fecha, como el que veíamos cuando jóvenes. Le di sólo un poco más de movimiento. Participaron actores profesionales y amigos. Lo hacíamos un poco por diversión y nostalgia. Yo representé el papel de Don Diego, y Alcoriza, el de Don Luis. Muy cerca de allí, Alvaro Custodio puso un Tenorio más moderno, con decorados de Leonora Carrington, en el cual los personajes no se sentaban a hablar, sino que caminaban de un lado a otro del escenario.

T. P. T.: Y después de *El Retablo*, ¿no se le ocurrió a usted «seguir la senda del teatro»?

Yo no tenía aún una vocación definida. Había escrito poemas en la Residencia de Estudiantes, pero era, y soy, un poco ágrafo, es decir que encuentro dificultad para comunicarme por escrito. Un día, en el Vieux Colombier vi la película de Fritz Lang *Las tres luces* (*Der mude Tod*). ¿Han visto ustedes esa película? ¿Recuerdan la historia?

T. P. T.: Sí. Una muchacha pierde a su amado en manos de la Muerte y suplica a ésta que se lo devuelva. La muerte impone entonces a la heroína tres pruebas, tres aventuras trágicas, en diferentes países y épocas.

Eso es. Lo que me impresionó no fueron las tres historias interpoladas, sino la figura de la Muerte, su llegada a una aldea flamenca, el diálogo con la muchacha, el Muro de los Muertos. Fue para mí una revelación. Quise hacer cine. Epstein se hallaba filmando *Les aventures de Robert Macaire* en los Estudios Albatros, de Montreuil, y tenía una academia de

▲ «En *Mauprat* hice de todo: de figurante, de ayudante, de lo que hiciera falta.»

actores. Fui a verlo y me tomó para lo que ahora llaman *stagiaire*, y luego como ayudante en **Mauprat** y **La chute de la maison Usher**. Hice de todo: de figurante, de ayudante, de lo que hiciera falta. Pero antes de terminar la segunda película abandoné ese trabajo. He contado muchas veces cómo, así que seré breve. Yo tenía la idea y gustos en relación con el cine. Estábamos en los estudios de Epinay y al día siguiente saldríamos al campo a filmar los exteriores. Epstein me dijo: «Buñuel, va a venir ahora Abel Gance para hacer unas pruebas y usted puede quedarse y ayudarle.» Respondí: «Si se trata de Gance, no me interesa.» «¿Cómo, qué dice usted?» «Detesto ese cine.» Me dijo: «Qu'un petit con comme vous ose parler comme ça d'un homme aussi grand que Gance» («Que un tonto insignificante como usted se atreva a hablar así de un hombre tan grande como Gance.») Añadió: «Buñuel, hemos terminado; lo devuelvo a París en mi auto, si quiere.» En el camino fue dándome consejos: «Lo veo a usted muy surrealista. Tenga cuidado con los surrealistas, son muy locos.»

T. P. T.: ¿Y ya era usted surrealista?

No, pero los surrealistas me interesaban. Por los días en que llegué a París había habido en la Closerie des Lilàs un banquete ofrecido a Madame Rachilde[1], una escritora ya vieja. En el banquete estaban dos surrealistas; no sé si Péret era uno de ellos. Hablaron muchos escritores y al final Madame Rachilde dijo: «¿Y los surrealistas no dicen nada?» Entonces se levantó uno de ellos, dijo: «Madame...» y le dio una bofetada a Rachilde. ¡Qué bronca! Unos agarraron sillas, otros botellas. El escándalo fue grande, el café estuvo cerrado tres meses. Esa noche, después de la bronca, pasé casualmente por allí; vi cristales rotos, policías. La gente decía: «Han sido los surrealistas.» Pero, enterarme bien de qué era el surrealismo, eso sería dos años después.

J. de la C.: Pero sí leía usted a los surrealistas.

Empecé a leerlos. Sobre todo a Benjamin Péret, que me entusiasmaba con su humor poético. Lo leíamos Dalí y yo, y nos caíamos al suelo de risa. Había algo allí dentro, un motorcito extraño y perverso, un humor delicioso,

de tipo convulsivo. Algo parecido quise hacer con mi última película, **El fantasma de la libertad**, pero no me resultó.

J. de la C.: Creo que hay un lazo muy visible entre el cine de usted y la poesía de Péret, y eso es cierta presencia de la gastronomía.

Un aspecto es ése, pero hay otros muchos. De Péret admiraba la variedad de puntos de vista. ¡Qué recreación de la realidad! Los ciegos, por ejemplo. Péret escribe: «N'est-ce pas vraie que la mortadelle est faite par des aveugles?» ¡Caramba, qué exactitud extraordinaria! Ya sé que los ciegos no hacen la mortadela. Pero *la hacen*. Se les ve haciéndola.

J. de la C.: Supongo que habrá leído usted a Ramón Gómez de la Serna,[2] que tiene también ese tipo de humor y de poesía.

La primera película que me propuse hacer, y que dejé por **Un perro andaluz**, fue una que escribí con Ramón. Se llamaba **El mundo por diez céntimos**. Mostraba cómo se hacía un periódico, su venta en la calle, la gente que lo leía. Las noticias del periódico eran ocho cuentos de Ramón. Trabajé con Ramón dos días; yo sólo le daba forma al argumento, que era de Ramón. Pero luego vino el proyecto con Dalí.

J. de la C.: La primera pregunta que se impone es: ¿por qué ese título, Un perro andaluz? Aranda, en su libro[2], dice que algunos de ustedes quisieron burlarse de los poetas andaluces de la Residencia de Estudiantes.

No es así la gente encuentra alusiones donde quiere si se empeña en sentirse aludida. Federico García Lorca y yo estuvimos enfadados durante algunos años. Cuando en los años treinta estuve en Nueva York, Angel del Río me contó que Federico, que había estado también por allí, le había dicho: «Buñuel ha hecho una mierdecita así de pequeñita que se llama **Un perro andaluz**; y el perro andaluz soy yo». No había nada de eso. **Un perro andaluz** era el título de un libro de poemas que escribí. A la película, Dalí y yo habíamos pensado llamarla **Es peligroso asomarse al interior**, al revés de lo que se advierte en las ventanillas de los trenes: «Es peligroso asomarse al exterior». Esto nos pareció muy literario. Dalí me dijo: «¿Por qué no ponerle el título de tu libro?» Y eso hicimos.

---

[1] *Rachilde*: pseudónimo de la mujer de letras francesa Marguerite Eymery (1860-1953). «Descubridora» de Alfred Jarry, en sus cuentos, novelas y dramas trataba de personajes malditos y temas eróticos osados, que escandalizaron ligeramente al público de la Belle Epoque.

[2] J. Francisco Aranda, *Luis Buñuel/Biografía crítica*, Ed. Lumen, Barcelona, 1969.

2. *Un perro andaluz.*
El juicio de los surrealistas

T. P. T.: ¿Cómo surgió el proyecto de *Un perro andaluz*?

En 1927 o 1928 yo estaba muy interesado en el cine. En Madrid presenté una sesión de películas de vanguardia francesas. Estaban en el programa **Rien que les heures**, de Caval-canti, **Entr'acte**, de René Clair y no recuerdo qué más. Tuvieron un enorme éxito. Al día siguiente me llamó Ortega y Gasset y me dijo: «Si yo fuera joven, me dedicaría al cine». Juan Ramón Jiménez quedó también *ébloui*. Era la gran revolución, porque se conocían las películas norteamericanas, pero el cine de van-guardia no había llegado a España. Luego, pasando la Navidad con Salvador Dalí en Fi-gueres, le sugerí hacer una película con él. Dalí me dijo: «Yo anoche soñé con hormigas que pululaban en mi mano.» Y yo: «Hombre, pues yo he soñado que le cortaba el ojo a al-guien.» En seis días escribimos el guión. Está-bamos tan identificados que no había discu-sión. Trabajamos acogiendo las primeras imá-genes que nos venían al pensamiento y en cam-bio rechazando sistemáticamente todo lo que viniera de la cultura o de la educación. Tenían que ser imágenes que nos sorprendieran, que aceptáramos los dos sin discutir. Por ejemplo: la mujer agarra una raqueta para defenderse del hombre que quiere atacarla. Entonces éste mira alrededor buscando algo y (ahora estoy hablando con Dalí): «¿Qué ve?» «Un sapo que vuela» «¡Malo!» «Una botella de coñac «¡Malo!» «Pues veo dos cuerdas». «Bien, pero ¿qué viene detrás de las cuerdas?» «El tipo tira de ellas y cae, porque arrastra algo muy pesa-do». «Ah, está bien que se caiga». «En las cuerdas vienen dos grandes calabazas secas».

«¿Qué más?». «Dos hermanos maristas». «¿Y después?» «Un cañón». «Malo; que venga un sillón de lujo». «No, un piano de cola». «Muy bueno, y encima del piano un burro... no, dos burros podridos». «¡Magnífico!» O sea, que hacíamos surgir imágenes irracionales, sin nin-guna explicación.

T. P. T.: Sin embargo, los críticos han intentado encontrarle una explicación ló-gica.

Un capitán de caballería de Zaragoza, un profesor alemán y muchas otras personas coin-cidieron en las mismas explicaciones. «El hombre avanza hacia la mujer: es el impulso sexual. Las cuerdas: los impedimentos mora-les. Los dos corchos: la frivolidad de la vida. Las dos calabazas secas: los testículos. Los curas: la religión. El piano: lirismo del amor. Y los burros: la muerte.» En lugar de tratar de explicarse las imágenes, deberían ser acepta-das como son. ¿Me repugnan, me conmueven, me atraen? Con eso debería bastar.

J. de la C.: Parece haber ciertas analogías o metáforas. Por ejemplo, la nube que pasa frente a la luna corresponde a la navaja que corta el ojo. Naturalmente, uno se inclina a la explicación simbólica. Se trataría de un prólogo que nos invita a cerrar el ojo (la mirada) que sólo ve las apariencias y la fácil poesía, para intentar en cambio la visión profunda, surrealista.

No niego que se pueda interpretar la película como usted lo hace. «Vamos a cerrar los ojos a la realidad aparente y a ver dentro del espí-ritu.» Pero la imagen la puse porque había

◄ **Buñuel por Man Ray, París, 1929.**

23

aparecido en un sueño y sabía que iba a repugnar a la gente.

T. P. T.: ¿Qué era en realidad? ¿Un ojo de vaca?

De ternera. Depilado y maquillado.

T. P. T.: ¿Intervino Dalí en el rodaje de la película?

No, la filmé yo solo. Dalí ha llegado a decir que yo le pedía consejos sobre qué hacer cada día en el rodaje. ¡Es encantador! Dalí me había dicho que le telegrafiara cuando estuviera por terminar. Dos días antes le telegrafié y vino a los estudios a ver filmar las últimas escenas. La penúltima fue la del piano y los burros.

J. de la C.: De esa escena dice en su *Vida secreta de Salvador Dalí* que él preparó los burros para el rodaje.

Sí, eso lo hizo él. Yo mandé matar los dos burros y rellenarlos de paja, antes de hacer la película. Dalí vio los dos burros y les puso pez para fingir la putrefacción.

T. P. T.:¿Cómo se financió la película?

Había veinticinco mil pesetas, cinco mil duros, que me dio mi madre. Porque a mis hermanas, para que se casaran, les dio diez mil duros y yo le pedí sólo cinco mil para hacer la película. En París gasté la mitad en cabarés y en cenas con amigos. Y cuando me quedaron doce mil quinientas pesetas, que entonces valían mucho (porque el franco estaba muy bajo: una botella de champagne costaba una peseta), me decidí a hacer la película, porque yo soy un hombre responsable y no quería timar a mi madre. Alquilé los estudios de Billancourt; pagaba poco (pero pagaba) a los actores. Era mi propio productor, por primera y única vez en mi vida.

J. de la C.: Para hacer cine ¿no había problemas sindicales en esa época?

Que yo sepa, no. Además, conmigo no había problema sindical porque yo era «productor capitalista».

T. P. T.: ¿Con qué escena comenzó el rodaje?

Debió ser alguna fácil. Me daba miedo comenzar y me dije: «Empezaré por lo más fácil.» Creo que fue la escena del balcón, en la cual yo mismo aparezco con la navaja de afeitar.

T. P. T.: ¿Cómo reunió el equipo? ¿A Batcheff, por ejemplo, lo conocía?

Lo conocí siendo yo asistente de Etievent y Nalpas en una película con Josephine Baker: *La sirena de los trópicos*. El no era sólo un galán bonito; era culto y tenía preocupaciones intelectuales. Josephine Baker llegó un día al estudio a las cinco de la tarde, cuando la habían citado a las nueve de la mañana; venía con un humor de todos los diablos, porque un perrito se le había puesto enfermo, y rompió el espejo de su camerino. Ante estas cosas, Batcheff se ponía furioso. Yo comenté: «Así es el cine». Me respondió: «Será el cine de usted, porque el mío no es». Le di la razón y nos hicimos amigos. Así que lo llamé para *Un perro andaluz*. Y a los otros los fui buscando. Fano Mesan, la que en la película juega con la mano cortada, era una muchacha que en Montparnasse venía a veces a tomar un café con nosotros, vestida de chico, hasta que un día se presentó vestida de mujer. La protagonista era Simone Mareuil, que veinte o treinta años después se suicidaría a lo bonzo. Se echó encima dos bidones de gasolina, se prendió fuego y echó a correr envuelta en llamas a través del bosque. Batcheff también se suicidó.

J. de la C.: ¿Cómo los dirigía usted?

No les dejé conocer el argumento. Sólo les decía: «Ahora mire usted por la ventana. Está

▲ **Buñuel, Simone Mareuil y el ojo de ternera. «Sabía que iba a repugnar a la gente.»**

desfilando un ejército.» O: «Allí hay una bronca entre dos borrachos.» En realidad eso empalmaba con la escena de la chica jugueteando con la mano cortada. Ni el operador ni los técnicos sabían nada del argumento.

J. de la C.: Sin embargo el resultado final es muy fiel al guión. ¿Cuándo improvisaba usted?

No, yo no digo que improvisaba. Suprimí cosas, y en *La Edad de Oro* también, pero no improvisaba. Sabía más o menos lo que iba a hacer. Para mí los guiones han sido siempre la base. Lo que pasa es que todo puede cambiar por un detalle. Puedo suprimir una escena, porque soy muy económico y tengo la intuición de lo que es necesario y de lo que es superfluo. Tomo como base el guión, pero una película cuenta por lo que se vea en la pantalla. Un argumento malo puede dar una buena película, según quién la haga. En cambio, argumentos muy buenos, a veces dan pésimas películas.

T. P. T.: Carlos Velo nos ha contado una historia acerca de las hormigas que pululan en la mano de Batcheff.

Yo conocía la Sierra del Guadarrama, donde había unas hormigas de cabeza roja, muy gordas, que saldrían muy bien en un primer plano. Se las pedí a un amigo, Maynar, y éste las encargó a Velo, que me las envió a París en un pedazo de tronco podrido y dentro de una lata.

T. P. T.: Dice Velo que esas hormigas existían también en las landas francesas.

En Provence, seguramente. Pero en Francia yo no conocía a ningún entomólogo.

J. de la C.: ¿Quiénes son los seminaristas arrastrados con el piano?

Miratvilles y mi *régisseur*. Y en otra toma estaban Miratvilles y Dalí. Esa escena es la única que la censura ordenó cortar: «Couper les deux curés que l'on traine».

T. P. T.: Hoy la gente sigue estremeciéndose con la película.

Al día siguiente de su proyección los dueños del cine Des Ursulines me dijeron: «Lo sentimos. La película fue ayer muy bien acogida, pero no podemos tomarla porque la censura no la pasará.» Entonces los del Studio 28 me la pidieron. Me dieron por ella mil francos. Se proyectó durante ocho meses. Hubo desmayos, un aborto, más de treinta denuncias en la comisaría de policía. Hoy, los tiempos han cambiado.

En la primera sesión los surrealistas no estaban. Tampoco Dalí, que se hallaba pintando en Cadaqués. El primer trato que tuve con surrealistas fue con Aragon y Man Ray, en el restaurante La Coupole. Yo había terminado la película y me enteré de que Man Ray iba a presentar *Le Mystère du Chateau de Dé*, que habían financiado los vizcondes de Noailles. Fernand Léger me presentó a Ray. Le dije: «Creo que va usted a presentar una película. Yo tengo otra que dura veinte minutos y quisiera que la viera usted». Me presentó a Aragon, que estaba en el bar. Al día siguiente los dos vieron mí película y les pareció muy bien. Se estrenó por la noche y asistió *le tout Paris*. Yo como precaución llevaba —eso lo he contado muchas veces— piedras en los bolsillos. Se proyectaba la película y yo manejaba el gramófono. Arbitrariamente ponía aquí un tango argentino, allá *Tristán e Isolda*. Al terminar me proponía hacer una demostración surrealista, tirándole piedras al público. Me desarmaron los aplausos. Al día siguiente se hablaba mucho de la película, la comentaban en los periódicos. Fui al Cyrano y allí me presentaron a Bretón y a todos los demás del grupo surrealista.

J. de la C.: ¿Es verdad que, al tener tanto

Los seminaristas (Dalí y Miratvilles), el burro y las hormigas rojas en la mano de Batcheff. ▲

éxito *Un perro andaluz*, **los surrealistas le hicieron un juicio a usted?**

El juicio no fue por eso, aunque hubo algunos surrealistas que dijeron que si una película dirigida contra el público era tan bien acogida, debía haber algo sospechoso en ella. El juicio fue por otra cosa: por haber publicado el guión en una revista.

T. P. T.: En la *Revue du Cinéma*. Pero ¿qué molestó a los surrealistas?

Los de esa revista me habían pedido el guión y accedí. Poco después entré en el grupo surrealista. Había en Bruselas una revista llamada *Varieté* que iba a dedicar a los surrealistas un número dirigido por ellos mismos. Eluard me pidió el guión de *Un perro andaluz* y le dije: «Lo siento mucho, lo he dado a la *Revue du Cinéma*». Me pidieron que lo retirara. «Imposible, he dado mi palabra.» Me dijeron «La palabra no cuenta.» Yo lo consideraba injusto. «La justicia no existe —dijo Breton—. *Il faut choisir: avec la police ou avec nous.*» («Con la policía o con nosotros.»)

J. de la C.: Esa era precisamente la época de la mayor intransigencia surrealista. ¿Usted la aceptaba?

Por completo. Yo había entregado mi actividad y mi esperanza al surrealismo. Aquel juicio era para mí una cosa muy grave. Ya ven ustedes: la Iglesia Católica y la Unión Soviética han sido intransigentes, y allí están todavía. Aragon era el fiscal y se paseaba como una fiera, diciendo: «Et bien, mon cher ami, je trouve tout ça detestable. Nos camarades...» Etcétera. Al final me sugirieron que fuera a la imprenta donde se imprimía la revista y destruyera la composición en plomo. «Pero yo no sé dónde está la composición en plomo —dije— y quizá rompa otra cosa, no sé.» Insistieron y obedecí. Me compré un martillo, que escondí

bajo la gabardina, como si fuera un revólver, y fuimos a ver a Gallimard, Eluard y yo, porque ya estaban impresas las planas de la revista. «Vengo a protestar por la publicación del guión de *Un perro andaluz*», le dije. Gallimard se extrañó: «Pero si usted me lo dio voluntariamente...» «Sí, en efecto, pero lo he pensado bien y quiero retirarlo.» «Pues ahora está ya impreso, y no puedo hacer nada.» Nos despedimos de él y tuve que escribir una carta a veinte periódicos de París, protestando: «He sido victima de un abuso por parte del señor Gallimard. Este capitalista...», etcétera. Y el guión apareció también en el siguiente número de *La Révolution Surréaliste*, con una nota que decía: «Ésta es la única publicación de mi guión que autorizo.»

J. de la C.: Breton era muy exigente. Cuando Dalí y usted llegaron al grupo habían comenzado ya las expulsiones.

Sí, había ya muchas. Estaban ya unos diez fuera del movimiento: Desnos, Naville, Prévert, Ribbemont-Dessaignes, que publicaron contra Breton «Un cadavre». Allí firmaba también Alejo Carpentier, que entonces era un desconocido. Y decían: «Breton est une ordure» y otros insultos. Por entonces yo llevaba un año en el grupo.

J. de la C.: Y quedaban en él usted, Dalí, Aragon, Char, Eluard, Ernst, Péret, Ponge, Sadoul, Tzara, Crevel y otros, que suscribieron el Segundo Manifiesto Surrealista y lanzaron una nueva revista llamada *Le Surréalisme au Service de la Révolution*. Aparecen ustedes en un fotomontaje, sus retratos rodeando una imagen de mujer desnuda, y aquella inscripción...

Sí, todos con los ojos cerrados y la mujer en medio, y la inscripción decía: «Je ne vois pas la femme cachée dans la fôret». («No veo a la mujer oculta en el bosque.»)

3. *La edad de oro* y su «affaire». Sade. Los tambores de calanda

J. de la C.: ¿Cómo fue que los Noailles financiaron *La Edad de Oro*?

Después del estreno de *Un perro andaluz*, Cocteau, entusiasmado con la película, aconsejó al vizconde de Noailles que me llamara y me encargara otra. El director de *Cahiers d'Art*, Zervos, me dijo: «Vaya usted a verlo. Noailles es un hombre extraordinario, un mecenas formidable». Finalmente, un día en que yo había ido a ver a Zervos para otra cosa, estaba allí Noailles. Me dijo: «Cocteau, Auric y Poulenc están encantados con su película. ¿Querría usted dirigir otra para nosotros?» Dos días después me envió al hotel al subdirector del Museo del Hombre para invitarme a una comida en su casa. Y en la sobremesa, insistió: «Quisiéramos hacer una película con usted. Lo mismo que *Un perro andaluz*: dos rollos. Tenemos un compromiso con Stravinsky, que está en Niza. Usted hace la película y él pone la música.» Me negué, porque yo no quería trabajar con genios. Noailles, amabilísimo, me dijo: «Bueno, haga la película a su gusto, con música o sin ella. Lo que usted quiera.» Se lo agradecí y empecé a preparar *La Edad de Oro*.

T. P. T.: ¿Empezó a escribirla con Dalí?

Por ese tiempo Dalí y yo rompimos nuestra amistad. Fue precisamente a los tres días de colaboración. El ya estaba muy influenciado por Gala. Gala será el gran amor de Dalí, será lo que sea, pero lo influyó increíblemente, y de mala manera. Claro que en realidad son dos almas gemelas. Y así como *Un perro andaluz* fue una colaboración fraternal, más que nada resultado de la amistad, de la comprensión, en la que casi no habíamos discutido nada, en *La Edad de Oro* él ya quería seguir una línea muy esteticista. Entonces, a los pocos días, le dije: «Me parece que no podemos seguir. Estás muy influido por Gala, que sabes que a mí no me cae nada bien. De manera que, como amigos, hay una especie de barrera entre nosotros.» Y me fui y trabajé yo solo. Gala y él se dedicaron a viajar por España. Y cuando yo aún estaba escribiendo el argumento, él me mandó una carta proponiéndome ideas.

J. de la C.: ¿Lamentó usted mucho romper la amistad con Dalí?

Mucho, porque habíamos sido grandes amigos. Dalí era entonces encantador. Cuando llegó a París con su hermana y su tía, a ver *Un perro andaluz*, para atravesar cualquier calle la tía, que iba en medio, tomaba de la mano a Dalí y a su hermana y decía: «¡Vamos, hijos!», y cruzaban la calle corriendo. Dalí era entonces la falta total de sentido práctico. Bueno, pues cuando entré en el grupo surrealista, mostré fotografías de sus cuadros y me quedé fastidiado, porque no gustaron. Al llegar Dalí lo presenté al grupo y entonces quedaron impresionados con sus cuadros. Muy pronto era de los surrealistas más destacados. Lo malo es que Gala influyó mal en él. Cuando me la presentó, debo reconocer que no me causó buena impresión, pero él estaba fascinado. Dalí es muy asexuado, casi andrógino, como los ángeles. Y a causa de Gala terminó riñendo con mucha gente. Por ejemplo: con su hermana María, con quien sigue reñido. Bueno, al final de aquel verano, vino el fin de nuestra amistad.

T. P. T.: Y para empezar a escribir *La Edad de Oro* **¿habían seguido el mismo sistema de asociación de ideas que para** *Un perro andaluz*?

No. Yo tenía unos treinta gags: una carreta

que pasa en medio de un salón, el guardabosques que mata a su hijo por capricho, el obispo defenestrado, etc. Dalí aportó otros, como el hombre con la piedra en la cabeza. Pero descubrimos que a cada uno le disgustaban las ideas del otro. «Eso es muy malo», me decía. Y yo: «Y eso, pésimo.» Ya no había *entente*. Además, la primera película y ésta eran diferentes. En *Un perro andaluz* no hay una línea, y en *La Edad de Oro* sí. Una línea muy parecida a la de *El fantasma de la libertad*, que es pasar de una cosa a otra por medio de un detalle cualquiera.

J. de la C.: El documental de los alacranes ¿lo filmó usted?

No. Era material de *stock*. Tomé cuatro trozos ya filmados y los incluí. No me preocupaba la cuestión técnica, la diferencia de fotografía entre el documental —que es muy antiguo, de la época muda— y el resto de la película.

J. de la C.: Sí, se ve que las tomas de los alacranes están filmadas con la vieja película ortocromática.

Y con mala fotografía; pero por eso me gustaba. Yo quería cualquier cosa, menos agradar.

T. P. T.: ¿Cuánto costó *La Edad de Oro*?

No recuerdo muy bien. Debió ser muy barata: unos doscientos sesenta mil francos de la época.

J. de la C.: En la gran fiesta, ¿todos son actores profesionales?

Había actores, figurantes y algunos amigos, como madame Víctor Hugo, acompañada de un ceramista catalán, Artigas, de grandes bigotes. Actuaron también en la película Max Ernst y Pierre Prévert, que aparecían entre los bandidos. El bandido cojo es Pancho Cosío, un pintor español que murió hace poco.

J. de la C.: ¿Dónde filmaron las escenas de los bandidos?

En Cap de Creus, al norte de Cadaqués, cerca de la frontera francesa.

J. de la C.: Es muy bello y enérgico ese paisaje: las rocas de formas arquitectónicas y el mar liso bajo un sol total. Dalí ha pintado mucho ese lugar. ¿Cuánto tiempo duró el rodaje?

Duraría veinticuatro días o algo así.

J. de la C.: ¿No hay sonido directo?

El sonido lo hizo un técnico berlinés. La banda sonora se sincronizó, pero no como ahora, sino «a ojo».

J. de la C.: Hay audacias formales en la relación entre la imagen y la banda sonora.

Sí, hay una idea de la que luego el cine ha abusado: la voz en *off*. Están los personajes sentados en un jardín, pero el diálogo indica que están en una alcoba: «Approche ta tête, ici l'oreiller est plus frais... Tu as sommeil?» («Acerca la cabeza, aquí la almohada está más fresca. ¿Tienes sueño?»)

J. de la C.: Y una frase muy fuerte: «Quel joie d'avoir assassiné nos enfants». («¡Qué alegría haber asesinado a nuestros hijos!»)

Sí y eso lo decían como si estuvieran en la cama. Era la primera vez que se utilizaba en el cine la voz pensada.

J. de la C.: La escena final es un homenaje al marqués de Sade. ¿Cuándo lo había leído usted?

Poco antes de hacer *La Edad de Oro*. Me impresionó mucho. Robert Desnos, en una comida en casa de Tual, me había hablado de Sade, al que yo no conocía. Me presentó las *120 jornadas de Sodoma*, el mismo ejemplar que habían leído Proust y Gide, porque entonces no se reeditaba a Sade. La edición era de

▲ **Con los vizcondes de Noailles.**

un profesor alemán que sólo tiró diez ejemplares en 1905 y ese ejemplar era el único en Francia. En Sade descubrí un mundo de subversión extraordinario, en el que entra todo: desde los insectos a las costumbres de la sociedad humana, el sexo, la teología. En fin, me deslumbró realmente.

J. de la C.: Yo diría que en *Nazarín* **hay un eco del** *Diálogo entre un sacerdote y un moribundo.* **El sacerdote habla del cielo y la muchacha dice: «Cielo no, quiero a Juan».**

Es posible, aunque en el *Diálogo* el moribundo vence al cura, y en *Nazarín* la muchacha sigue diciendo: «No quiero el cielo. Quiero a mi amante, quiero la tierra, quiero a Juan». Es un poco distinto, aunque dentro del mismo espíritu.

T. P. T.: En *La Edad de Oro* **hay una crítica social que no es evidente en** *Un perro andaluz.*

En *Un perro andaluz* no hay crítica social ni de ninguna clase. En *La Edad de Oro* sí. Hay un *parti pris* de ataque a lo que puede llamarse ideales de la burguesía: familia, patria y religión.

J. de la C.: Al parecer, usted pensaba titular la película con una frase del Manifiesto Comunista: *En las aguas heladas del cálculo egoísta.* **Es cuando Marx dice, más o menos, que los viejos ideales de la aristocracia los había sacrificado la burguesía a sus intereses.**

Ese título lo pensamos después del escándalo y la prohibición; para que pudiera seguir exhibiéndose se nos ocurrió camuflarlo con otro título. Es una frase de Marx y Engels en que casi hablan favorablemente del feudalismo en comparación con la burguesía. Lo presentamos entonces con ese título, pero de todas maneras la censura lo prohibió.

T. P. T.: ¿La censura descubrió que el título venía de Marx y Engels? ¡Qué cultura para un censor!

Se dio cuenta del camuflaje, de lo que la película era, y ya tenía elementos suficientes para la prohibición.

Lya Lis. «En Sade descubrí un mundo de subversión extraordinario.» ▲

T. P. T.: En ese tiempo ¿estaba usted en París?

No, en Hollywood. Los Noailles eran unos aristócratas encantadores, gente liberal, y por eso financiaban películas sin saber muy bien de qué trataban. Al terminar la película fui invitado a Hollywood. Los Noailles estaban encantados porque todos sus amigos y conocidos adoraban el cine. En la sala Panthéon, cerca de la Sorbonne, dieron, a las diez de la mañana, una exhibición con rigurosa lista de invitaciones: la condesa Tal, la princesa Cual… *Le tout Paris*! A la puerta del cine, los Noailles recibían como en su propia casa: «Bonjour, madame la marquise… Bonjour, Marie-Laure… Y al salir, la gente estaba indignada y no se despedía de ellos. Más tarde, a Noailles lo expulsaron del Jockey Club, del que era presidente: ¡Fuera! El Papa estuvo a punto de excomulgarlo. No a mí, que era un desconocido, sino a él, que había pagado eso. La madre de Noailles tuvo que ir a Roma y allí se arregló el asunto. Fue un escándalo. Ellos estaban extrañados: «Pero ¿qué hemos hecho?'», decían. En ese ambiente intelectual en que vivían, entre artistas de primera línea, no creían haber hecho algo terrible. Se quedaron helados al ver que la gente salía del estreno sin hablarles.

T. P. T.: ¿Entonces prohibió la película el prefecto Chiappe?

Primero fue el ataque de las Juventudes Patrióticas y los Camelots du Roi.

T. P. T.: ¿Se llegó a exhibir comercialmente la película?

Ya se exhibía comercialmente en el Studio 28. Una noche fueron cien o doscientos tipos de ultraderecha y tomaron por asalto la sala. Llevaban hachas y bombas fumígenas. Destruyeron las butacas y desgarraron con cuchillos un Dalí, un Tanguy y otros cuadros que se exhibían en el vestíbulo. Yo estaba en Hollywood y me enteré leyendo *Los Angeles Examiner*.

J. de la C.: Entonces usted se marchó a Hollywood apenas terminada la película.

Me fui a Hollywood en noviembre de 1930. A los diez días de llegar me enteré del escándalo.

T. P. T.: Hay cierta referencia a esto en *Diario de una camarera*.

No, allí hay sólo una manifestación de derechas.

T. P. T.: Pero los manifestantes gritan: «¡Arriba Chiappe!», es decir, el prefecto de policía.

Eso sí. Una coincidencia.

J. de la C.: Volviendo a las innovaciones de la película, hay otras en que el sonido discrepa adrede con la imagen. Por ejemplo, en la alcoba de la protagonista.

Sí. Empieza el viento que surge del espejo y se oye un cencerro y ladridos de perro. De allí enlazo con el personaje principal, al que le ladran unos perros en la calle.

J. de la C.: ¿Por qué escogió para ese personaje a Gastón Modot?

Lo conocía de nuestro grupo de Montparnasse. Modot había sido pintor y compañero de Picasso en el año 12. Le gustaba mucho tocar la guitarra y era muy españolista. Me fijé en él porque era actor, y muy buen actor, además.

▲   Gaston Modot, «muy buen actor» y Lya Lys «no era actriz, aunque era muy guapa.»

J. de la C.: Yo veo en él un personaje muy diferente al de *Un perro andaluz,* **que es un tipo bello, «espiritual», y recuerda un poco a Antonin Artaud. En** *La Edad de Oro* **el personaje tiene aspecto de señorito relamido, de bigote cuidado, peinado con raya en medio, etcétera.**

¿Quién? ¿Modot? Ya no me acuerdo de cómo iba peinado. Pero es verdad: son dos personajes muy diferentes.

T. P. T.: ¿Y la actriz, Lya Lys?

La elegí yo. No era actriz y me dio un trabajo monstruoso, pero gustó mucho y la contrató Hollywood para hacer de ella una starlette. Allí fracasó, aunque era muy guapa.

J. de la C.: ¿Quién interpreta al director de orquesta?

Un viejo ruso blanco que había por allá. Era muy bruto. (No recuerdo cómo se llamaba.) No pude lograr de él todo lo que quería. Y debo decir que hay cosas que no me gustan como quedaron. Por ejemplo, la cruz que sale al final. Yo pensaba en una cruz cubierta de cabelleras de mujeres: cabelleras rubias y morenas, espléndidas; y resulta que la cabellera parece lo que es cuando está conformada por el cráneo, pero una cabellera colgada queda fláccida como una cola de caballo. Allí se hubiera necesitado un rótulo: «Éstas son cabelleras de mujer.''

J. de la C.: Pero la imagen, de cualquier manera, es inquietante.

Sí, y la acompañaba un pasodoble, «Gallito». (Lo tararea.)

J. de la C.: Ahora que habla usted de pasodobles, he recordado que nunca ha tratado los toros en el cine.

En *La fiebre sube al Pao* hay una corrida de toros, pero apenas se la ve. Sirve de fondo a una escena. Yo tengo poco gusto por la España de los toreros y el «olé».

J. de la C.: ¿No tenía usted un proyecto de película con el torero Ignacio Sánchez Mejías? Aranda reproduce una carta de usted en la que se habla de eso.

No recuerdo. Ignacio era amigo de todos los poetas de mi generación; le gustaba alternar con intelectuales, les pagaba las copas y una que otra comida. Tipo inteligente, interesante.

J. de la C.: Tal vez hubiera toros en su proyecto de película sobre Goya.

Eso sí. Era para el centenario de Goya, y me alegro de no haber realizado esa película, porque ¡lo que hubiera salido! Yo había presentado el proyecto a una comisión de aragoneses y ellos aceptaron. Fui a Madrid a ver a Valle-Inclán, que también trabajaba en el proyecto, y lo hallé en el Círculo de Bellas Artes. Me dijo: «Puez penzaba hacer Goya, pero el hombre de zine ez uztez, y le zedo el pazo.» El proyecto se deshizo más tarde. Por cierto, hay otra película que me alegro de no haber filmado. Colaboré con Gide tres días en ella: *Les caves du Vatican.* Gide había escrito un libro en pro de la Unión Soviética y allá, por devolverle el favor, propusieron que *Les caves* se filmara en Moscú. Aragon y Couturier me propusieron como director. Trabajé con Gide tres días de cinco a siete. Y como yo no había hecho más que *Un perro andaluz* y *La Edad de Oro*, pueden ustedes imaginarse lo que hubiera sido *Les caves du Vatican* hecho por mí en Moscú. Afortunadamente, al poco tiempo se anuló el proyecto.

Contra la ley de la gravedad y Jesucristo en el castillo del marqués de Sade. ▲

T. P. T.: Cuando citó usted la frase sobre los ciegos y la mortadela recordé que hay en *La Edad de Oro* **una escena muy sádica con un ciego.**

J. de la C.: Los ciegos son muy frecuentes en sus películas. El ojo cortado en *Un perro andaluz***, el ciego pateado de** *La Edad de Oro***, el terrible ciego de** *Los Olvidados***.**

Y los ciegos del final de **La Vía Láctea**. El ciego que se cura por milagro y dice: «Muchas gracias, señor. Acaba de pasar un pájaro. Lo he conocido por el ruido de las alas».

J. de la C.: Y cuando no hay ciegos, hay imágenes de agresión a los ojos. Por ejemplo: en *Él***, Arturo de Córdova trata de cegar los ojos que supone están espiando hacia la alcoba. Y en** *La mort dans ce jardin* **le hieren en el ojo a un carcelero con un portaplumas. ¿Por qué esa obsesión?**

De mis obsesiones no me preocupo. ¿Por qué crece la hierba en el jardín? Porque está abonado para eso.

J. de la C.: En el final de *La Edad de Oro***, el castillo «sadiano» está hecho con unos decorados y una maqueta muy falsos.**

Sí, muy malos. Se notaba su falsedad a leguas. Parece de juguete, ¿verdad?

T. P. T.: Y allí ¿quién interpretaba a Cristo?

Lionel Salem, que siempre hacía ese papel en las películas francesas hechas para la Semana Santa.

J. de la C.: El redoble de los tambores ¿es el de Calanda?

Sí, pero no lo tocaron los de Calanda. Para la grabación vinieron los tambores de la Banda Republicana. Eran doce y les enseñé a tocar al modo calandino.

T. P. T.: ¿Es cierto que tocaba usted esos tambores hasta que le sangraban las manos?

Eso sucede en Calanda. Ahora hay más tambores, unos mil. Se tocan durante veinticuatro horas, sin parar. Y al final la piel de las manos se rompe y la sangre sale por la mera fuerza de la gravedad, y por eso se ven bombos con grandes manchas de sangre. Los que tocan recorren el pueblo, comenzando el Viernes Santo a las doce, y no paran sino hasta el Sábado Santo al mediodía. En realidad, la costumbre no es muy antigua.

J. de la C.: Oiga usted, don Luis, volviendo a Sade, ¿no encontró usted nada reprobable en sus obras?

¿Por qué?

T. P. T.: Bueno, algunos presentan a Sade como el hombre que justificaba a priori los campos de concentración y los crímenes nazis.

Pero, hombre, son cosas diferentes. Sade sólo cometía sus crímenes en la imaginación, como una forma de liberarse del deseo criminal. La imaginación puede permitirse todas las libertades. Otra cosa es que usted las realice en acto. La imaginación es libre; el hombre, no.

▲ Los obispos en el Cap de Creus.

4. Un «surrealista andante» en Hollywood. *Las Hurdes*. La separación del grupo surrealista

J. de la C.: Después de *La Edad de Oro*, **usted fue a Hollywood.**

Sí. Iba a efectuarse el primer congreso de intelectuales en Karkov, al que pensábamos asistir Aragon, Sadoul y yo. Por esos días me llamó míster Lorentz, que era el encargado de la Metro Goldwyn Mayer en Europa, y me dijo: «Su película me ha llamado la atención. Pero debe usted ver lo que es hacer cine con los medios que tiene Hollywood. Irá usted con doscientos dólares semanales de sueldo sólo para observar cómo se trabaja allí. Estará un mes en los foros, otro en la sala de montaje, etcétera, y luego veremos si hace usted una película con nosotros.» Les dije a los surrealistas: «A la URSS podré ir cuando quiera; a América no iría jamás. Prefiero ir a Hollywood ahora, como representante del surrealismo.» Aragon y Sadoul se fueron a Karkov y yo a Hollywood. Me presenté allí al supervisor de la M.G.M., que vio mi contrato y me preguntó por dónde podía yo comenzar. Yo dije que por el plató, para observar un rodaje. Miró un plano como de un Estado Mayor que tenía en la oficina. «Plató 24; ¿quiere usted ir allí?» Me dio una tarjeta con mi nombre y fui al foro en el que estaban haciendo un primer plano de Greta Garbo. Yo estaba a respetuosa distancia, para no estorbar. La Garbo, a quien estaban retocándole el maquillaje, me advirtió de una ojeada y habló con un tipo de bigotito, que vino y me dijo algo en inglés, pero yo no hablaba inglés, y él me tomó del brazo y me echó del estudio. Bueno, ya no volví más. Pero todos los sábados iba a cobrar y a comer en el restaurante del estudio.

Esto era en la época de la prohibición. (Co-

nocí a un *bootlegger*[1] muy bueno, que tenía tres dedos amputados y que me enseñó a conocer la ginebra. Agitaba la botella, y si el líquido hacía burbujas, era buena; si no, era veneno. Costaba cinco o seis dólares el frasco pequeño.) Un sábado encontré en los estudios a míster Kilpatrick, que era ayudante del productor, y me dijo que fuera a una sala de proyección a ver un ensayo de rodaje de Lily Damita: «Vea usted si habla bien español.» Le respondí: «Dígale usted a míster Thalberg que estoy aquí en la sección francesa, aunque sea español, y que no tengo ganas de oír a ninguna puta.» Esta respuesta yo la consideraba digna de un surrealista andante como yo. Al día siguiente los amigos me dijeron: «Pues te has caído. Eso es algo que no se hace aquí.» Al día siguiente me presenté a míster Lewin y le dije: «Después de lo que pasó ayer...» «¿Qué pasó ayer?» «En fin —le dije—, yo estoy aquí con un contrato de seis meses. Ya llevo cuatro. Págueme uno más y me voy.» Accedieron y retorné a Europa en abril de 1931. (De allí había salido en noviembre de 1930.) Cuando llegué, Aragon y Sadoul habían vuelto ya de Karkov y las autoridades francesas iban a procesar a Aragon por su poema *Frente Rojo*. Hablé con Noailles y él me dio dinero para que Aragon huyera de Francia. Se fue a Rusia. Por su parte, Sadoul y Caupenne habían escrito una carta injuriosa a un recién ingresado en la escuela militar de Saint-Cyr. A Caupenne lo agarraron y le hicieron pedir perdón ante toda

---

[1] *Bootlegger*: persona dedicada al contrabando de bebidas alcohólicas.

la escuela de Saint-Cyr formada. Noailles me dio cuatro mil francos para Sadoul, que huyó a Rusia y no lo pudieron detener.

J. de la C.: ¿Qué hizo usted al proclamarse la República en España?

Llegué a España unos días antes de la proclamación, un espectáculo que me emocionó. Quince días después volví a París y me reuní de nuevo con mis amigos. Estaba desorientado, no quería hacer más cine, me repelía ese ambiente: el público, la crítica, los productores, etcétera.

J. de la C.: ¿En qué año volvió usted a España, después de Hollywood y París?

Volví hacia 1934, porque tenía ciática y quería curarme. Warner Brothers me ofreció la supervisión de sus películas en España. Me pagaban magníficamente, casi sin hacer nada. (Warner tenía treinta películas al año para doblar al español.) Yo sólo escogía las voces,

mandaba corregir los diálogos y luego verificaba si la sincronización y el sonido estaban bien. Trabajaba en eso cuando empezó la revolución de octubre en Asturias.

T. P. T.: Tenemos que retroceder, porque *Las Hurdes* es de 1932. ¿Cómo nació el proyecto de *Las Hurdes*?

Porque había leído la tesis doctoral de Legendre, director del Instituto Francés de Madrid. Un libro admirable, aún lo tengo en mi biblioteca. Durante veinte años Legendre había ido todos los veranos a Las Hurdes, para hacer un estudio completo de la región: botánico, zoológico, climatológico, social, etc. Una maravilla. Luego leí unos reportajes sobre el lugar que hizo *Estampa* de Madrid cuando lo visitó el rey.

J. de la C.: Hay también un ensayo de Unamuno en el que dice, más o menos, que allí, en la extrema necesidad de los hurdanos, se veía al desnudo el alma y la dignidad del español...

Las Hurdes la pude filmar gracias a Ramón Acín, un anarquista de Huesca, profesor de dibujo, que un día en un café de Zaragoza me dijo: «Luis, si me toca la lotería, te pago una película.» Le tocaron cien mil pesetas en la lotería y me dio veinte mil para hacer la película. Con cuatro mil compré un Fiat; Pierre Unik vino contratado por *Vogue* para hacer un reportaje; y Eli Lotard llegó con una cámara prestada por Allegret.

J. de la C.: ¿Acín le dio a usted las veinte mil pesetas sin exigir nada respecto a la película?

No, eso no. Me dijo: «Si además me da un dinerito, pues muy bien...» Claro, no ganó nada con la película. Más tarde, en el alzamiento franquista de 1936, fueron fusilados él y su mujer por los rebeldes. Primero apresaron a la mujer y anunciaron que la fusilarían si él no se presentaba a la autoridad. Acín se presentó. Al día siguiente los ejecutaron a él y a su mujer.

J. de la C.: ¿Cómo fue el rodaje de *Las Hurdes*?

Me ayudaron Lotard, Unik y Sánchez Ventura. Las Hurdes estaban a cuatro horas de Madrid, en automóvil. Aquello era un desierto, pero allí he encontrado hurdanos que hablaban francés.

J. de la C.: ¿Dónde se instalaron?

▲ En California, 1931.

En las Batuecas. Es un valle paradisiaco. Tan sólo a un kilómetro de distancia comienza el infierno hurdano. Nos hospedamos en una hospedería que había sido convento y que regentaba un hermano carmelita que se quedó luego como seglar. Allí dormíamos, y salíamos a filmar muy de mañana.

J. de la C.: Hay una escena del texto que dice: «A veces, una cabra cae de las peñas», pero en un rincón inferior de la imagen se ve el humo de un disparo. Es decir, la cabra no cae por sí sola.

Como no podíamos esperar el acontecimiento, lo provoqué disparando un revólver. Luego vimos que el humo del disparo salía en el cuadro, pero no podíamos repetir la escena porque los hurdanos nos hubieran agredido indignados. (Ellos no matan a las cabras. Sólo destazan a las que se despeñan.) Disparé con revólver porque, como en Las Hurdes no hay armas de fuego, no encontré fusil.

J. de la C.: Contradicciones del cine: usted, para mostrar la miseria de los hurdanos, la aumentaba, matándoles una cabra.

Es verdad, pero se trataba de dar una imagen de la vida de los hurdanos y había que mostrar todo. Era muy distinto decir: «A veces se cae una cabra» que mostrar el hecho como sucede realmente.

T. P. T.: ¿Usted ha vuelto después a Las Hurdes?

Muchas veces, hasta que llegó la guerra civil. Iba a comprar el monasterio de Las Batuecas. Tiene 19 ermitas en su recinto y un convento en ruinas maravilloso, con hostería, que puede alojar hasta veinte personas. Todo estaba muy bien conservado. El 14 de julio de 1936 fui a Salamanca y hablé con el propietario del monasterio, que pedía sólo treinta mil duros por esa propiedad maravillosa: la mejor huerta de España, con manantiales de aguas medicinales. Cuando volví a Madrid para que mi madre me diese el dinero, estalló la guerra. Si llega a agarrarme la guerra civil en Las Batuecas no estaría ahora aquí para contarlo. Ahora estaría hablando con usted a través de la tabla ouija.

T. P. T.: Y ahora, recientemente, ¿ha ido usted por allí?

Sí, hace unos años visité Las Hurdes. Ha cambiado algo porque se volvió un poco la región predilecta de Franco. Hay electricidad en algunos pueblos y hacen pan en todas partes.

J. de la C.: Y a ustedes, gente de cine, extraña para los hurdanos, ¿no los recibieron mal en 1932?

No, yo llevaba recomendación del director general de Sanidad, Pascua, y de don Ricardo Urueta, director de Bellas Artes, que eran republicanos y muy amigos míos, y me dieron permiso para hacer una película «artística» sobre Salamanca y un documental «pintoresco» sobre Las Hurdes.

J. de la C.: Pero, ¿las relaciones con los mismos hurdanos...?

Eran buenas.

J. de la C.: ¿Qué reacción hubo ante la película?

Fue prohibida. Ramón Acín, muy preocupado, me pidió que hiciera algo al respecto. Fui a ver al doctor Marañón, que era presidente del patronato de Las Hurdes, y le pedí que viera la película para que se permitiera su exhibición. La vimos juntos en una sesión privada, en un cine de la Gran Vía. Al terminar, Marañón me dejó helado. Me dijo: «Ha ido usted a La Alberca y todo lo que se le ocurre hacer es recoger una fiesta horrible y cruel en la que arrancan cabezas a gallos vivos. La Alberca tiene los bailes más hermosos del mundo y sus charros se visten con trajes magníficos del siglo XVII. Y le advierto una cosa, Buñuel: en Las Hurdes yo he visto pasar carros ubérrimos cargados de trigo.» Le dije yo: «¿En las Hurdes carros cargados de trigo? Pero si he estado en diecisiete alquerías donde ni siquiera se conoce el pan. Habla usted como un miembro del gabinete Lerroux. Adiós.» Y la película siguió prohibida.

J. de la C.: Marañón ha tenido siempre posiciones como ésas. En el prólogo a *La Familia de Pascual Duarte*, de Cela, Marañón ataca la novela picaresca española porque da una «mala imagen» de España.

¿Ve usted como tengo razón? Ese nacionalismo ciego, en un científico como él, es repugnante. ¡Decir que los bailes de La Alberca son los más hermosos del mundo! Es igual que los que proclaman que su país tiene las mujeres más hermosas y los hombres más valientes del mundo. El gobierno de Lerroux pasó un comunicado a las embajadas españolas de todos los países para que, si se exhibía en ellos *Las Hurdes*, protestaran ante el gobierno correspondiente. Luego, durante la guerra, los franquistas me hicieron una ficha donde constaba que yo había hecho una película difamatoria para España y que si yo era detenido me llevaran al cuartel del Generalísimo en Salamanca. La ficha fue hallada en un cuartel de la Guardia Civil que tomaron las tropas republicanas.

T. P. T.: ¿Utilizó usted guión para *Las Hurdes*?

No. Visité la región diez días antes y llevé una libreta de apuntes. Anotaba: «cabras», «niña enferma de paludismo», «mosquitos anófeles», «no hay canciones, no hay pan», y luego fui filmando de acuerdo a esos apuntes. Monté la película sin moviola, sobre una mesa de cocina, con una lupa, y como yo aún entendía muy poco de cine, eliminé muy buenas imágenes de Lotar porque los fotogramas se veían «flou». Yo no sabía que el movimiento podía en cierto modo reconstruir la imagen. Así, por no tener moviola, desperdicié buenas tomas.

J. de la C.: ¿Los hurdanos llegaron a ver la película?

La vieron algunos en París. Había un barrio en Saint Denis en el que vivían quince mil españoles. Presenté la película y luego vinieron a hablar cordialmente conmigo cinco trabajadores hurdanos. La película les parecía bien.

T. P. T.: ¿No sintió que la película era muy diferente a *Un perro andaluz* y *La Edad de Oro*?

Era muy distinto, y sin embargo era una película gemela. Me parecía que estaba muy cerca de mis otras películas. Claro, la diferencia era que esta vez tenía una realidad concreta enfrente. Pero esa realidad era insólita y hacía trabajar la imaginación. Además, la película coincidía con las preocupaciones sociales del movimiento surrealista, que eran muy intensas entonces.

J. de la C.: ¿Por qué usa usted la música de Brahms?

T. P. T.: Es la IV Sinfonía. Llama mucho la atención porque es una música muy romántica.

Hay unas cuantas obras musicales que se me han quedado grabadas de manera obsesiva, y siempre busco emplearlas en mis películas (aunque muy rara vez uso la música). En Nueva York pasó ***Las Hurdes*** en una asociación de documentalistas y causó sensación ese acompañamiento. A mí me parece que le va muy bien a la película. ¿Por qué lo uso? Es algo irracional, algo que no podría explicar.

T. P. T.: ¿La usó como contrapunto, o para crear una distancia?

No sé. La oía mentalmente mientras montaba la película, y sentí que le iba bien.

T. P. T.: ¿No cree usted que el hecho de que el comentario sea en francés, y dicho por un francés, lo hace muy «neutro»?

Sí. Es que además el texto ya es muy neutro. Fíjense ustedes en el final: «Después de tanto tiempo en Las Hurdes, volvemos a Madrid». Así es el comentario, muy seco, muy documental, sin literatura.

J. de la C.: Tengo entendido que la sonorización se hizo mucho después.

Sí, como en el «Bienio Negro» la película estaba prohibida, no fue sonorizada...

J. de la C.: O sea, en los dos años en que, dentro de la República, las derechas ganaron las elecciones.

Sí, con Lerroux y Gil Robles. Luego vino, en el año 36, la guerra y entonces el gobierno republicano me dio dinero para que pusiera el sonido. La prohibición fue sólo durante el paréntesis reaccionario de la República.

T. P. T.: Mucha gente ha dicho, y yo también lo creo, que *Las Hurdes* es como una respuesta a *Un perro andaluz* y *La Edad de Oro*.

Está en la misma línea. Las dos primeras son imaginativas, la otra está tomada de la realidad, pero yo me sentía en la misma disposición de espíritu.

T. P. T.: Pero mientras las dos primeras son películas de revuelta, *Las Hurdes* explicaría la razón de la revuelta. Además, aquí usted cambia de género y pasa al documental. ¿Cuál era su idea sobre este tipo de cine?

No tenía ninguna idea preconcebida. Visité la región, leí el libro de Legendre y, como mi expresión es el cine, hice la película sin *parti pris* de ninguna clase.

J. de la C.: Por cierto, ¿hay alguna razón para que en *El fantasma de la libertad* un personaje se llame Legendre, como el autor del libro sobre Las Hurdes?

¿Hay un personaje llamado Legendre? Pues lo puse como cualquier otro apellido.

J. de la C.: Un caso de «memoria involuntaria».

Es un apellido que se da con cierta frecuencia en Francia, y no lo puse con ninguna intención. Es como si hago una película sobre el ejército y el coronel se llamara De la Colina. Espero que no me pondría usted un pleito.

T. P. T.: Don Luis, al filmar la realidad tal como la veía, ¿cree usted que seguía fiel al espíritu surrealista?

Sí, sí, sí, claro. Se trata de una película tendenciosa. En Las Hurdes Bajas no hay tanta miseria. De las cincuenta y dos poblaciones o alquerías, que así las llaman, hay treinta y tantas que son las que no tienen pan, ni chimeneas ni canciones. Yo tomé Las Hurdes Bajas de paso, pero casi toda la película ocurre en Las Hurdes Altas, que son montañas como infiernos, una serie de barrancos áridos, un poco como el paisaje desértico de Chihuahua, pero mucho más pequeño.

T. P. T.: He leído en alguna crítica que la película es un alegato en favor de la eutanasia.

¿De la eutanasia? *(Ríe.)*

J. de la C.: El grupo surrealista ¿vio la película?

No recuerdo. Quizá cuando se presentó en Francia yo estaba ya fuera del grupo.

J. de la C.: ¿Dejó usted voluntariamente el grupo?

Voluntarísimamente. Nos separamos Aragon, Sadoul, Unik, Maxime Alexandre y yo.

J. de la C.: Aragon y Sadoul se habían separado porque ya eran del Partido Comunista, pero, que yo sepa, usted no llegó a ser militante comunista.

No. Simpatizante, nada más. Sobre todo durante la guerra civil española.

J. de la C.: Entonces, ¿qué lo llevó a separarse del grupo?

En muchas cosas yo era más intransigente que ellos. Creo en la intransigencia. Cuando veía un retrato enorme de Eluard o de Breton en una librería de Boulevard Raspail, me sublevaba. Ellos hacían *Minotaure*, una revista de gran lujo. Todo eso me empezaba a molestar. Estaban dándose mucha publicidad. Antes habían combatido la publicidad; ahora caían en ella. Esa fue una de las razones que hicieron que me separara. Luego quedaron muy mal ante el ataque de los fascistas en Place de la Concorde, por el año 34. Recuerdo que fui a ver a Dalí al día siguiente. Estaba esculpiendo en arcilla una mujer con unas nalgas enormes. Le dije: «¿Has visto lo que ha sucedido en la calle? Es terrible, hay que hacer algo». Me contestó: «Me importa un bledo. Me interesan más estas nalgas». O sea: la separación total de la vida y el arte. Estaban cayendo ya en lo que habían criticado tanto. Seguí siempre la relación con Breton, pero con el grupo terminé.

T. P. T.: Volviendo a *Las Hurdes*, el documental sobre el mosquito ¿tiene la misma intención que los alacranes en *La Edad de Oro*.

No. Lo puse como un elemento informativo más, para mostrar la malaria como un componente de la miseria hurdana.

J. de la C.: O sea, aquí ese bicho no tiene ningún carácter gratuito, como los alacranes en *La Edad de Oro*.

No. En *Las Hurdes* no hay nada gratuito. Es tal vez la película menos «gratuita» que he hecho.

Con Dalí en Cadaqués. Agosto de 1929. ▲

5. *Cumbres Borrascosas*. Filmófono. La guerra civil española. Otra vez Hollywood. Ruptura definitiva con Dalí. Viaje a México

J. de la C.: Pierre Unik, Sadoul y usted adaptaron por aquellos años treinta *Cumbres borrascosas*, que gustaba mucho a los surrealistas.

Sí, nos atraía todo el lado de amor salvaje, *l'amour fou*. Nos gustaba también *Allá abajo*, de Huysmans, aquel retorno espiritual a la Edad Media, la evocación de la figura de Gilles de Rais. De Rais es formidable, ¿verdad?: un caballero cristiano, un compañero de Juana de Arco, que comete aquellos crímenes terribles, y que cuando lo castigan el pueblo llora con él y lo perdona. Pero *Allá abajo* tenía el problema de la reconstrucción de la Edad Media, que es una época a la vez bárbara y delicada y que amo, pero que en cine requiere de mucha producción.

J. de la C.: ¿Existía el ofrecimiento de algún productor para hacer *Cumbres borrascosas*?

No. La propuse yo (y es una de las pocas veces que he propuesto una película) a Noailles, quien me recomendó a una señora riquísima, cuyo nombre no recuerdo ahora; era una especie de princesa egipcia: una Soraya de aquellos tiempos, digamos. Entonces yo desistí del proyecto, pues me daba cuenta de que aquello podría terminar siendo una película «comercial», cosa que detestaba porque yo era ya un surrealista «de cuerpo y alma». El surrealismo no era para mí una estética, un movimiento de vanguardia más, sino algo que comprometía mi vida en una dirección espiritual y moral. No pueden ustedes imaginarse la lealtad que exigía el surrealismo en todos los aspectos. En realidad, después de **Las Hurdes** yo ya no

quería hacer más cine, para no caer en la trampa de la producción industrial.

J. de la C.: Pero por ese entonces trabajó usted en el doblaje de películas.

Eso sí. Lo hacía para ganarme la vida en algo que me permitiera además adquirir conocimientos técnicos. Luego eso me sirvió cuando trabajé en España como productor ejecutivo. En el doblaje, que era del inglés al español, mi trabajo consistía en traducir y medir los textos, de modo que las palabras coincidieran con los movimientos labiales de los actores de habla inglesa. Luego pasé a ser director de doblaje, que entonces era algo muy bien pagado. Tuve este empleo dos años.

J. de la C.: ¿Pensaba usted abandonar toda actividad artística o intelectual?

Mis preocupaciones eran más bien acerca de la situación político-social de España y los problemas de la República. Además, Jeanne y yo nos habíamos casado en el 34.

T. P. T.: El doblaje al español, ¿lo hacía en Francia o en España?

Warner Brothers me envió a España como supervisor. Es la vez que más me han pagado en mi vida por no hacer nada, o casi nada.

J. de la C.: ¿Y las cuatro películas españolas que usted hizo?

¿Las de Filmófono? Mi nombre no figura siquiera en los créditos. Dos fueron dirigidas por Sáenz de Heredia, otra por Marquina y otra por Grémillon. Yo sólo era productor ejecutivo: supervisaba el guión, el trabajo en el estudio, el registro sonoro… Mi función era vigilar que la producción se atuviese al presupuesto. La primera película, ***Don Quintín el amargao***, fue un éxito tremendo.

J. de la C.: Una pregunta indiscreta: ¿no se sentía usted un desertor de la conciencia surrealista cuando hacía esas películas que son un poco de «España de pandereta», con folklore, reclamos sentimentales, etc.?

Sí, me remordía la conciencia. Aunque yo no escribía ni dirigía esas películas comerciales y sólo intervenía como colaborador técnico, estaba contribuyendo con ellas a lo que a mí me repugnaba.

J. de la C.: Es decir, la España que usted ha rechazado: los cortijos, las castañuelas, el señoritismo.

Bueno, creo que no llegué tan bajo. (Ríe.)

J. de la C.: Es una provocación mía, don Luis.

¡Ya, ya!

J. de la C.: Pienso que había en esas películas un tono a lo Arniches, que es un autor interesante.

Eran películas un poco arnichescas, sí. Me ha gustado siempre Arniches en cierto aspecto, aun sin estar de acuerdo con el tipo de sociedad que presentaba en sus sainetes. Dos de las películas para Filmófono eran adaptaciones del mismo Arniches: ***Don Quintín*** y ***Centinela alerta***.

T. P. T.: ¿Por qué contrató a Grémillon como director?

Empleábamos a directores muy baratos. Marquina, que pasó de ser ingeniero de sonido a director, recibió mil pesetas. Era hijo del poeta.

T. P. T.: ¿Pero por qué Grémillon?

Grémillon adoraba España. Le escribí: «Querido Jean, haga usted con nosotros una película y se pasa usted en España un mes y medio.» Aceptó, llegó a España y realizó la película con un escepticismo admirable. Un día: «Luis, mañana no vendré, tengo que ir al dentista». Y yo: «Muy bien, pero ¿qué hacemos con esta escena?» «Lo que quieras.» Entonces yo dirigía la escena. Al hacer la película nos burlábamos de nosotros mismos.

J. de la C.: ¿Y qué tal marcharon comercialmente las películas?

Las dos primeras tuvieron un éxito enorme. La tercera, no. La última, ***Centinela alerta***, fue terminada durante la guerra.

J. de la C.: Por esto, y por el título, uno tiende a pensar que es una película *engagée*.

Pero no tenía nada que ver con eso. Era una especie de comedia musical con el cantante Angelillo.

J. de la C.: He leído que usted, en la segunda película, *La hija de Juan Simón*, aparece cantando en una cárcel. ¿Qué cantaba usted? ¿Jotas aragonesas?

Nada de eso es verdad. Ni en la cárcel ni en libertad ni en ninguna parte he cantado jotas ni canto llano.

T. P. T.: Yo vi esas películas aquí en México, en mi infancia, allá por 1943. Las recuerdo mal.

Ahora yo he regalado esas películas a la Cinemateca de México. Cuando llegué aquí había unas diez copias de ***Don Quintín***, muy estropeadas. De las diez, hice una.

J. de la C.: Al volver a España ¿cómo encontró a sus amigos de la Residencia de Estudiantes?

Era la época en que se daban los grandes estrenos de Federico García Lorca y él y yo nos veíamos con alguna frecuencia. Pero yo no iba ya a las peñas de café.

J. de la C.: ¿Cuál era la atmósfera política en España?

Hasta el año 27, la generación de ese nombre no había estado politizada. Al aproximarse la República hubo un gran cambio: comenzaron todos a tomar partido. Por ejemplo: Giménez Caballero y Eugenio Montes se hicieron fascistas, Alberti se hizo comunista, y ya próxima la guerra civil no se hablaba más que de política. La situación era asfixiante. Se presentía un estallido.

J. de la C.: ¿Usted tenía alguna actividad política?

Poca, pero alguna he tenido, aunque prefiero no tratar ese punto aquí.

J. de la C.: Creo que usted estaba en Madrid cuando nació la Falange.

Fue en el año 31. Yo había llevado ***La Edad de Oro*** a Madrid. Entre amigos y conocidos se habían reunido quinientos duros para pagar la copia, el viaje, la aduana, etc. Toda la intelectualidad madrileña asistió a la única exhibición de la película. En un libro, Agustín de Foxá cuenta que él y Alberti iban camino del cine a ver **La Edad de Oro** y encontraron a dos jóvenes que les dijeron que iban a un mitin de José Antonio Primo de Rivera. Foxá cambió de rumbo, asistió al mitin y salió entusiasmado con el falangismo.

J. de la C.: ¿Dónde le sorprendió a usted el estallido de la guerra?

En Madrid. Inmediatamente se reunieron escritores, artistas, intelectuales para colaborar en la defensa de la República. Yo también ofrecí mis servicios a la causa republicana. No llegué a poner los pies en una trinchera, porque a los dos meses me enviaron de agregado a la embajada española en París. Por razones de servicio hacía frecuentes viajes entre España y Francia.

J. de la C.: ¿Cuál fue su trabajo en el «cine de guerra» republicano?

Entre otras cosas, en la embajada se me encargó la propaganda cinematográfica. Le Chanois montaba una película con el material que yo recibía y supervisaba. Algunos libros apuntan esa película como mía, pero no es así.[1]

J. de la C.: ¿Qué piensa usted de la película de Joris Ivens, *Tierra de España*?

No sé lo que sentiría ahora, pero entonces la película me pareció muy buena. Demostraba que nuestro ejército no estaba formado por asesinos, sino por gente disciplinada, con sentido político.

T. P. T.: ¿Y la película de Malraux, *L'Éspoir*?

No intervine en ella para nada. El que trabajó con Malraux fue Max Aub. Nosotros pagábamos la película, allá en París, y yo enviaba el dinero. La película me gustó mucho, excepto la última parte. Ese momento final en que miles de campesinos se movilizan y hacen una especie de gran desfile fúnebre porque ha muerto un aviador, no es verídico. Imagínese usted: ¡movilizar a tantos hombres para enterrar a un combatiente más! Bellos encuadres,

una interminable hilera de campesinos zigzagueando por la montaña, una bandera... Elocuencia cinematográfica barata. Sí me gusta, en cambio, el episodio del campesino al que llevan en avión para observar el territorio de Teruel. El campesino conoce esa zona como la palma de su mano, porque allí ha vivido y trabajado siempre, pero la conoce desde allá abajo, a altura de hombre. Y, claro, desde el aire no reconoce nada y no puede ayudar. Eso es muy auténtico. Me conmovió.

J. de la C.: Durante la guerra hace usted un segundo viaje a Hollywood.

Se iban a hacer allí dos o tres películas sobre nuestra guerra, favorables para nuestra causa, y el gobierno republicano me mandó allí como supervisor. Esto ya era unos diez meses antes de que terminara la guerra. La Metro iba a filmar **Cargo of Innocents**, que trataba de los niños españoles que llegaban en barco desde Bilbao a los Estados Unidos, como refugiados. Hicieron también **Blockade**, con Henry Fonda. Eran películas bien intencionadas; con errores, quizá, y sin comprometerse en ciertas cuestiones políticas, pero eran favorables a nosotros. Ya el mismo hecho de que una película no estuviera contra nosotros, estaba bien. Pero también había ya presiones al gobierno norteamericano para que no nos apoyara. Hemingway e Ivens me dijeron que habían comido con el presidente Roosevelt, que la entrevista había sido emocionante y Roosevelt les dijo que estaba de corazón con nosotros, pero que los católicos norteamericanos presionaban para que su gobierno no tomara partido. Yo creo que era sincero. Y en Hollywood teníamos muchas simpatías, incluso por parte de gente que no tenía ningún color político, pero que le indignaba la injusticia. En Hollywood se lanzó un manifiesto en favor nuestro, que por cierto Chaplin se negó en rotundo a firmar. Bueno, cuando yo llegué, me presenté al productor Frank Davis, que era muy de izquierda, y le dije que deseaba trabajar gratis para ellos, como *technical advisor*, porque mi gobierno me pagaba. Las películas de Hollywood sobre nuestra guerra contenían errores fabulosos y había que corregirlos. Davis aceptó, pero finalmente se suspendió porque la asociación de productores norteamericanos llegó al acuerdo de no hacer películas sobre el tema, ni a favor ni en contra de la República Española. Escribí una carta al embajador de nuestro gobierno en Washington, poniéndome a su disposición para ir al frente cuando convocaran a mi quinta. Estaba esperando que me respondieran cuando

---

[1] *España leal en armas*, documental de 4 rollos (40 minutos) con material filmado por Roman Karmen y dos operadores españoles, montaje de J. P. Dreyfus (Jean Paul Le Chanois), supervisado por Luis Buñuel. Comentario: Pierre Unik y Luis Buñuel. (1937).

perdimos la guerra. Me encontré en los Estados Unidos sin trabajo. En cine no podía trabajar porque tenía mala nota en Hollywood. Mi experiencia anterior, como ustedes recordarán, no era para recomendarme. Tampoco tenía yo un estado de ánimo que... En fin, después de cómo había acabado nuestra guerra, pocas cosas me importaban. Pude vivir gracias a unos pocos dólares que algunos amigos y la hermana de mi mujer me enviaron, diciéndome que los devolviera cuando pudiese. Y allí estaba yo, sitiado en una mala situación.

T. P. T.: ¿Cómo entró a trabajar en el Museo de Arte Moderno?

Dick Abbot e Iris Barry me llevaron a Nueva York. Dejé en California a mi mujer y a un hijo de dos años. Ya había comenzado la segunda Guerra Mundial, se había fundado el Office Coordinator of the Inter-American Affairs, patrocinado por Rockefeller, y me instalaron en el museo para trabajar en documentales, en una oficina de propaganda cinematográfica aliada para toda Latinoamérica. Esto le interesaba mucho a Roosevelt y entré allí gracias a Iris Barry. Hice para Roosevelt y los senadores un montaje de **El Triunfo de la voluntad**, de Leni Riefenstahl, con una película sobre la invasión de Polonia.[2] Era impresionante: había por lo menos tres rollos de fuerzas SS desfilando a paso de ganso, con música de Wagner. Se le encogía a uno el ombligo, y más cuando se tenían que ver una y otra vez esas imágenes en la mesa de montaje. Una pesadilla. Clair me dijo: «Más vale no exhibir esta película, porque tendrá un efecto terrible. Da la impresión de que el fascismo es invencible.» Clair estaba aterrado, pero Chaplin reía a carcajadas; parece que Hitler le resultaba gracioso. La película se exhibió gratis en todos los países latinoamericanos, en escuelas y clubes, etc. Al terminar la guerra la retiraron: los vientos ya habían cambiado y al parecer no convenía atacar al fascismo.

T. P. T.: ¿No tenía usted el proyecto de una película propia?

Hubo dos proyectos. En esos años cayeron por los Estados Unidos muchos surrealistas: Breton, Duchamp, Ernst, Tanguy. También el pintor Léger, el antropólogo Lévi-Strauss. Hace poco, Delphine Seyrig me dijo: «Usted

me sentó en sus rodillas, cuando yo era una niña, en nuestra casa de Nueva York. Lo recuerdo a usted muy bien por sus ojos saltones.» Yo veía a Léger y a Duchamp y proyectábamos hacer una película pornográfica que filmaríamos en una terraza de Nueva York. Pensábamos que sería el escándalo. Ahora el escándalo no es lo que era antes: ahora sirve para engordar a docenas de productores. También tuve un proyecto sobre un caso de esquizofrenia: una película sobre cómo nace la enfermedad, cómo se desarrolla y se cura. Pero algunos psicoanalistas son muy reaccionarios. Verá: míster Schlesinger quería hacer una película conmigo. El conocía a un psicoanalista, el doctor Alexander, director de una clínica de Chicago. Alexander quiso que le mostraran **Un perro andaluz** y después escribió una carta a Schlesinger: «*We have been scared to death* viendo la película de Buñuel. Es abominable: en vez de eliminar complejos, los crea.» Y allí terminó el proyecto.

J. de la C.: Eso recuerda al rechazo por Freud de los surrealistas.

Jung vio (en Zurich, creo) **Un perro andaluz** y dijo que era un caso de *dementia praecox*.

T. P. T.: ¿Se veía usted con los otros surrealistas en Nueva York?

Sí. Durante los *black-outs*[3] nos sucedió a veces estar jugando al juego de la verdad, el que consiste en preguntas y respuestas, en casa de un millonario cuyo nombre no recuerdo ahora. Allí iban Breton, Leonora Carrington y su esposo, el poeta mexicano Renato Leduc. Leonora, que era una mujer guapísima, me miraba con afecto y me decía: «¡Cómo se parece usted al loquero que tuve en Santander!» El millonario dueño de la casa hacía alguna vez un tímido comentario sobre arte o literatura, y Breton, que era tan intransigente, le decía: «Monsieur, vous nous emmerdez. Sortez d'ici!» («Señor, nos fastidia usted. ¡Salga de aquí!») Y el millonario se iba de su propia casa.

J. de la C.: Usted ha dicho en algunas entrevistas que La vida secreta de Salvador Dalí, escrita por él mismo, que ya estaba convertido en Avida Dollars, como lo anagramizó Breton, motivó que usted saliera del Museo de Arte Moderno. Es un hecho que causa extrañeza. ¿Cómo fue?

Un tal Prendergast, que representaba los in-

---

[2] Las dos películas son *Triumph des Willens*, de Leni Riefenstahl (1936) y *Bautismo de fuego* (desconocemos el título original) de Hans Bertram.

[3] *Black-outs*: apagones.

tereses católicos en Washington, después de leer en ese libro lo que dice Dalí... ¿Lo han leído?

J. de la C.: Aquí tengo un párrafo de Dalí: «Buñuel filmaba solo *La Edad de Oro***, dejándome prácticamente aparte.» Más adelante: «Buñuel había terminado** *La Edad de Oro***. Quedé terriblemente decepcionado. La película no era más que una caricatura de mis ideas. Allí se atacaba el catolicismo de manera primaria y sin ninguna poesía. Sin embargo, la película produjo una impresión considerable, y particularmente la escena de amor fallido, cuando el galán insatisfecho chupaba voluptuosamente el pulgar de una estatua.» En realidad lo hace la muchacha. Sigo leyendo más adelante: «Se veía en la película un automóvil de lujo detenerse, un chófer en librea abrir la puerta y sacar una custodia para depositarla en primer plano en la calle.» Luego, Dalí cuenta la sesión en la cual los fascistas atacaron la sala. Y, unos párrafos más abajo, añade Dalí: «Acepté la responsabilidad del sacrilegio, aunque eso no estaba en mis intenciones.» Y, en una nota al pie de página: «Más tarde, cuando Buñuel expurgó** *La Edad de Oro* **de sus pasajes más frenéticos, con el fin de adaptarla a la ideología marxista.» Dalí lo acusaba, pues, de sacrílego y «rojo».**

Sí. Y ese Prendergast, que hasta que leyó el libro no sabía nada de mí, estuvo un año presionando sobre el Museo para que me echaran. Un día el *Motion Picture Herald* decía en un artículo, según recuerdo: «Ese extraño personaje que está en el Museo de Arte Moderno de Nueva York ha hecho una película escandalosa, que ha provocado el ataque de la gente de derechas al cine donde se exhibía, y la policía se vio obligada a intervenir.» Esto apareció el mismo día en que los americanos desembarcaban en Marruecos. Cuando vi a Iris Barry (gracias a quien había entrado yo en el Museo y era muy amiga mía), me recibió casi llorando, y me dijo que desde hacía un año había quienes querían echarme, pero que la dirección y un cuñado de Rockefeller, el arquitecto del Rockefeller Center, se oponían. Yo dije que en un momento como aquel, con el desembarco aliado en Marruecos, mi caso no tenía importancia y no quería causar problemas. Presenté mi dimisión, la admitieron... y quedé en la calle. Tenía esposa y dos hijos y mi único capital eran trescientos dólares. Un día me entrevisté con Dalí en el Hotel Sherry Netherlands. «Me ha sucedido esto y por tu culpa

—le dije—. Me parece una canallada.» Me contestó: «He escrito un libro para levantarme un pedestal, no para realzarte a ti.» Continuamos «hablando» un rato y finalmente me fui sin romperle la cara. Allí terminó nuestra amistad definitivamente.

T. P. T.: Tenemos entendido que en esa época trabajó usted en el Servicio Cinematográfico de la Marina.

Tras mi salida del Museo me contrató Vladimir Pozner, que luego ha sido director de cinematografía en Moscú. Pozner era muy amigo del presidente de la Metro Goldwyn Mayer, donde hacían doblajes de películas de propaganda. *Le génie* (los ingenieros militares) hacía cortometrajes sobre el azimuth, el paralaje, el obús, etc., en varios idiomas: inglés, español, portugués. Trabajé como locutor en español: «El azimuth se eleva 25 por 33, se dispara a 4 por 5... « Me pagaban 250 dólares por rollo. Yo hablaba y hablaba y creo que debía hacerlo mal, porque mi pronunciación y mi acento son feroces para Latinoamérica: ¡Soltaba cada zzzeta y cada jjjota! Así pude vivir tres o cuatro meses. Luego fui a Hollywood, contratado por la Warner como productor. Se calculaba que la guerra estaba cerca del final y querían hacer versiones en español de sus películas para el mercado europeo que se abriría inmediatamente. Es decir: harían las mismas películas que en inglés, con el mismo guión, la misma producción, los mismos encuadres, pero sustituyendo a los actores de habla inglesa por otros de habla española, como se había hecho en los años treinta. Yo me encargaría de producir las versiones españolas. Llegué contratado y me pasé un mes sin hacer nada. Al final la Warner decidió que, como Europa estaría ávida de ver verdaderas películas norteamericanas, era mejor doblarlas solamente, y además salía más barato: los europeos verían a Humphrey Bogart, no a un sustituto. Me nombraron director de la sección de doblaje y me asignaron unos treinta empleados: escritores, actores, etc. Igual que en la Warner de España, yo tenía muy poco trabajo: revisar las traducciones, medir el movimiento de los labios, elegir las voces. En eso trabajé un año y medio.

J. de la C.: ¿Planeó usted una secuencia para una película de Robert Florey?

The Beast of Fivefingers. La escribí para poder cobrar una secuencia entera, aunque no se filmara (necesitaba dinero). Imaginé una mano cortada que tenía vida propia. Después la filmaron y no me pagaron nada. Ya aquí, en México, quise entablar un proceso a esa compañía pero terminé por desistir de ello. En la compañía yo cobraba un sueldo, pero éste era un trabajo aparte. Como ustedes recordarán, ya en *Un perro andaluz* había una escena con una mano cortada. La mano cortada y viva también la usé luego en *El ángel exterminador.*

T. P. T.: ¿Y no tenía usted ganas de volver a dirigir cine?

Entonces me parecía difícil, pero sí tenía ganas. ¡Tanto ver películas en el doblaje! Pero pensaba que en Hollywood nunca llegaría a hacer una película.

T. P. T.: Y vino usted a México.

Tras suspenderse la producción fílmica en español pasé ocho meses en Hollywood y se me acabó todo el dinero ahorrado. Había pedido los *second papers* e iba a convertirme en ciudadano estadounidense. En una cena en casa de René Clair, Denise Tual, la viuda de Pierre Batcheff, que comenzaba a producir películas, me dijo que tenía los derechos para filmar *La casa de Bernarda Alba*, de Federico García Lorca. Recién terminada la guerra, la obra se había representado con gran éxito en París. Denise quería filmarla en Francia y que la dirigiera yo. Hicimos un corto viaje a México de paso para Francia, porque Denise tenía que arreglar aquí unos asuntos, hablar con Oscar Dancigers, etc. En el hotel Montejo llamé por teléfono a Paquito García Lorca, que estaba en Nueva York con sus padres y hermanas. Paquito nos dijo que en Londres le daban mucho más dinero por los derechos de Federico, y la familia no estaba en buenas condiciones económicas. Le dije que, en ese caso, vendiera la obra a quien le diera más. Informé a Denise: «La obra está vendida. No haremos la película.» Denise se volvió a París. En una cena en casa del arquitecto español Mariano Benlliure, el escritor mexicano Fernando Benítez, que además era secretario del Ministro de Gobernación, me dijo que si quería quedarme en México él me podía ayudar en los trámites. Fui al día siguiente a Gobernación y Benítez me presentó al Ministro, Héctor Pérez Martínez, un hombre amabilísimo, también escritor y favorable a los españoles. «Vuélvase usted a los Estados Unidos y daremos orden al Consulado para que pueda usted venir a radicar en el país.»

Me fui a Hollywood, vendí los muebles que tenía allí y cuando llegaron los papeles vine a México, ahora con Jeanne y los chicos. Tenía ya un encargo de Dancigers para hacer una película, que resultó ser *Gran Casino*.

6. *Gran casino. Ilegible, hijo de flauta. El gran calavera*

T.P. T.: **¿Qué pensaba usted del argumento de** *Gran Casino*? **¿Qué pensaba, usted que era un surrealista tan intransigente en los años 30, de una película tan comercial como la que iba a hacer?**

Pensaba muy mal, pero no le daba importancia. Habían pasado los años, habíamos perdido la guerra y me dije: «¡Tanto peor!» Me interesaba además el oficio cinematográfico, el trabajo en el estudio, la organización. Por otra parte, como ya había sido productor en Filmófono y conocía los aspectos de la industria en diferentes niveles, eso había de permitirme trabajar rápido, como se acostumbraba en el cine mexicano. Al conocer el argumento de *Gran Casino*, en cuya adaptación trabajé con Mauricio Magdaleno y Edmundo Báez —porque siempre he participado en los guiones de las películas, ¡aun de las malas!—, me dije: «Es una novelita de aventuras. ¿Tiene algo que repugne a mi conciencia? ¿No? Pues adelante.»

T. P. T.: **La película, por ejemplo, no tiene sentimentalismo.**

Y si lo tenía se lo quité.

T. P. T.: **Incluso eliminó los «inevitables» besos entre las estrellas de la película. Y es célebre cómo lo hizo: Libertad Lamarque y Jorge Negrete[1] son enemigos, pero, en una** escena en la cual comienzan discutiendo, empiezan a enamorarse, y cuando van a darse el «inevitable» beso, la cámara se aparta de ellos y encuadra un charco de lodo o de chapopote. En ese charco hurga Negrete con una varita mientras dura el invisible beso.

No hay un beso en toda la película. Esa escena que usted recuerda la traté así para evitar el momento de amor convencional y mediocre, el melodrama. Imagínese la escena: «Usted quiere matar a mi hermano y por eso yo lo quiero matar a usted. Nos odiamos pero en el fondo nos amamos. ¡Amor mío!...» ¡y un beso! No podía ser. Le di una vara a Negrete y le dije que jugueteara distraídamente con ella. Luego filmé un primer plano con una mano que remueve el lodo o el chapopote con la varita, y la intercalé en la escena de amor para limpiarla de cursilería.

J. de la C.: **Eso impresiona, porque en películas de amor sí que se podía ver la cámara apartarse de los enamorados y encuadrar un detalle de la alcoba o el jardín, un reloj o una flor o una luna... ¡pero un charco de lodo o de chapopote! Parece una crítica interna, como si usted se dijera: «¡Esto es una porquería!»**

No he vuelto a ver la película. Jorge Negrete no protestó. De haberse dado cuenta, Negrete me hubiera pegado un tiro.

T. P. T.: **Aparte de la escena del charco me gusta que, sin preocuparse mucho de la similitud, cada vez que Negrete va a cantar aparezca como por arte de magia el trío de cantantes folklóricos Los Calaveras, y él y ellos se saluden.**

---

[1] *Libertad Lamarque*, actriz y cantante argentina, estrella del cine de su país y del mexicano, especializada en el género lacrimógeno.
Jorge Negrete, actor y cantante, estrella del cine mexicano, especializado en el drama folclórico; paradigma del *charro* (un Don Juan campesino, fanfarrón, mujeriego y aventurero).

Las estrellas eran dos cantantes y había que meter canciones. Filmar canciones me parecía aburrido y procuré meter detalles que me divirtieran, para no hacer la película realista, acentuar su falta de lógica y romper la monotonía.

T. P. T.: Durante el rodaje, un periodista escribió un artículo bien intencionado —entre los cronistas de cine de entonces el hombre sabía al menos que usted había hecho *Un perro andaluz* **y** *La Edad de Oro*— **en el que dice que usted tenía muchas dificultades en su trabajo, que era un «prisionero» del cine.**

Sí, hubo dificultades. En la época de Tampico que describía el argumento, antes de la nacionalización del petróleo, las compañías petrolíferas eran extranjeras, y en Tampico había muchos ingleses y holandeses, pero los figurantes o «extras» no daban el tipo de extranjeros. Tuve también problemas con el fotógrafo Jack Drapper, que era —todo el mundo lo sabe— un hombre malhumorado y grosero. Si no hubiera sido porque intervino Negrete, aquello habría terminado mal. No tuve problemas con los actores, y tampoco con los técnicos, a pesar de que a veces no respeté el ángulo de 180 grados en la disposición de la cámara.

J. de la C.: Usted «rompía el eje», como se dice en el oficio, y en principio eso, en el lenguaje convencional del cine, es grave, porque destruye las relaciones espaciales.

Sí, porque se supone que en una toma el actor está dando a otro la réplica, y por la «ruptura del eje» en realidad mira hacia un lugar diferente. Pero esto lo hice a propósito muchas veces. Que se fastidiaran. Me daba igual. Yo experimentaba cambiando los ángulos.

J. de la C.: He oído decir que por eso, en una toma, el productor tuvo que dar la vuelta al negativo, para que lo de la izquierda pasara a ser lo de la derecha, y las miradas correspondieran.

Pero no fue en *Gran Casino*, sino en *El gran calavera*. Fue en principio una equivocación de mi ayudante, pero también mía y de todos. Un actor seguía con la mirada la entrada de un taxi en una calle, y la mirada no correspondía a la dirección del automóvil. Un error,

▲ *Gran Casino*. **En el centro Jorge Negrete.**

no como en **Gran Casino**, donde yo me decía «¡Abajo los 180 grados!» Ahora, debo confesar que, después de haber hecho treinta películas, aún dudo respecto a la relación de miradas en el campo-contracampo.

J. de la C.: En *Gran Casino* **hay una escena musical que yo encuentro muy bien filmada. Es el baile de Meche Barba en la sala del casino, entre la gente y las mesas. La cámara la sigue en una larga toma, ajustándose al movimiento de la danza, sin cortes.**

Yo no había filmado desde hacía mucho tiempo y me interesaba encontrar los secretos de la técnica cinematográfica.

T. P. T.: ¿Cómo le fue comercialmente a Gran Casino?

Mal, sin ser una catástrofe. Me quedé tres años sin filmar. Pude vivir gracias a que mi madre me enviaba dinero. Yo nunca he promovido una película, nunca he ido a decirle a un productor: «Quiero hacer esto.»

J. de la C.: Pero tenía usted un proyecto: *Ilegible, hijo de flauta.* **Una película surrealista, muy libre, que es una lástima que no se haya filmado.**

Ilegible era una novela de Juan Larrea.[2] La había perdido en un viaje cuando aún no estaba terminada, pero me contó la historia y le dije que podíamos convertirla en una película. La película estuvo a punto de filmarse años después con el productor Barbachano, antes de que hiciéramos **Nazarín**. Le escribí a Larrea: «Por fin haremos *Ilegible*. Barbachano nos da a cada uno mil dólares. Como a ti te hacen más falta, te envío los dos mil.» Respondió: «Encantado. Ese dinero me viene como llovido del cielo.» Añadí cuatro o cinco ideas al argumento, y él hizo lo mismo. En una escena en que se reunían los Hijos (o los Testigos, no recuerdo) de Jehová en el Madison Square Garden, por donde debían pasar a caballo *Ilegible* y un amigo, se requerían treinta mil personas. Le escribí a Larrea: «Lo de los Hijos de Jehová es imposible; no podemos ir a filmar a Nueva York ni tener tanta gente.» Y él me respondió: «Me niego a que se haga la película si suprimes a los Hijos de Jehová.» Me dijo que se podía hacer con un truco. ¿Pero cómo «trucar» en México treinta mil personas? Como no se hizo la película, Larrea devolvió los mil dólares. ¡Un tipo increíble! Perdió la película y el dinero por unos Hijos de Jehová de más o de menos.

EL GRAN CALAVERA

Yo llevaba mucho tiempo sin trabajo y no tenía un centavo en la casa. Fernando Soler iba a actuar y dirigir para Dancigers **El gran calavera**, pero finalmente consideró que hacer las dos cosas era demasiado trabajo y pidió un director: el que fuese, con tal que funcionara técnicamente. Dancigers me llamó y me propuso la película. Acepté. El argumento lo habían escrito Luis Alcoriza y su esposa Janet. Ella había trabajado como actriz y bailarina en el cine mexicano, pero había dejado eso y ahora escribía guiones en colaboración con Alcoriza. *El gran calavera* es mi única película en cuyo guión no he colaborado. (Yo he trabajado ya con veintidós escritores.)

J. de la C.: Me gusta *El gran calavera*, **me parece una película muy fresca. ¿Qué le parece ahora a usted? Yo diría que se nota que por lo menos se divirtió usted filmándola.**

La recuerdo poco, no he vuelto a verla. Me divirtió porque me ejercitaba técnicamente. Me entretuve con el montaje, la estructuración, los ángulos. Todo eso me interesaba, porque aún era yo un aprendiz en el cine digamos «normal».

T. P. T.: ¿Recuerda usted la escena inicial? Piernas entrelazadas y zapatos de diferentes tipos en el piso de una celda de comisaría.

Esa escena fue improvisada, porque creo que no estaba en el guión. Se me ocurrió dar a conocer al personaje de una manera interesante. Sus zapatos son elegantes, caros, y contrastan mucho con los de los vagabundos o borrachines que hay en la celda. Es un prólogo

---

[2] *Juan Larrea*, poeta y ensayista español (1895-1980), uno de los fundadores del movimiento creacionista, discípulo de Apollinaire. En su recopilación poética, *Versión Celeste*, muestra muchos puntos de contacto con el surrealismo. Sus originales ensayos muestran una apasionada interpretación de la Historia mediante la interrogación de símbolos, metáforas, etc., de carácter universal.

[3] *Luis Alcoriza*, cineasta nacido en España (1920). Ha realizado la mayor parte de su obra de actor, guionista y director en México. Su esposa, ex bailarina y actriz del cine mexicano, Raquel Rojas, ha colaborado en sus guiones como *Janet Alcoriza*.

corto: hay que mostrar a un «catrín» dormido en la celda entre esos «pelados». Recuerdo esa palabra, «catrín», porque la aprendí por entonces. Significa lo mismo que en España «señorito», ¿no?

T. P. T.: Es una secuencia extraña, porque no sabemos de qué se trata, sólo vemos muchos pies. Después el plano se abre, vemos la celda y los tipos que duermen en el suelo. Pero al principio sólo hay pies.

Yo no soy fetichista del pie, pero en muchas películas mías sale mucho el pie.

T. P. T.: Es sabroso el personaje de Antonio Bravo. Me imagino que usted se divirtió mucho con él. Es un hombre que cuando le habla a Soler lo trata alternativamente de *tú* y de *usted*, y suelta latinajos.

No me acuerdo muy bien de esta película. Recuerdo que yo era ya muy aficionado a lo que llaman plano-secuencia. En esta película hay dos o tres. Algunos dicen que no me interesa la técnica, pero recuerdo que entonces me preocupaba mucho y quería ponerla al servicio de lo que narraba. Quería evitar siempre que el espectador recordase que hay una cámara. Por otra parte, no suelo hacer lo que en los estudios mexicanos llaman «tomas de protección». ¡Así me ha ido a veces: me las he visto negras en el montaje! Aunque, en general, gracias a la costumbre, fallo poco. En la escena del salón de *El*, cuando el protagonista recibe a la que luego será su esposa, coloqué un plano medio de la muchacha que me hacía falta y que en realidad pertenecía a una secuencia anterior, con otro decorado y otro vestido. Nadie se ha dado cuenta.

T. P. T.: Yo vi *El* veinte veces seguidas en una semana, porque iba a hacer un libro con la transcripción plano por plano, y nunca me di cuenta de que esa toma no correspondía a la escena.

J. de la C.: En los años de que estamos hablando, Fernando Soler era un monstruo sagrado del cine mexicano. ¿No le causó problemas?

Al contrario: nos entendíamos perfectamente. Me trataba como a un director experimentado y el rodaje transcurrió sin tropiezos.

J. de la C.: Soler era un intérprete de la vieja escuela española, principalmente de comedia y de sainete, algo convencional, pero a mi juicio era un buen actor.

Claro que sí, un buen actor que tenía todo el repertorio de los recursos del oficio y al que no había que «marcarle» los gestos. Así yo podía ocuparme de otros detalles de la dirección.

T. P. T.: Hay muy buenos gags con el equipo de sonido que lleva el galán en la camioneta. El y la novia se besan y se dicen frases amorosas dentro del vehículo y todo se oye en la calle porque un descuido ha dejado abierto el micrófono. La primera vez que aparece la camioneta, se la ve desde arriba: la gente y los coches aparecen muy pequeños. En los slogans publicitarios que vociferan los altavoces, algunos críticos han querido encontrar un tono surrealista: «Acuéstese fea y levántese bonita usando la crema Pecado de Siria.» Y al final vuelve a utilizarse el equipo de sonido, en un duelo contra la ceremonia nupcial.

Sí. La muchacha va a casarse con otro y el muchacho cubre el sermón del cura y ataca esa boda con todo el sonido de los altavoces. En este final metí algo que no es muy original, que hemos visto mil veces en comedias norteamericanas: una boda que se deshace en el momento en que la novia va a decir: «Sí, quiero.» Realicé la película en 18 días.

T. P. T.: Sin embargo, la experiencia de filmarla debió de ser más agradable que cuando hizo *Gran Casino*. Parece que usted se divirtió más.

Sí, mucho más, porque técnicamente me sentía un poco más seguro, más tranquilo. Recuerden ustedes que cuando hice *Gran Casino* llevaba demasiado tiempo sin dirigir películas. No había hecho ninguna desde *Las Hurdes*, excepto aquéllas de las que fui productor ejecutivo, las de Filmófono. Y en *El gran calavera* ya tenía alguna experiencia, conocía mejor el medio. Yo tenía la mala fama de *Gran Casino*, pero *El gran calavera* fue un buen éxito de público y gracias a esta película pude seguir haciendo cine en México.

7. «¡Mi huerfanito, jefe!» *Los olvidados*

J. de la C.: Llegamos por fin a *Los olvidados*, la película con la que «renace» el cineasta Buñuel.

Al principio, iba a hacer otra película. Juan Larrea y yo escribimos un argumento para hacer una película comercial: «*¡Mi huerfanito, jefe!*», que trataba de un chico vendedor de lotería. Como ustedes saben, en México se llama «huerfanito» al último cacho de lotería, al que aún no se ha vendido. Los vendedores lo ofrecen diciendo: «Llévese mi huerfanito, jefe», y como eso le hacía gracia a Larrea, se le ocurrió que podía ser el título. No recuerdo el argumento.

Lo propuse a Dancigers,[1] que estaba en buena disposición porque *El gran calavera* había marchado bien. «No está mal —me dijo Dancigers—, pero es un folletoncito. Mejor hagamos algo más serio. Una historia sobre los niños pobres de México.» Empecé a trabajar con Luis Alcoriza, pero él tenía que cumplir con otro contrato y seguí escribiendo con Larrea y Max Aub.[2] No debería decir «escribien-

do»; soy casi enteramente ágrafo y prefiero contar mis ideas y que después me las escriban. Los diálogos los adaptó al estilo del «bajo pueblo» mexicano Pedro de Urdimalas, y por cierto con mucha fortuna. Luego, no sé por qué, los nombres de estos colaboradores, excepto el de Alcoriza, no aparecieron en los créditos.

T. P. T.: ¿Se documentó usted para el argumento?

Iba a los barrios bajos de la Ciudad de México, acompañado primero por Alcoriza y luego por Edward Fitzgerald, el director artístico. Estuve cerca de seis meses conociendo esos barrios. Salía muy temprano en autobús y caminaba al azar por las callejas, haciendo amistad con la gente, observando tipos, visitando casas. Recuerdo que a veces iba a hablar con una chica que tenía parálisis infantil. Caminaba por Nonoalco, la plaza de Romita, una ciudad perdida en Tacubaya. Esos lugares luego salieron en la película y algunos ni siquiera existen ya.

T. P. T.: ¿Le interesaba tratar en la película la reeducación de los menores?

No. Me interesaba hallar personajes e historias. Consulté detalles en el Tribunal de Menores, con un psiquiatra, con María de Lourdes Rico. Pude leer las tarjetas de un gran número de casos, interesantísimos. También me sirvieron noticias que salían en la prensa. Por ejem-

---

[1] *Oscar Dancigers*, productor cinematográfico nacido en Rusia, que se trasladó a París junto con su hermano y adquirió la nacionalidad francesa, después de la Primera Guerra Mundial. En 1940, huyendo de la persecución nazi, se estableció en México donde reanudó su actividad de productor cinematográfico. Dentro del cine comercial promovió films de calidad y dio a Buñuel la oportunidad de volver a hacer obras dignas de su renombre.

[2] *Max Aub*, escritor español de origen judío francés (1903-1970). Abarcó todos los géneros. Se estiman particularmente sus novelas de escritura ágil, fuerte, casi aforística. Escribió un buen número de

guiones cinematográficos para el cine comercial mexicano de calidad. Murió antes de terminar un monumental libro, entre biografía y ensayo, sobre Luis Buñuel.

plo, leí que se había encontrado en un basurero el cadáver de un chico de unos doce años, y eso me dio la idea del final.

J. de la C.: La película iba a llamarse *La manzana podrida***...**

No recuerdo eso.

J. de la C.: En los periódicos se publicó una convocatoria: se necesitaban chicos de doce a dieciocho años, que hubieran terminado la primaria y llevaran una fotografía, para escoger a quienes debían actuar en la película. Yo llené los requisitos y fui llamado a las oficinas de Ultramar Films, en el Paseo de la Reforma, cerca del Bosque de Chapultepec y encima del Cine Chapultepec.

Así es. El requisito de la escuela primaria era para que no se presentaran tres mil chicos, en lugar de los trescientos que podíamos examinar. Finalmente escogimos unos doce, y entre ellos estaba usted, que iba a interpretar el papel de Pedrito. Pero los productores dijeron que usted no aparentaba ser un chico mexicano y nos decidimos por Alfonso Mejía. Parece que a usted le truncamos la carrera de actor...

J. de la C.: Bien truncada, porque no me interesaba, y además hubiera sido un pésimo actor. Yo había leído historias del cine, sabía que usted era autor de películas célebres y quería verlo trabajar. Dos veces me levanté muy temprano para ir a las pruebas en los Estudios Tepeyac. Hablé con la mayoría de los chicos que fueron probados. Me llamaba la atención que Roberto Cobo, el que hizo El Jaibo, fuera un bailarín de revis-

ta, que el chico que haría El Ojitos fuera un auténtico niño campesino, y que Alma Delia Fuentes, tan fina y tan rubia, interpretara a una chamaca de barrio bajo.

Sí, Roberto Cobo era un bailarín de conjunto, uno de esos llamados «dancing boys» o algo así. Cuando respondió a la convocatoria no se le conocía como actor, y después de *Los olvidados* y un pequeño papel en *Subida al cielo* hizo poca cosa en el cine. Alma Delia Fuentes, en efecto, era rubita y fina, pero de repente uno puede encontrarse en las barriadas con chicas así, ¿verdad? El chico campesino había llegado a la ciudad casi como sucede en la película: nadie le había enseñado a actuar y era un actor natural. Entraron en la película algunos muchachos de la granja-escuela y otros que ya eran actores secundarios. A Stella Inda la escogí para la madre de Pedro, y a Miguel Inclán para el ciego.

T. P. T.: Por cierto que ese personaje del ciego fue criticado en el sentido de que «no era un personaje mexicano».

Alguien dijo que parecía más un ciego español, de la novela picaresca española, como el del Lazarillo de Tormes. Es posible: es también un ciego avaro y astuto, malvado, pero además tiene rasgos propios: es hombre orquesta, ejerce un poco de curandero, tiene veneración por Don Porfirio... y además le gustan las niñitas.

T. P. T.: Ese ciego podrá tener rasgos de la picaresca española pero Miguel Inclán, que era un gran actor, especializado en villanos, le da una gran realidad, un auténtico «espesor», y además lo mexicaniza...

J. de la C.: Por cierto que usted parece deleitarse en el momento en que apedrean al ciego.

¿Deleitarme? No.

J. de la C. ...Porque poco antes de la lluvia de pedradas se oye una música ligera, casi burlona, y cuando el ciego ya está en el suelo, pidiendo piedad, un gallo o una gallina parece mirarlo burlonamente, y nuevamente la música interviene con una especie de... carcajada gallinácea.

Sí, la música era como de minueto, graciosa, amable, y remataba con una especie de burla. Hoy no habría puesto música a la película. No la hay en mis últimas películas. Algunos han comentado la música de *Viridiana* y dicen que es un acierto. Pero la música proviene de la bocina de un gramófono, visible en

▲ *Los olvidados.* **Pedro y su madre.**

las escenas. Cuando hice **Los olvidados**, todas las películas mexicanas debían llevar música, aunque no fuera más que por razones sindicales. La escribió Gustavo Pittaluga, pero como no estaba sindicalizado ni nacionalizado, la firmó toda Rodolfo Halffter, a quien esto casi le costó salir del sindicato.

J. de la C.: A mí no me parece mal el sarcasmo musical a propósito del ciego. La convención sería una música «compasiva». Pero el ciego de Los olvidados es muy cabrón.

Sí, está desde el comienzo en contra de los chicos. Y tiene ideas reaccionarias: él resolvería el problema de los chicos delincuentes fusilándolos a todos. En la escena de la tortillería dice algo como: «¡Qué tiempos éstos que vivimos! En tiempos de mi general Don Porfirio, al que se robara tan sólo un pan se lo «quebraban».» En cuanto a la música en el cine, no sólo puede ser un recurso fácil; además juega malas pasadas. No me gusta usarla.

J. de la C.: Y ya que hemos mencionado un gallo o una gallina, ¿por qué aparecen tanto en Los olvidados?

No sé. Hay una justificación realista: Pedrito tiene aves de corral y las cuida. Luego, en la granja-escuela, se desquita de sus propios problemas con ellas.

J. de la C.: ¿Y usted, qué siente ante los gallos o las gallinas?

Ahora, más bien simpatía. Antes sentía rechazo. Un ave de cualquier clase, un águila, un gorrión, una gallina, los sentía como elementos de amenaza. ¿Por qué? No sé. Es algo irracional, relacionado quizá con mi infancia. Pero las aves nocturnas, sobre todo un búho o una lechuza, me resultaban simpáticas, me atraían.

J. de la C.: Esto que dice es curioso, porque cuando al final vemos el cadáver de Pedro, una gallina pasa sobre su pecho, como si finalmente lo animal predominara sobre lo humano.

Es un momento natural, porque el chico muere en un lugar donde se guardan animales.

J. de la C.: Pero las gallinas aparecen también revoloteando a cámara lenta en el sueño de Pedro.

Pero hay otros muchos elementos: allí están la madre, El Jaibo, el muchacho asesinado por éste, un trozo de carne, los relámpagos. A propósito: me hubiera gustado ver caer un rayo en el pedazo de carne que ofrece la madre, y que lloviera en la habitación. Pero eso era difícil de lograr, no teníamos medios técnicos. Me atraía mucho usar el ralentí, la cámara lenta. También hay cámara lenta en la imagen del perro que avanza en la calle, cuando El Jaibo muere. Siempre me ha gustado el ralentí, porque da una dimensión inesperada hasta al gesto más trivial, nos hace ver detalles que a la velocidad normal no percibimos.

T. P. T.: Sin embargo, usted ha ido abandonando el ralentí. Que yo recuerde, no lo hay en sus películas recientes.

No lo uso ya, porque ahora es un recurso demasiado fácil para realzar cualquier cosa.

J. de la C.: En el sueño, la madre, Stella Inda, se levanta sobre la cama alzándose el camisón, salta al suelo y corre hacia Pedro. La ropa y el cabello revolotean en torno a ella y sus pasos, efectivamente, son como una danza. Una imagen muy bella.

No busco embellecer las imágenes. Si ésa salió bonita, allá ella.

J. de la C.: La imagen sugiere casi una aparición de la Virgen.

T. P. T.: (Riendo.) ¡La Virgen de Guadalupe, claro!

Nunca me propuse eso conscientemente, desde luego. En mi infancia, con los jesuitas, la Virgen me parecía una imagen encantadora, y luego la he hecho aparecer, en **La Vía Láctea**, por ejemplo. Pero no en **Los olvidados**. No conscientemente, al menos.

J. de la C.: Ese sueño y el del soldado de El discreto encanto de la burguesía son para mí los mejores del cine.

T. P. T.: Tal vez hasta las imperfecciones técnicas ayuden a dar a la secuencia una textura de sueño auténtico.

Admito que a veces un error puede resultar finalmente un elemento que enriquece una escena, abriéndola a otra posibilidad, pero más vale evitar los errores. Por lo demás, siempre queda algo de lo que uno se propuso, aunque la técnica no sea muy brillante.

T. P. T.: Antes de venir aquí hablábamos De la Colina y yo de ese sueño y recordábamos lo que escribe Octavio Paz: que en esa escena se resumen los temas de la película, el hambre, el crimen y la madre, en una especie de festín sagrado.

Claro. Los sueños concentran los elementos que nos han impresionado en la vigilia, aunque enmascarándolos, presentándolos de otra manera. Pedrito está impresionado por la muerte de Julián a manos de El Jaibo y recuerda que su madre le ha negado la comida. Por eso sueña con que el chico asesinado está debajo de la cama; y que su madre le ofrece, con una sonrisa de ternura, un gran pedazo de carne; y que El Jaibo se lo arrebata.

J. de la C.: El Jaibo es un personaje apasionante. Me gusta que seduzca a la madre de Pedro hablándole nostálgicamente de su propia madre. Eso intensifica después la escena en la que él muere y tiene la visión de un perro flaco que avanza por una calle, mientras se oye una voz femenina: «¡Qué solo has estado, hijo mío!»

El Jaibo hace así *(Buñuel ladea lentamente la cabeza.)* y, en el momento de la muerte, la imagen se «congela». Sentí que allí tenía que haber una especie de *visión*. ¿Por qué el recuerdo de la madre? No lo sé. Así lo sentí. También en *El discreto encanto de la burguesía* está el sueño del teniente en busca de su madre, y ésta le dice: «No tengas miedo, hijo mío, ¡soy yo!» Son cosas que me conmueven y las pongo, sin explicaciones. Basta que las sienta así.

T. P. T.: Aquí está el perro que se nos perdió en *Un perro andaluz*. ¿Por qué ese perro en la «visión» de El Jaibo?

Podría ser cualquier otro animal, por ejemplo un elefante. Pero lo que me vino a la imaginación fue un perro.

T. P. T.: No, un elefante sería un tanto arbitrario en el mundo cotidiano de *Los olvidados*.

J. de la C.: Y el perro parece ser la imagen de la muerte para El Jaibo.

Bueno… También un elefante podría sugerir la muerte. ¿Por qué no? Las asociaciones mentales no tienen por qué ser «realistas». Por ejemplo: en la escena de *Un perro andaluz* en la que el protagonista arrastra una serie de cosas, podía haber atado a las cuerdas todo lo que se quiera: un paraguas, un taxi vacío, un elefante, mil cosas. El Jaibo podría haber visto elefantes en un cine, o en un circo. Yo sentí que debía ser un perro.

T. P. T.: ¿Y por qué la calle mojada?

Sólo por razones de fotogenia. La calle se veía demasiado gris y clara y, como queríamos una calle oscura, la mojamos, para buscar más contraste.

J. de la C.: A mí El Jaibo me conmueve quizá más que los otros personajes. Se comprende que El Jaibo mate a Pedro, porque desde el punto de vista de El Jaibo, Pedro lo ha delatado, faltando a una solidaridad esencial.

Esa solidaridad la puede usted encontrar hasta en los individuos más echados a perder. Y El Jaibo no es enteramente malo, no. En mis películas nadie es fatalmente malo ni enteramente bueno. No soy… ¿cómo se dice ahora? … no soy maniqueo.

J. de la C.: La escena de la seducción de la madre de Pedro por El Jaibo sugiere el incesto.

No le discuto a usted eso, pero no creo que haya sido con intención. Recuerdo que preferí sugerir nada más que la madre de Pedro se acuesta con El Jaibo.

T. P. T.: No se ve ni siquiera comenzar el momento de la cópula. La cámara se instala fuera de la barraca y muestra un titiritero que hace bailar unos perritos ante unos niños, entre los cuales están los hermanitos de Pedro…

Yo prefiero en esos casos la sugerencia. Si hubiera mostrado directamente que El Jaibo y la mujer se acuestan, hubiera sido muy vulgar.

J. de la C.: Hay quizá más erotismo en la escena en que El Jaibo contempla a la mujer mientras ésta se lava los pies en una palangana.

¿Los pies? Algunos críticos me llaman «Pedófilo». *(Ríe.)* Es verdad que los pies aparecen con frecuencia en mis películas. Ya desde *La Edad de Oro*, donde la protagonista chupaba el dedo gordo del pie de una estatua…

T. P. T.: Son elementos fetichistas: los zapatos de mujer en *Él*, en *Diario de una camarera*…

Todos somos un poco fetichistas. Aunque algunos exageran, ¿no?

J. de la C.: Creo que incluso entre la gente del rodaje hubo reparos respecto al personaje de la madre de Pedro.

Sí los hubo; *durante y después* del rodaje. Tuve algunos problemas con la gente del equipo. La peluquera se ofendió cuando Pedrito llegaba a la casa con hambre y su madre le negaba la comida: «Eso, en México, ninguna madre se lo dice a su hijo. Es denigrante, no quiero hacer esta película.» Se fue del estudio y presentó su dimisión. Hubo que contratar a otra. Y algunos del equipo rezongaban ante ciertas escenas: «Señor Buñuel, esto es de una cochambre tremenda. No todo México es así. Tenemos también hermosos barrios residenciales, como Las Lomas…»

T. P. T.: Pensaban que usted «ennegrecía» México. Tal vez por eso hubo que poner en el comienzo de la película una «justificación». ¿Se la impusieron a usted?

No. Fue una idea mía para que pasara la película. Como yo veía que era un tema en el cine mexicano de entonces, se me ocurrió poner esa advertencia. No la recuerdo bien… ¿Qué dice?

J. de la C.: Aquí tengo el texto: «Las grandes ciudades modernas, Nueva York, París, Londres, esconden tras sus magníficos edificios hogares de miseria que albergan niños mal nutridos, sin higiene, sin escuela, semilleros de futuros delincuentes. La sociedad trata de corregir este mal, pero el éxito de sus esfuerzos es muy limitado. Sólo en un futuro próximo podrán ser reivindicados los derechos del niño y del adolescente para que sean útiles a la sociedad. México, la gran ciudad moderna, no es la excepción a esta regla universal, y por eso esta película, basada en hechos de la vida real, no es optimista y deja la solución del problema a las fuerzas progresistas de la sociedad.»

A pesar de eso, la película molestó a algunos porque pensaban que yo ennegrecía deliberadamente todo. Pero esas objeciones no sólo se dieron entre los mexicanos. ¿Sabían ustedes que al principio los amigos comunistas de París estaban disgustados con la película? Recuerdo una reunión con Sadoul, que era muy amigo mío, en los Campos Elíseos. Me dijo muy entristecido: «No te puedes imaginar lo mal que nos hace sentir tu película, porque es de ideología burguesa. En ella demuestras que un profesor burgués y un Estado burgués son muy humanos, porque regeneran a los niños. Presentas a la policía como algo útil en una escena en la que el gendarme impide que un pederasta se lleve al niño. Lo lamentamos: esto nos entristece. Nos parece una película en favor de la moral burguesa.» Las cosas cambiaron a partir de que Pudovkin elogió la película en el

Pravda. Luego, algunos críticos que habían atacado la película empezaron a decir que estaba muy bien.

T. P. T.: ¿Cree usted que Sadoul y esos críticos habían entendido mal esas escenas?

Me parece que no tenían razón. Puede haber un director de una escuela para chicos delincuentes o deficientes mentales que sea un hombre bueno y que dé una oportunidad al chico, además de hacer un experimento psicológico: «Toma estos cincuenta pesos, ve a comprarme una cajetilla de cigarrillos y tráeme el cambio...» Pero un personaje así no impide que el chico salga delincuente. Pedrito quiere volver con el dinero, pero se encuentra en la calle a El Jaibo.

J. de la C.: Es decir: no valen los «oasis de bondad». El chico, al salir, volverá a encontrar la dura realidad de siempre.

T. P. T.: Y el problema no va a arreglarse con un profesor bueno, sino con un cambio de medio social.

Tal vez habría sido más «edificante» que Pedrito, al salir de la granja-escuela, al encontrarse con El Jaibo, le dijera: «Tengo un profesor muy simpático, ven a conocerlo», y El Jaibo fuera también allí y dijera: «Pos no se'stá tan mal aquí», y se hiciera un buen muchacho. Pero eso no me parece muy verosímil. Sería otra película.

J. de la C.: Como la soviética *El camino de la vida*.

Sí, allí todos los chicos delincuentes se hacían buenos al final. Yo creo que si en la sociedad burguesa hay un profesor comprensivo, que ayuda a los chicos atrasados mentales, o a los chicos delincuentes, no por eso se justifican las monstruosidades de una sociedad injusta. Tampoco creo que, individualmente, un policía tenga siempre que ser un mal hombre. El policía podrá ser todo lo policía que se quiera y mañana pegar a unos estudiantes que hacen una manifestación, pero puede estar bien un día en que a usted lo asalten y él llegue a impedirlo. En esa escena que molestaba a Sadoul no he puesto amor a la policía. Además, el policía no detiene al pederasta.

▲ **«Nadie es fatalmente malo ni enteramente bueno.» (El «ojitos» y el «jaibo».)**

T. P. T.: Lo que podría haberse visto después es al policía chantajeando al pederasta.

Y también sería otra película. Pero, ¡bueno! yo no estaba haciendo una película sobre pederastas y policías.

J. de la C.: Háblenos usted de otras reacciones ante Los olvidados.

Se estrenó en el cine México un jueves, como es costumbre aquí, y salió del programa el sábado. Dancigers no quiso asistir al estreno porque temía la respuesta del público. Era muy buen amigo, pero se acobardaba ante estas cosas. Yo fui al cine México por la noche y encontré cien personas en la sala, y no había ni un amigo, ni un conocido, ni gente del cine, ni siquiera los actores de la película. A la salida todos tenían cara de entierro. Y en seguida empezó la prensa a zumbar en contra. Hubo protestas de no sé qué sociedad, del sindicato de profesores, de otros sindicatos. Había quienes decían: «Artículo 33 (*el de expulsión del país para los «extranjeros indeseables»*) es lo que usted merece, gachupín que viene a insultar a México.» Finalmente no pasó nada. Yo tenía ya la ciudadanía mexicana.

J. de la C.: El crítico Francisco Pina me contó que hubo una exhibición privada algo borrascosa.

Sí. Asistieron unas veinte personas. Había intelectuales y artistas: el pintor mexicano Siqueiros, el poeta español León Felipe y su mujer mexicana, Bertha, y Lupe Marín, la esposa del pintor Diego Rivera. Cuando terminó la exhibición, Siqueiros estaba contento con la película, le parecía admirable. Lupe Marín me miraba cruzando los brazos, y me decía: «No me hables.» Bertha —que había estado en mi casa varias veces, con León, y a la cual yo conocía de cuando era empleada del gobierno de la República— se me acercó como queriendo meterme las uñas en los ojos. «Es usted un miserable. Ofende usted a todo el mundo. Lo que muestra esta película no es México.» Pero Siqueiros me decía: «Muy bien, Buñuel. Deje usted a las viejas decir lo que quieran y siga usted haciendo cine.» Podría contarles otras reacciones de molestia. Jorge Negrete me encontró un día en el comedor de los estudios cinematográficos. «¿Usted filmó *Los olvidados*? —me dijo, indignado—. Si llego yo a estar en México en esos días, usted no habría hecho esa película.»

J. de la C.: Es significativo. Negrete, el charro-cantor, representaba en la pantalla un México opuesto al de *Los olvidados*: los ranchos idílicos, el hombre de honor, «el macho». Además era el líder de la Asociación de Actores.

T. P. T.: Creo que hoy mismo no se podría realizar en México una película equivalente a Los olvidados. En todo caso, no permitirían su exhibición.

Hubo mucha crítica negativa. Me discutían hasta pequeños detalles. El ingeniero Palacios… ¿Lo recuerdan ustedes?

T. P. T.: ¿El que era famoso como «inventor» de la estrella María Félix?

El mismo. A pesar de que era amigo mío, publicó un artículo contra mí en *Claridades*. Decía cosas como ésta: «Buñuel no sabe una palabra de lo que es México. Aparecen en su película unas chozas miserables en las que hay camas de bronce.» Pero si Palacios no había visto esto, yo sí, y muchas veces. Aun en las «ciudades perdidas», un matrimonio pobre lo primero que compra es la cama de bronce. Y donde vive una familia numerosa pueden ustedes ver hasta tres camas de bronce. Una pareja de aquellos barrios me decía que no se habían casado sino después de comprar una cama de ésas.

J. de la C.: La realidad no tiene una imagen única. Hoy mismo usted puede ver una «ciudad perdida» cruzada de antenas de televisión. Es típico del subdesarrollo: una gran pobreza y, en medio de ella, objetos propios de otro nivel de vida.

Exacto. Yo podría contarles muchos ejemplos más de las objeciones que tuvo la película, incluso antes del rodaje, cuando estábamos haciendo el argumento. Al comienzo había un tratamiento de la historia muy diferente al que se filmó: unos chicos hurgaban en un montón de basura y hallaban el retrato de una especie de «hidalgo», de caballero español, un tipo magnífico que había degenerado en mendigo de los arrabales mexicanos. Pedro de Urdimalas, un escritor de argumentos, mexicano, dijo que no quería colaborar en una película en la cual se ofendiera a la Madre Patria, a España. Por eso no apareció su nombre en los créditos, a pesar de que él había sabido dar muy bien un sabor mexicano a los diálogos.

T. P. T.: En una célebre entrevista publicada en 1954 por los Cahiers du Cinéma ha dicho usted que Dancigers se opuso a que se introdujeran ciertos detalles irracionales en la película.

Sí, yo deseaba poner un par de detalles que rompieran con el realismo convencional. Cuando El Jaibo y Pedro iban a ver al muchacho que luego será asesinado se debía ver de paso, al fondo de aquellos terrenos baldíos donde había un gran edificio en construcción —un hospital del Seguro Social—, una orquesta sinfónica de cien profesores instalada en la estructura metálica. En la casa de Pedro, cuando la madre estaba cocinando, se vería también que en cierto momento apartaba un sombrero de copa magnífico. Estas cosas se verían como en un parpadeo y sólo las advertiría un espectador entre cien, que además se quedaría dudando, pensando que podría ser una ilusión suya. Eran elementos de tipo irracional, para no seguir al pie de la letra un argumento, una realidad «fotográfica». Pero Dancigers me dijo: «Buñuel, se lo suplico, no ponga usted esas cosas. Ya estoy haciendo sacrificios en esta película: hay mucha cochambre, no hay actores conocidos, etc...»

J. de la C.: Supongo que esos elementos absurdos hubieran podido justificarse «a posteriori». ¿Los músicos en el edificio en construcción? Podría tratarse de una preinauguración oficial del hospital. ¿El sombrero de copa? La madre de Pedro podría tener un amante secreto y rico...

No. Eran elementos «a priori» injustificados, chispazos irracionales, disparatados.

T. P. T.: A pesar de las reacciones en contra, la película fue presentada en Cannes.

Sí. El director de Cinematografía de México era un intelectual a quien le gustaba la película,
y la aceptó. Le hicieron un corte nada más en la escena en que el ciego habla en la tortillería: una frase sin gran importancia. En cambio, allá en Francia, el embajador de México, el poeta Torres Bodet, no era muy partidario, ni mucho menos, de la película, pero su secretario era Octavio Paz, que sí estaba a favor del film, y a pesar del puesto que tenía en la embajada, escribió un texto de presentación sobre *Los olvidados*. Yo a Octavio lo conocía desde hacía muy poco: de cuando presenté la película, en París, a los amigos surrealistas. A éstos y al mismo Breton la película les gustó.

T. P. T.: Decíamos que *Los olvidados* fue para la crítica internacional la «resurrección» de Buñuel.

Y lo era, en efecto. Yo había pasado muchos años sin hacer nada que llamara la atención, ¿verdad? Pero, a pesar de las imperfecciones, *Los olvidados* ya era algo. Algo vivía allí; la película vivía.

T .P. T.: Despúes del premio en Cannes, *Los olvidados* fue repuesta en México y tuvo una mejor carrera.

La reestrenaron en el cine Prado y allí duró seis semanas. Es una película que ha ido haciendo camino sola. Veo que la pasan aún mucho en los cines, en los cineclubes, en la televisión. En Francia le pusieron un título espantoso.

T. P. T.: *Pitié pour eux.*

Malísimo. Algo así como ¡Pérdónalos, Dios mío! Imagínese usted que digan en los libros: «Buñuel, autor de *Pitié pour eux*.» ¡Qué vergüenza!

8. *Susana (Demonio y carne)*

He estado revisando los apuntes de mis rodajes y veo que hice ***Los olvidados*** en febrero de 1950 y, en junio de ese año, ***Susana***.

T. P. T.: En algunas filmografías se dice que el dramaturgo Rodolfo Usigli[1] intervino en los diálogos.

El guión lo hicimos Jaime Salvador, Reachi y yo sobre una historia del segundo. Rodolfo Usigli revisó los diálogos.

T. P. T.: Me imagino que Kogan, el productor, quería hacer una película para lucimiento de su esposa, Rosita Quintana.

Creo que sí. Había una sinopsis de tres o cuatro páginas: una muchacha «mala» llega a una hacienda y seduce al padre de familia, al hijo, al mayoral. Había que desarrollar esa línea.

J. de la C.: Que era una «historia ejemplar», con lección moral.

Muy moral, porque al final castigaban a la seductora. Siento no haber resaltado más la ironía, la broma.

T. P. T.: No, se perciben muy bien.

Tal vez el público tome la historia muy en serio, sobre todo al final.

T. P. T.: Un crítico francés, en un ensayo titulado «Buñuel o la paráfrasis», comparaba *Susana* con el *Diccionario de ideas hechas* de Flaubert.

---

[1] *Rodolfo Usigli*, dramaturgo, poeta y ensayista mexicano (1905-1979), cuya única novela, *Ensayo de un crimen*, será posteriormente adaptada al cine por Luis Buñuel.

Tal vez la película puede funcionar de distintas maneras, según el público sea inocente o tenga malicia. Algunos dirán que es una película inocente, otros dirán que es moralmente tremenda. Yo encuentro el erotismo de la protagonista un poco simple, un poco tonto.

J. de la C.: Pero hay humor también en ese erotismo. Cada vez que Susana se ensancha el escote para seducir a un hombre parece parodiar a Goebbels: «Cuando oigo la palabra moral, saco mis tetas.»

Hay cosas que improvisé al filmar. Una de mis escenas favoritas es la de la araña. Hay una tormenta tremenda y estamos en el Correccional de Mujeres. Susana está asustada y reza a Dios. «Señor, yo también, aunque sea mala, soy una criatura tuya». Estalla un relámpago y a su resplandor la silueta de la reja parece una cruz. Sobre esta cruz de sombra pasa una araña. Finalmente hay «milagro». Susana se aferra a la reja y ésta cede fácilmente.

T. P. T.: Porque «los caminos del señor son infinitos y sus designios inescrutables.»

Me pareció que debía hacer el argumento menos simple e introduje ideas visuales como ésa de la araña o como la de la sustitución del objeto erótico por otro. En una escena, Fernando Soler, que acaba de ser excitado por Susana, ve llegar a su esposa… y es a ésta a quien besa apasionadamente, pero pensando en Susana… Recuerdo ciertas reuniones surrealistas; en una de ellas hacíamos una encuesta sobre erotismo. Yo pregunté si a veces se sustituía mentalmente el objeto erótico por otro; si, por ejemplo, se hacía el amor con la esposa pensando en la amante, o en una prostituta, o en una criadita pizpireta que se ha visto pasar por la calle. En una reunión de amigos, casi todos respondieron que sí, que en el acto de amor habían cambiado imaginariamente a su mujer por otra.

J. de la C.: Susana, al llegar a la hacienda, actúa como un elemento erótico subversivo.

Sí. Su llegada provoca una serie de actos que era imposible pensar que pudieran ocurrir allí. Es una familia honesta, sin malos deseos, y el padre, la madre, el hijo y el mayoral son personas decentes. La aparición de Susana es como la de un diablo seductor.

T. P. T.: Todos cambian y, hasta la madre, la que más parece haber resistido el mal, termina azotando a Susana con un látigo, y sonriendo sádicamente.

Pero al final todo vuelve al orden y se resuelve felizmente. Los pajaritos cantan, padre e hijo se reconcilian, incluso la yegua se cura y pare un potrito, y Susana ha sido detenida y llevada a la cárcel. ¡La hacienda vuelve a ser un paraíso!

T. P. T.: Triunfa, en efecto, el orden. Pero es un final inquietante porque la yegua volverá a trotar y la vida a reaparecer. Lo ambiguo de ese final aparentemente tranquilizador es magistral, como en El y Ensayo de un crimen.

Hice Susana en veinte días. Teóricamente, me gustaría volver a hacerla, ya con más elementos y más libertad, como tengo ahora. Entre las cosas que improvisé para enriquecer el argumento está la escena en que Susana seduce al muchacho dentro del pozo. El erotismo un tanto simple de esa escena se intensifica tal vez con la idea de escondite. La idea me vino del capítulo de la Cueva de Montesinos del *Quijote*, aunque allí no hay erotismo.

T. P. T.: ¿Qué modificaría usted en una supuesta nueva versión de *Susana*?

Trataría de hacerla más interesante. No habría pornografía, pero sí un erotismo más sofisticado, menos convencional.

J. de la C.: Tal vez sea convencional a primera vista, pero ocurren cosas muy interesantes «por debajo de la línea de flotación». Lo que importa es el *contenido latente*, como diría Bretón.

¿Qué es lo que ven ustedes, en ese sentido?

T. P. T.: Hay todo un bestiario buñueliano: la araña, el gallo, la yegua, la parvada de pavos al final, que son como los borregos

de *El ángel exterminador* y significarían la «vuelta al orden».

J. de la C.: Susana llega a la hacienda arrastrándose por el fango, casi reptando como la serpiente bíblica. Y casi siempre que vemos a Fernando Soler en relación con la muchacha él tiene en las manos una pistola o una escopeta: un símbolo fálico evidente, diría un psicólogo.

Soy aficionado a las armas de fuego y para que los diálogos no fueran demasiado estáticos, puse a Soler limpiando armas. Acaso se pueda decir de eso (siendo un detalle inocente) que hay signo fálico encerrado: la imagen del pene. Pero fue inconsciente.

J. de la C.: No importa. El significado latente trabajó a favor de ese símbolo.

Por lo demás, acerca de lo que usted dice, quién sabe si mi afición a las armas de fuego simbolice un deseo de afirmación fálica.

T. P. T.: Creo que cuando usted leyó el guión seguramente advirtió en seguida que estaba lleno de convenciones de melodrama. Y las jugó todas a fondo, extremándolas adrede.

Claro que lo sabía y que las jugué a fondo. Pero no traté de ser astuto haciendo lo contrario de lo que indicaba el argumento. No me gustan los guiños a los «entendidos».

T. P. T.: ¿Y no cree usted que llevando al exceso esas convenciones las empujaba al absurdo y las contradecía?

Naturalmente. Lo que pasa es que no era cosa deliberada de mi parte. Intervino el subconsciente, sin duda. Yo desconfío de la razón y de la cultura. En nuestro pensamiento hay imágenes que aparecen repentinamente, sin que las meditemos. En todas mis películas, hasta en las más convencionales hay esa tendencia a lo irracional, a una conducta que no se puede explicar lógicamente.

J. de la C.: Pero usted puede emplear en cierto sentido irónico o paródico un elemento cultural. Hace poco nos hablaba de que la escena del pozo surgió de la Cueva de Montesinos en el *Quijote*.

Eso es distinto. No excluyo «a priori» lo que tiene un origen cultural, si es un recuerdo propio, vivido por mí. Ante todo, esa escena del pozo se me ocurrió porque Susana y el chico tenían que verse en un lugar oculto. Recordé el nicho que había en el interior de la Cueva de Montesinos.[2]

J. de la C.: Sigamos con el erotismo, que es el «motor» de la película. Hay un momento muy bello y excitante en que la clara y las yemas de unos huevos rotos escurren por los muslos de Susana.

Como la leche que escurre por las piernas de la chica, en *Los olvidados*. Uno siempre vuelve a esas imágenes que tiene fijas, ¿verdad? Sin darnos cuenta caemos en lo mismo. Me parecen muy atractivos unos muslos que chorrean algo viscoso, porque la piel se hace más cercana, parece que no sólo estamos viéndola, sino además tocándola.

J. de la C.: Pero además hay otra cosa en eso de los huevos rotos. En México se les llama «huevos» a los testículos.

---

[2] En *Don Quijote de la Mancha* el protagonista desciende a una cueva deshabitada de la cual vuelve diciendo haber encontrado personajes y peripecias propios de las novelas de caballería.

También en España. Pensé en cómo enriquecer la escena, porque en el guión los personajes sólo hablaban y hablaban. Entonces hice que el mayoral abrazara estrechamente a Susana, de modo que se rompieran los huevos que ella había recogido en su falda, y la yema y la clara chorrearan por las piernas.

J. de la C.: Una sensualidad muy raras veces lograda en el cine con esa tangibilidad, en efecto. Y cuenta mucho en ello que esa parte del cuerpo de la actriz es muy poderosa: no son unas piernas estatuarias, sino muy llenas, muy carnales.

T. P. T.: Esa tangibilidad de la piel de Susana se da también en una escena del comienzo. Susana, después del «milagro» que la saca de la cárcel, escapa arrastrándose por el fango, enteramente mojada, y así aparece en la hacienda, así la contempla Fernando Soler. Ella tiene la ropa empapada, pegada al cuerpo.

Eso me gusta y también puse en *Subida al cielo* a la inocente novia empapada. El agua

hace que los vestidos se ciñan al cuerpo, poniéndolo más en evidencia que si estuviera desnudo.

J.de la C.: Detalles que resultan más eróticos que el desnudo total.

Naturalmente. Una mujer con una *chemisse* negra, con encaje, medias con ligas y zapatos de tacón alto, resulta más erótica que una mujer desnuda. El desnudo total generalmente es puro, no erótico.

J.de la C.: Hay en *Susana* una escena erótica por «personas interpuestas». Susana está desvistiéndose en su cuarto y su silueta sólo se percibe borrosamente a través de una ventana traslúcida. Los tres personajes masculinos: Soler, el mayoral, el señorito, la espían, sin saber cada uno de la presencia de los otros. Ese momento es intenso y brillante porque es como si las tres miradas se enlazaran en una sola, en un solo deseo, y finalmente en la mirada del espectador.

Lo que recuerdo de esa escena es lo furtivo. Los tres hombres han dicho que se van a dormir, pero se esconden uno de otro para espiar a Susana. Y está lloviendo a torrentes. La lluvia da más «cuerpo» al espacio.

J. de la C.: En mi recuerdo esa escena está filmada en un solo movimiento de cámara y tiene una gran intensidad: como si se hubiera logrado una tercera dimensión del deseo.

T. P. T.: En la película las tomas son largas, muy sencillas, funcionales.

Tiendo a la toma larga, a eliminar cortes dentro de la secuencia. Así la película se hace más fluida, ¿verdad? Claro que es más difícil hacer un plano seguido en lugar de tres cortos: es un poco un lujo, si hay que filmar rápidamente. El plano largo tiene que estar más concertado con la acción y el escenario, pero es más rico. Si ustedes examinan mis películas advertirán que no hay gran número de planos.

T. P. T.: La película, como otras suyas hechas sobre argumentos convencionales, parece una casa que está usted levantando… para derruirla al final.

Muy bien visto. Sí, lo acepto. Pero esas películas las he hecho sintiendo la responsabilidad de cumplir con el productor y no las «boicoteo» deliberadamente. Aparte de eso, puedo querer divertirme un poco y meter algunas cosas que hagan gracia a los amigos. No son «guiños», porque detesto al cineasta que parece decir: «Miren qué listo soy». Digamos

que meto recuerdos compartidos con algunas personas, «claves» inocentes. Si en Susana hay bromas, habré tenido buen cuidado de que la película entera no resultara una burla.

J. de la C.: Yo diría que usted no derruye la «casa», sino que la cierra, dejando a los personajes asfixiados en su felicidad convencional y estúpida, en una especie de semifeudalismo… y después de anulado el «ángel exterminador» que a su modo era Susana.

T..P. T.: En efecto, la vieja criada refranera y biempensante cierra la ventana diciendo: «Así es mejor vivir, señor, en la bendita paz de Dios.» Esa frase me parece un rasgo humorístico de usted, por ser una moraleja tan obviamente conformista.

La interpretación de ustedes puede valer, porque saben que yo no pienso como ese personaje, pero también la de un público que salga convencido de haber visto una historia muy moral, ¿verdad? Lo importante es que la película emocione a cada espectador, le sugiera algo.

J. de la C.: El poeta Tomás Segovia dice, palabras más o menos: «El poema no es lo que está escrito, sino lo que sucede entre lo que está escrito y el lector.»

Hombre, eso está bien, y quizá sea más verdad en el cine. Cuando ustedes salen de ver una película con unos amigos, se asombran de los comentarios divergentes. A veces parece que cada uno ha visto una película distinta. Además están los que ven símbolos por todas partes. A ésos sí les temo.

J. de la C.: Recuerdo que un crítico decía que *El ángel exterminador* era una película anticomunista porque el oso amenazador que aparece un momento en la casa de los Nobile representaría… ¡la Unión Soviética!

(Ríe.) Y otro en realidad diría que es una película procomunista, porque el oso habría entrado a liberar a los sirvientes. Pero el oso no representa más que un oso y, por cierto, no logra comerse a nadie.

T. P. T.: Me hubiera gustado que en la película Susana triunfara, porque para mí es el único personaje simpático de todos.

A mí también me habría gustado, pero eso debería quedar en secreto.

T. P. T.: ¿Aceptaría usted que *Susana (demonio y carne)* es un cuento filosófico?

Filosófico, no. Un cuento, sí.

9. *La hija del engaño. Una mujer sin amor. Subida al cielo*

T. P. T.: Según las filmografías, 1951 fue para usted un año muy activo: filmó tres películas: *La hija del engaño, Una mujer sin amor* y *Subida al cielo*.

Ese título de **La hija del engaño** es un error de los productores. Si hubieran dejado su verdadero título de **Don Quintín el Amargao**, todos los españoles hubieran ido a verla, porque la obra de Arniches y Estremera es muy conocida entre el público español. Pero los productores no querían dejar ver que se trataba de un *remake*. Exhibieron la película en un cine de tercera, y asistió poco público, de lo cual me alegro, porque es una cinta que no me salió.

J. de la C.: ¿Usted siguió el guión de la película que produjo en 1935 para Filmófono?

Sí. Yo tenía aquí una copia de aquélla; una copia hecha con los mejores restos de otras copias. Tres o cuatro veces la veíamos algunos amigos, todos refugiados españoles, en la salita de Directores. Recuerdo que venían a verla Eduardo Ugarte, Luis Alcoriza, Ignacio Mantecón, Moreno Villa y algunos más. Nos hacía gracia, nos traía recuerdos, porque tenía mucha chulería y mucho gracejo madrileños.

T. P. T.: Pero eso tenía que ser «traducido» en la versión mexicana.

Claro. Yo intervine algo en la adaptación, que hicieron Alcoriza y su esposa. Mexicanizaron el argumento, pero don Quintín seguía siendo en general el mismo personaje. En lugar de un «echao pa'lante» madrileño, un «macho» mexicano. Pero es muy poco lo que les puedo decir de esta película, porque de ella no recuer-

do casi nada. Es una película «alimenticia»: realizada para poder comer. Eso sí, procuré hacerla de manera profesional.

UNA MUJER SIN AMOR

T. P. T.: *Cuando los hijos nos juzgan*, **o** *Una mujer sin amor*, **es la única de sus películas a la que no le he encontrado nada salvable.**

Tampoco yo. Es la peor de las que he hecho. Se basaba en *Pierre et Jean*, de Maupassant, que Cayatte ya había filmado muy bien. Yo tuve que filmarla en veinte días y con menos medios; ¡y me hubiera gustado que William Wyler me hiciera una película en esas condiciones! En realidad seguimos casi plano por plano la película de Cayatte, que era una guía mínima para trabajar en el estudio. Había que filmar rápido, así que evité los cortes lo más que pude y esto me facilitó luego el montaje. Antes, el montaje podía costarme ocho días de trabajo. Ahora, como yo les he dicho, lo hago en dos o tres. Esto significa que hay que ir al estudio muy preparado, sobre todo si, como yo, no se toman planos «de protección».

SUBIDA AL CIELO

J. de la C.: *Subida al cielo* **parece un divertimento con alguna base de melodrama. Es tal vez una película menor, pero tiene mucha vida y se sostiene muy bien. ¿No la ha vuelto usted a ver, ahora que la pasaron por la televisión?**

No veo la televisión. En fin, a veces mi mujer me llama si aparece algo interesante,

pero es sólo un momento y nunca me siento a ver algo de principio a fin.

J. de la C.: Sin embargo, alguien me ha dicho que usted estaba un día viendo *El gran calavera* **por la televisión y, cuando aparecían los anuncios intercalados, usted decía: «Yo no he filmado eso.»**

Sí. Se trataba de la escena en que Fernando Soler llega borracho a casa y se pone furioso contra los invitados de su mujer. Soler tenía un gesto de violencia y, de pronto, ¡aparecía un almacén de muebles! Es indignante. Para hacernos comprar cualquier tontería, destrozan lo que sea: las noticias, una película, todo.

J. de la C.: ¿De quién fue la idea central de *Subida al cielo***?**

De Manuel Altolaguirre.[1] Había hecho un

viaje de Acapulco a Zihuatanejo con su mujer, María Luisa. Les ocurrieron algunas cosas parecidas a las que cuenta la película, como, por ejemplo, que el autobús se atascara en el río.

J. de la C.: Altolaguirre no es sólo el autor de la idea, sino también el productor. ¿Cuánto dinero metió en la película?

Altolaguirre no tenía dinero. El dinero era de la familia de su esposa María Luisa. Pero antes del final del rodaje se acabó la «pasta», hasta el punto de que en un hotel de Acapulco retuvieron como rehén al ayudante del jefe de producción. María Luisa era una increíble mujer disparatada. Por falta de dinero no se pudo filmar el final de la historia, que ahora no recuerdo cuál era. Yo guardo todos los guiones, pero ése no. Supongo que lo tiene la Cineteca.

---

[1] *Manuel Altolaguirre* (l905-1959), poeta español de la llamadas Generación de 1927. Su obra literaria es escasa pero cada día más estimada por la crítica. Su «aventura» como esporádico productor de cine

corrió poca fortuna, e igualmente su intento de ilustrar en la pantalla, como realizador, *El cantar de los cantares*, de Fray Luis de León.

▲ *La hija del engaño*, **«una película alimenticia».**

T. P. T.: Aun dentro de las condiciones exiguas de trabajo, ¿no cree que es una película bastante libre?

Teniendo en cuenta esas limitaciones, sí, como casi todas las que he hecho.

J. de la C.: Algunas limitaciones dan a la película un encanto *naif*. Por ejemplo, la maqueta casi inverosímil del lugar precisamente llamado «Subida al cielo». Hay montañas, el camión que sube, la tormenta... y todo es como de juguete.

Sí, la maqueta no era más grande que esta habitación. ¿Qué culpa tengo yo? Ojalá me hubieran dado una maqueta como la que vi en Hollywood en los años cuarenta. No pueden ustedes imaginársela: todo el estudio cubierto con una tela que imitaba el cielo, y había perfectas reproducciones de montes, un hotel, unos aviones movidos con cables invisibles. ¡Una maravilla! Me dijeron que había costado doscientos mil dólares.

T. P. T.: O sea el doble de lo que debe haber costado toda *Subida al cielo*.

Sí. *Subida al cielo* debe haber costado un millón doscientos mil pesos mexicanos. Y eso que los exteriores eran auténticos y había que desplazar el equipo y a la gente del rodaje a Cuautla y Acapulco.

J. de la C.: Con esa película, Lilia Prado estremeció nuestra adolescencia. Es una de las presencias más eróticas del cine mexicano.

Manuel Altolaguirre me dijo: «Mira, te voy a presentar a una niña que puede servir...» La llevó al estudio, donde me la presentó. Una monada, muy simpática. Era rumbera. Y muy ingenua, como verán por lo que luego les voy a contar. A los demás actores los elegí yo.

J. de la C.: Muchos coincidimos en que el actor para el protagonista, Esteban Márquez, está muy mal.

Era un muchacho que nunca había hecho cine y que tenía una floristería con su madre. Me mintió, dijo que había estudiado con Seki Sano, aquel japonés renombrado como director teatral y maestro de actores. Después de terminar la película me encontré a Seki Sano y le dije: «He hecho una película con un discípulo de usted, Esteban Márquez.» Me respondió: «No es discípulo mío; no lo acepté.» Márquez, además, era un ingenuo, como Lilia. El primer día de rodaje les hice una broma. Los llamé

aparte y les dije: «Miren ustedes, como en el sindicato estamos trabajando muy poco, tenemos permiso para cobrar a los artistas cien pesos por cada primer plano que les tomemos. Los prevengo antes de comenzar a filmar. Si quieren ustedes su rostro en primer plano, les costará cien pesos. Diez primeros planos, mil pesos. ¿Cuántos quiere usted Lilia?» «Pues, digamos ocho o diez.» «Muy bien. ¿Y usted Márquez, cuántos?» «Yo, los que usted quiera, pero muchos, muchos.» Creían que aquello era verdad. Muy inocentes. Lilia era una chiquilla, pero no me dio trabajo en el rodaje. Márquez, sí. Afortunadamente, había buenos actores, por ejemplo Miguel Dondé, que hacía el papel de diputado.

J. de la C.: Y como se parecía mucho al presidente Miguel Alemán, se decía que usted había metido allí un comentario político. ¿Lo escogió usted por ese parecido?

Creo que sí. Y como además el personaje intervenía en una manifestación política un tanto accidentada, podía tener gracia. Pero eso era todo; ningún comentario político, en realidad.

J. de la C.: La película da la impresión de que usted improvisó mucho.

Alguna vez. Por ejemplo, recordarán ustedes la escena en que el autobús se atasca en el río y se requieren unos tractores para sacarlo de allí. Durante el rodaje se me ocurrió que llegara una niñita, con una yunta de bueyes, y casi sin esfuerzo lograra sacar el autobús del atasco. Esa niña, más adelante, es la que vemos muerta en el ataúd que el padre lleva en el autobús. Eso de subir a un autobús con un ataúd de niño es algo que he visto yo aquí en México, en la época en que no disponía de automóvil. Y a propósito de esa escena, miren ustedes cómo hacíamos el cine en México por esos años: teníamos exteriores durante tres días con sus noches en el cementerio de Iztapalapa para filmar una secuencia que incluía una función de cine ambulante y al mismo tiempo el entierro de la niña (esta coincidencia la había visto Altolaguirre en un cementerio de pueblo). Ya estaba todo preparado para filmar. La secuencia suponía que, mientras echaban tierra a la niña, en la pantalla del cine ambulante proyectaban un noticiario con escenas de la bomba atómica. Al rodaje llegamos con todo el equipo a las diez de la noche, y el jefe de producción, Pizarro, me dijo: «Señor Buñuel, tenemos que suspender el rodaje a las dos de la mañana, por órdenes del sindicato.» «Pero oiga usted, tengo tres días más de rodaje». «Lo siento mucho». Y como tenía que terminar a las dos de la mañana, filmé un solo plano: llega el autobús, bajan el ataúd de la niña y lo meten en el cementerio entre música y estallidos de cohetes. Nada más.

J. de la C.: La escena del sueño, o más bien ensoñación, es muy importante. El protagonista muestra en ella su «complejo de Edipo»: adora a la madre, tira a la esposa al río. ¿La escena la escribió Altolaguirre o usted?

Altolaguirre me había dado nada más la línea general del argumento: un viaje muy accidentado por la costa de Guerrero, una historia de herencia, la madre que va a morir. Juan de la Cabada colaboró eficazmente en el tratamiento y también una chica guerrerense inteligente y simpática, que dio sabor popular a los diálogos y a la que no sé por qué no se le da crédito en la película. El sueño que usted dice no sé si está en el guión, pero es totalmente mío. Siempre procuro tener todo en el guión, porque, con los medios técnicos que acarrea un rodaje, es muy difícil trabajar improvisando. Sin embargo, ese sueño lo improvisé.

J. de la C.: El sueño tiene una idea excelente, muy simple y muy gráfica. La madre está en una silla mecedora sobre un pedestal, pelando una naranja o una manzana, y la piel del fruto forma una cinta que llega hasta el protagonista que sostiene el extremo con la boca. Es una metáfora del cordón umbilical.

T. P. T.: Y una «ensoñación» más, en el autobús: el protagonista sueña que hace el amor con Lilia, en medio de una selva que crece en el interior del vehículo, y unos borregos pasan sobre ellos.

Esos momentos se me ocurrieron durante el rodaje. Yo no quería un realismo estrecho. También me fascinaba meter escenas en las que no sucediera nada importante. Recuerden ustedes la admirable secuencia de la criadita en la película neorrealista de Vittorio de Sica, **Umberto D**. Simplemente la criadita entra en la cocina, enciende el fuego, mata con agua unas cucarachas, le sirve un vaso de leche al viejo, y nada más. Así contado no tendría interés alguno, ¿verdad? Y en la pantalla esto resulta interesantísimo. Un rollo casi, y es genial.

T. P. T.: Precisamente se ha dicho que usted hizo *Subida al cielo* **pensando en el neorrealismo italiano.**

No. La película mía que tendría alguna relación con el neorrealismo italiano sería, más bien, **Los olvidados**. Yo había visto antes **El limpiabotas**, de De Sica, y la célebre **El camino de la vida**, aquella película soviética sobre la regeneración de muchachos. **El lim-**

piabotas me gustó mucho, pero, en principio, el neorrealismo italiano no me gusta. Sólo me satisfacen unas cuantas películas de esa escuela: ***Umberto D, Ladrón de bicicletas***, algunas de Fellini. Yo creo que no debe haber una sola dimensión de lo real, sino todas las dimensiones posibles.

J. de la C.: Aunque el viaje en autobús de *Subida al cielo* es real, finalmente deja una impresión un tanto fantástica.

Quizá porque en un solo viaje se acumula un número de incidentes que normalmente ocurrirían en varios viajes. La realidad no suele ser tan «concentrada».

T. P. T.: ¿Usted recuerda una película de Pierre Prévert que también trata de un viaje muy accidentado en autobús: *Le voyage surprise*?

No la he visto.

J. de la C.: ¿Se podría decir que *Subida al cielo* es la primera comedia buñueliana?

Si usted lo dice… Pero ¿es una comedia? No sé.

J. de la C.: En *Subida al cielo* me parece que se siente una cierta felicidad, un humor sin sombras.

T. P. T.: Pero está la niña muerta que llevan en el ataúd.

J. de la C.: Sí, pero hasta la muerte es aceptada como algo inevitable en esta película.

Ya les dije que ese episodio me lo sugirió algo semejante que vi en un autobús. En la película, el padre abre la ventanilla del pequeño ataúd y muestra el rostro de la niña muerta y dice a los otros viajeros: «¿Verdad que era rechula mi chamaquita?»

J. de la C.: ¿Y se acuerda usted, don Luis, del plano de la niña comiendo una calavera de azúcar?

¡No hay ninguna niña comiendo calaveras de azúcar en la película! ¡Ni una!

J. de la C.: Claro. Es otra provocación mía. Los niños que comen calaveras de azúcar es un tópico de turista y de Einsenstein.

T. P. T.: ¿Cuál fue la «carrera» de la película?

Lo ignoro. Manolito Altolaguirre la llevó a Cannes y un crítico dijo que por las posibilidades que abría al cine merecía la Palma de Oro. Creo que exageraba.

J. de la C.: Pues tal vez no. Obtuvo el Premio de la Crítica Internacional a la Mejor Película de Vanguardia.

Creo que sí. Algo tendría.

10. *El bruto*. Realidad e imaginación. La pornografía

J. de la C.: ¿De dónde salió el argumento de *El Bruto*?

Luis Alcoriza me trajo una idea sobre un viejo, propietario de un edificio alquilado, que quería expulsar a sus inquilinos para hacer un negocio. Estos se organizaban en su propia defensa y el propietario, para reprimirlos, utilizaba a un «hombre de mano», un hombre muy fuerte y muy bruto.

J. de la C.: ¿Fue idea de usted que ese bruto fuese matarife del Rastro?

No recuerdo. Lo que añadí fue el personaje del padre del propietario y también una escena entre Katy Jurado y un gallo, que improvisé durante el rodaje.

J. de la C.: Las escenas del Rastro, el matadero de reses de la ciudad de México, han llamado mucho la atención. ¿Cómo conoció usted ese lugar?

Cuando escribíamos el guión fui allí a las cuatro de la mañana a presenciar una matanza de reses y corderos. Hice amistad con los matarifes y alguna vez fui a tomar pulque con ellos. También los vi trabajar. Uno de ellos, por ejemplo, tenía un gran cuchillo, pasaba un buey y ¡zas! el animal caía muerto, sin que el hombre dejara de hablar conmigo. Una manera increíblemente precisa de manejar el cuchillo; daba escalofríos, pero para él eso era pura rutina. Lo más impresionante eran los pobres corderos resignados, que ni siquiera balaban cuando entraban en tropel en el pasillo que los llevaba al degüello. Pasaba uno y ¡zas! y otro y ¡zas! Algunos quedaban estremeciéndose todavía un buen rato. Y el olor a sangre: ¡qué horror! Lo pasé muy mal.

T. P. T.: Apenas quedan esos detalles en la película. ¿Por qué?

No me gustan esas cosas. Es demasiado fácil impresionar con ellas. Parecen de Peckinpah.

J. de la C.: El detalle de la imagen de la Virgen en el matadero ha llamado mucho la atención como «guiño» surrealista.

Se me ocurrió cuando filmábamos la escena y pedí que trajeran una Virgen de Guadalupe. Había chorros de tequila y vino. Asistieron Dominguín, el torero, y Renato Leduc, el escritor, que eran amigos de la «porra» de los toros. Los matarifes nos invitaron a comer en vísperas de la corrida de toros que había al día siguiente, o unos días después. Recuerdo que todos los matarifes eran muy anticomunistas. «Somos mexicanos —decían—, no queremos teorías exóticas.» Al entrar en el matadero se veía en un vestíbulo la imagen de la Virgen de Guadalupe en su altar, rodeada siempre de flores y cirios. El día de Guadalupe los matarifes iluminan el altar y hay una fiesta formidable. Todos gastan miles y miles de pesos ahorrados para ese día, invitan a los amigos y a mucha gente. La virgen forma parte de su vida, está con ellos en el trabajo. Yo temí que mostrar eso pudiera parecer irrespetuoso, pero nadie protestó aquí en México.

T. P. T.: ¿Cree usted que el personaje de Pedro Armendáriz concuerda con el de alguno de esos matarifes?

Armendáriz dominaba el personaje, pero tuve algunos problemas con él porque, debiendo llevar una camiseta de mangas cortas, se puso una de mangas largas. Le parecía que la de mangas cortas era de marica.

T. P. T.: Creo que también por eso se negó a decir una línea de los diálogos.

En esa escena los vecinos perseguían al Bruto y él los esquivaba saltando una tapia y escondiéndose tras una puerta. Se encontraba con Rosita Arenas y le tapaba la boca, para que no gritara. El Bruto tiene un picahielo clavado en la espalda y le dice a la muchacha: «Sácame eso de atrás.» Armendáriz se negaba a decir esa línea porque incluía la palabra «atrás.» La dejamos en «Sácame eso».

J. de la C.: El Bruto es un personaje muy elemental.

Por eso lo apodan «El Bruto». Pero no es un hombre malo. Por ejemplo: mantiene a unos parientes que viven con él como parásitos. Y es capaz de sentir amor y ternura.

T. P. T.: ¿Es un hombre puro, un inocente que se deja manejar?

Pero también es una bestia. La bestialidad no me es nada simpática.

T. P. T.: Pero El Bruto es «puro».

No me gusta su forma de violencia. No tiene nada que ver con la que Sade pinta en sus novelas. (Por cierto: soy sadista, no sádico.) El Bruto no mata por fidelidad a unas ideas, sino porque el amo se lo ordena.

J. de la C.: Algunos críticos dicen que El Bruto finalmente «toma conciencia» y se enfrenta al amo, poniéndose al lado de las víctimas de éste.

Pero no es así. El propietario lo increpa: «Canalla, mal nacido, has intentado violar a mi mujer», y trata de matarlo. Forcejean y El Bruto lo mata a él. No es que El Bruto haya tomado conciencia social, no.

T. P. T.: Una escena me llamó la atención. El Bruto, que es una fuerza de la naturaleza, apaga una vela, muy finamente, con los dedos mojados, en lugar de soplar.

Un bruto puede ser muy fino y delicado en algunas cosas. Ese detalle, por lo demás, no tiene nada de extraordinario. Mucha gente suele apagar una vela así: yo mismo lo he hecho. Pero usted puede ver en un presidio a un hombre que ha matado a toda su familia y tal vez está haciendo una labor de costura delicadísima.

T. P. T.: Los dos personajes femeninos, los de Rosita Arenas y Katy Jurado, son dos mujeres muy contrastadas.

Sí. Una es una niña inocente y la otra toda una mujer. Meche es la virginidad, la sumisión al hombre, y la otra una hembra voraz que hace lo que quiere.

T. P. T.: Paloma, el personaje de Katy Jurado, es más compleja, con más dobleces, y muy sensual. ¿Por qué se llama Paloma? La paloma suele ser la imagen de la inocencia, y ella es todo lo contrario.

Ese nombre no es deliberado. No me gustan esos contrastes. Soy incapaz de poner Paloma a una mujer que es una tal por cual. Eso es fácil. Igual que si a un verdugo se le llamara San Francisco. Quizá el personaje se llama Paloma porque me acordé de la hija de un amigo o de una amiga mía, o por la Virgen de la Paloma.

J. de la C.: Paloma, en efecto, no es un personaje simple. Es una mujer «mala», egoísta, depredadora, etc., pero, vista de otro modo, es una mujer que lucha con sus armas contra el mundo, tiene una sensualidad franca, se acuesta con quien quiere. En cambio Meche, la chica buena, resulta demasiado servil, demasiado pasiva...

Meche es así porque me atraen la dulzura y la inocencia.

J. de la C.: Están además los parientes del Bruto, sus «parásitos». Recuerdo que un crítico mexicano de izquierdas, indignado, protestaba contra esta imagen de una familia pobre.

Algunas familias pobres son parásitas, otras no. Yo no generalizo ni trato de demostrar nada.

J. de la C.: Ese crítico decía que usted no sabe pintar al pueblo, que en lugar del pueblo muestra al «lumpen». Y que usted atacaba a los obreros.

No lo creo. No me propongo tratar ni bien ni mal a los obreros. Que una familia sea obrera, eso no me la hace ni simpática ni antipática. Mi simpatía dependerá de lo que cada uno sea como persona. Además, yo siempre veo ciertas cosas con humor. En *El ángel exterminador* la mujer cancerosa le dice al médico: «¿Verdad que me llevará usted al santuario de Lourdes? Quiero que me lleve usted allí y me compre una Virgen de plástico, lavable.» Eso lo dice una burguesa, y la trato con cierto humor. Soy imparcial. Otro ejemplo, de la misma película: aquellos burgueses están hablando de una catástrofe en la que hubo muchos heridos. «Pero

era gente del pueblo —dice uno de esos personajes— y esa gente no sufre, es como los animales. Una vez vi a una mula con las patas rotas y estaba impávida, sin ninguna expresión de dolor. En cambio, recuerde usted al príncipe Divani, qué majestad tenía ante la muerte. El pueblo no siente, es como una mula...» No soy yo el que está atacando, sino el personaje. Un ejemplo más: en *El discreto encanto de la burguesía*, Fernando Rey llama al chófer: «Ven aquí, vas a brindar con nosotros.» El chófer se bebe la copa de golpe, sin paladear el vino. «Gracias, ya te puedes marchar», le dice Rey, y luego comenta con los otros burgueses: «¿Han visto ustedes qué falta de refinamiento? Ningún régimen, por avanzado que sea, podrá darle al pueblo el refinamiento necesario.» Y esto sería, entonces, otro ataque contra el pueblo. Pero no es mío, es de uno de mis personajes, y yo lo veo con humor.

J. de la C.: Pero en El Bruto **no se trata del comentario de un personaje. Usted nos muestra una familia realmente abyecta y rapaz, un poco como los menesterosos de** Viridiana**.**

En *Viridiana* no se trata precisamente del pueblo, sino de mendigos. Esos mendigos, además, pese a todo, son hombres de buena voluntad. No son unos bandidos, no se proponen destrozar la casa de su benefactora. Suben a curiosear la casa, ven los manteles y los cubiertos y deciden cenar como príncipes. Después lavarán los manteles y los cubiertos y allí no habrá pasado nada. Pero se emborrachan y pierden el control de sus actos. Tampoco aquí estoy metiéndome con los mendigos. Les ocurre como podría ocurrirle a muchos.

T. P. T.: La gente dice que usted, cuando presenta a un ciego, siempre es un ciego malo. Pero es porque se prefiere creer que todos los ciegos son almas de Dios.

Yo creo que son malos, porque a esto los lleva su misma carencia. Pero ¿en qué otras películas presento al ciego como hombre malo? El ciego pateado de *La Edad de Oro* no es bueno ni malo, y en cambio el protagonista le pega una patada. Eso lo hace el protagonista, no yo. En realidad, yo no he tenido experiencias desagradables con ciegos. Pero en mi mundo imaginario el ciego puede ser como un pájaro amenazador. ¿Por qué? En mí es instintivo, no lo puedo evitar.

J. de la C.: Es curioso, porque se diría

«¿Melodrama?, pues me da igual.» ▲

que usted hace aquí una distinción entre realidad e imaginación, vida y arte.

Toca usted algo importante. En efecto: una cosa es la imaginación y otra la vida. Imaginativamente, nadie tiene nada que enseñarme, porque lo sé todo, lo espero todo. Con la vida es diferente. En la realidad nunca he sido un hombre de acción, pero en la imaginación sí lo soy. Y por eso puedo atacar imaginariamente. Al mismo tiempo que saludo en la realidad a una persona, puedo tener la fantasía de matarla. Son dos planos distintos: lo real, la actividad social, por un lado; y por otro, lo imaginado, lo soñado. En *La Edad de Oro* me propuse ofender al público, porque eso me parecía necesario en esa época. Sin embargo, cuando en *Un perro andaluz* tuve que cortar un ojo a una ternera muerta, tuve que armarme de valor. Painlevé, que hacía documentales sobre la naturaleza, unas películas maravillosas, con escenas de la vida en los fondos marinos, creía que a mí me encantaba cortar ojos. Fui a ver una película suya, que me había dedicado: «A Buñuel, con afecto. Jean Painlevé.» La cámara filmaba el cadáver de una vieja de unos ochenta años, a la que le agrandaban la nariz con pinzas, la seccionaban con una sierra para mostrar las venas, los huesos. Salí horrorizado y le dije a Painlevé: «¿Cree usted que porque en una película corto un ojo, me gustan estas cosas? Lo hago por razones de orden ideológico. Pero me horroriza una operación. No puedo ver sangre.»

J. de la C.: ¿Puede decirse, entonces, que la imaginación nos libera de miedos, de angustias, de deseos inconfesables?

Para hacer una película, para escribir un libro, en principio pone usted lo que quiere. La imaginación es el único terreno en que el hombre es libre.

J. de la C.: Ya hemos hablado algo sobre eso, a propósito de Sade. Éste habría llevado al campo de la imaginación lo que resultara inadmisible en la realidad.

Eso es. Al Marqués de Sade no se le atribuyen más que dos «crímenes». Dicen que en un prostíbulo de Marsella envenenó a dos mujeres. La verdad es que no murió ninguna: tuvieron dolores de vientre y nada más. También cuentan que encontró a una mendiga en los alrededores de París, la subió a un desván y la azotó. No está comprobado. De todos modos, esas cosas serían inocentes, comparadas con todo lo que él imaginó. Y pocos saben que

en la Convención fue acusado de contrarrevolucionario por oponerse a la pena de muerte.

J. de la C.: Hemos comentado en alguna ocasión ciertos excesos de crueldad del cine contemporáneo, y usted estaba contra ellos. ¿No es una contradicción?

Es que esas crueldades, como la pornografía, se han convertido en una especie de moda, se han trivializado. No estoy en contra de la pornografía, siempre que sea en capilla secreta, como sucedía antes. Estoy en contra de la divulgación y la moda de la pornografía. Sucede como con el terrorismo y la moda de las bombas; le ponen una bomba a cualquiera: al cura, al coche de tal señor, al chico de al lado. La pornografía cinematográfica hecha para complacer al público y sacar más dinero, me repugna.

T. P. T.: Pero ya que estamos discutiendo la dicotomía de realidad e imaginación, pregunto: para que la imaginación sea un factor de liberación humana ¿no tiene que pasar al plano de lo real?

No veo que tenga que ser forzosamente así. Entre la imaginación y lo real hay interrelación; no hay una separación como de claro-y-oscuro. Se influyen mutuamente, intercambian elementos.

J. de la C.: ¿Son «los vasos comunicantes» de André Breton?

Sí. La diferencia está en que en la imaginación usted puede llegar hasta lo infinito, a donde a usted le dé la gana, mientras que en la realidad, en la vida práctica, usted está necesariamente reprimido por su conciencia, la sanción legal, los amigos, la familia. Siempre hay un freno que se pone usted mismo o le pone la sociedad. En la imaginación yo puedo llegar al incesto. Pero como ser social, y en frío, mi sentido moral me lo impediría.

J. de la C.: Otra vez seré el abogado del diablo. Usted viene a decir que la pornografía estaría bien si se quedara en capilla, para los *happy few*.

Como sucedía en otros tiempos con el burdel.

J.de la C.: Pero ¿esto no es una idea elitista? Derecho a la imaginación, sí, pero sólo para una minoría, en capilla cerrada.

La capilla cerrada, sí. Eso era antiguamente el burdel. Lo malo es cuando interviene el dinero y la publicidad. Se abusa del sexo y la violencia para ganar más dinero. También estoy contra la violencia como espectáculo. La pornografía misma puede ser violencia. En la época surrealista, el director del Studio 28 me regaló una película pornográfica llamada *Soeur Vaseline* (muy buen título). Pero eran dos rollos muy malos. Una monja y un jardinero en una huerta. La monja, con su breviario, pasaba junto al jardinero; éste dejaba la azada, metía mano a la monja y sin transición empezaban los dos a «funcionar». En eso, se abría una ventana y aparecía un fraile, veía a la pareja en el jardín, tomaba un látigo y azotaba al jardinero, que estaba con las nalgas al aire, pero luego se unía a la pareja y la función terminaba en trío. Malísimo todo. Cierta vez los surrealistas imaginamos tomar por asalto una sala de cine y pasar sorpresivamente esa película. Iríamos dos a la cabina, otros dos vigilarían la sala, y yo pasaría la película. Lo haríamos en una función en la que hubiera niños. Queríamos que los padres de familia y la moral burguesa se escandalizaran, porque los surrealistas considerábamos que el escándalo era un arma. Finalmente, no lo hicimos. En *La Edad de Oro* le pedí a Modot que le aplastase la cabeza a un perro. Todos se opusieron: Modot, el operador, los técnicos, y finalmente sólo logré que Modot pateara al perro. Yo pensaba que la escena era necesaria, pero no me gusta martirizar a los animales.

J. de la C.: Usted acepta la pornografía como escándalo y como goce para unos cuantos. Insisto en que se le puede acusar de elitista.

Es posible, lo acepto. Es más, si me dicen que una película pornográfica se va a exhibir gratis, que nadie se enriquecerá con ella, también estoy en contra.

J. de la C.: Pero ahí esta el problema: ¿Por qué?

Porque eso es trivializar el erotismo. Este asunto es complejo y habría que tratarlo más profundamente. No soy contrario al erotismo, sino a la pornografía, que es la fisiología del erotismo. Y estoy en contra de la pornografía porque creo en el amor. Un poema de Breton dice que el amor es una ceremonia secreta que debe celebrarse a oscuras en el fondo de un subterráneo. Esto para mí es el Evangelio. En cambio, la pornografía es el amor celebrado en un estadio deportivo o en una plaza de toros.

Lo digo demasiado esquemáticamente. Tendría que escribir sobre ello un ensayo que escapa a mis posibilidades.

T. P. T.: En la pornografía comercial no suele haber imaginación.

Eróticamente, la pornografía es negativa porque agota todo, no deja nada a la imaginación, no tiene misterio. En cambio, apuntar lo erótico como una posibilidad, sugerirlo nada más, es mucho mejor.

J. de la C.: En *El Bruto* hay una escena sugerida y a la vez muy cruda. Cuando la inocente muchachita pierde su virginidad en brazos del Bruto, no vemos el suceso mismo, sino que la cámara toma un trozo de carne que humea en el brasero. Se oyen los sollozos de la muchacha y la voz del Bruto: «¡Ya se achicharró la carne!» Parece un colofón al acto sexual, al desvirgamiento de la muchacha.

No, ese comentario es inocente. El Bruto no tiene segunda intención.

T. P. T.: Al final, cuando el propietario y «el Bruto» han muerto, Paloma, que es la provocadora de esas muertes, ve con horror a un gallo que parece juzgarla con la mirada.

Se me ocurrió cuando filmábamos la escena y pedí que trajeran un gallo. Ya les he dicho en otras ocasiones que pongo esas escenas sin deliberación, y dejo que el espectador las interprete como las sienta. Los gallos o las gallinas forman parte de muchas «visiones» que tengo, a veces compulsivas. Es inexplicable, pero el gallo o la gallina son para mí seres de pesadilla.

T. P. T.: El esquema de *El Bruto* es de melodrama. ¿Se lo propuso usted así?

La película es como es. No sé si quería o no hacer un melodrama. Las cosas fueron surgiendo. Yo tenía una idea central: el propietario exigente, los inquilinos que se le oponen, el «hombre de mano» que lo mismo puede ser un boxeador que un matarife. Las cosas se complican porque *El Bruto* tiene amores con la hija de un hombre asesinado por él, y además ha tenido relaciones con la amante del propietario, que se pone celosa. ¿Melodrama? Pues me da igual. En el momento de realizar la película no me dije: «Voy a hacer un melodrama.»

11. *Robinson Crusoe*

T. P. T.: ¿Usted había pensado, antes de que se lo propusieran, filmar *Robinson Crusoe***?**

No. De los libros de Defoe, el que he deseado realizar es *El año de la peste*, porque el tema me interesaba: la peste trae la descomposición física, pero también social y moral: destruye la familia, la amistad, el amor, la solidaridad, los valores de la civilización. Un hombre puede sentir el amor más loco por una mujer, pero si ella contrae la peste, su enamorado no querrá ni acercarse a ella, por mucho *amour fou* que sienta. Es tremendo. En *Nazarín* puse un caso contrario: el hombre que besa a su amada moribunda, que voluntariamente se queda sólo con ella. También me atrajo el libro de Jean Giono, *El húsar en el tejado*. Giono pensaba que yo lo podría adaptar a México, pero eso no me atraía: la peste tendría más fuerza en países donde la vida humana tiene más valor, donde son más fuertes las costumbres sociales, más de acuerdo a la cultura cristiana. La peste en París o Londres o Madrid me impresiona más: es mi mundo que se desmorona. Yo puedo tratar ciertos temas, triviales o sublimes, si me tocan, si despiertan en mí alguna emoción, ya sea de atracción o de rechazo. Por ejemplo: me resulta extraño todo lo que no pertenece al mundo cristiano: Egipto, o los aztecas, o los templos indochinos. El tema de la muerte me interesa por mi educación cristiana, que es un elemento muy fuerte en mi formación.

J. de la C.: Pero no hizo usted *Robinson* **como un mero trabajo de encargo, me parece.**

No. Aunque la novela en sí no me atraía, el caso mismo de Robinson sí me resultaba interesante: el naufragio, la supervivencia en la isla, la lucha con la naturaleza, la soledad, la aparición de otro hombre, un salvaje... Eso era lo que me había llamado la atención cuando leí la novela a los quince años. Bueno: me propusieron la película. Hugo Butler, que firmó Philip Roll por los problemas de la lista negra de Hollywood, había escrito una primera adaptación. Yo introduje algunos elementos, o los acentué: los diálogos y las discusiones de Robinson con Viernes, la conversión del salvaje a algunos usos civilizados; y Butler ayudó en esto. Desde luego, no se trataba sólo de hacer una ilustración del libro. ¿Lo conocen ustedes? Está lleno de reflexiones morales, de paralelismos con la Biblia, y esto durante páginas y más páginas.

J. de la C.: Parece que a usted le han interesado otros problemas más concretos respecto a un hombre solo. Por ejemplo: la falta de mujer, de un amigo.

Sí. Está, ¿verdad?, el problema del encuentro de un viejo forzosamente abstinente y un joven salvaje. Esto no lo recargué, únicamente lo apunté. Apunté estas cosas, por ejemplo, con la idea del vestido de mujer y lo que sugiere. Robinson hace un espantapájaros con ropas de mujer que ha encontrado en un baúl. El viento agita las ropas, como dando vida a una mujer. Hay una sugerencia de necesidad sexual, pero discreta. Luego, cuando ya Viernes es compañero de Robinson, el salvaje queda fascinado con las ropas femeninas y se las pone, inocentemente. Robinson queda turbado al verlo y, comprendiendo que eso es un peligro para él, le pide que se las quite.

J. de la C.: La relación entre Robinson y Viernes evoluciona a lo largo de la película: primero es solamente una relación de amo y criado, pero luego va hacia otra cosa, hacia el compañerismo.

Me interesaba esa evolución, pero aclaro que no quise hacer un discurso sobre las relaciones amo-criado, o salvaje-civilizado. No seguí un *parti pris*, no quise generalizar, ni deducir tales o cuales teorías sociales. Un autor puede tener dos modos de llevar una narración: bien sea imponiéndole una dirección intelectual o moral, o bien dejando que las cosas surjan según van sucediendo y usted las sienta o las piense. A mí no se me ocurriría —aunque creo que alguna vez me lo propuse— filmar, por ejemplo, una película anticolonialista. Puedo, sí, hacer una película en la cual un señor llega a Tahití o a Samoa y a las islas Fidji y se encuentra unos seres sorprendentes que le dan de beber agua de coco y lo cubren de flores. Me gusta y sigo adelante con la narración, y a fin de cuentas, como no soy colonialista, eso tendrá que notarse, sin que me haya propuesto demostrarlo. No hago películas de tesis.

J. de la C.: ¿No está usted trampeando, don Luis? En *Robinson* hay una escena de tesis cuando Robinson y Viernes discuten de teología y del libre albedrío.

Lo que sucede es que me planteo: ¿Y ahora de qué van a hablar en esta escena? Es necesario que hablen, para no estar todo el tiempo mostrando trabajos manuales. Entonces se me ocurre que hablen de religión. Robinson es católico o protestante; el otro es un salvaje pagano. Hablan de Dios y del libre albedrío como podrían hablar de cualquier otra cosa. Yo no metería un discurso teológico o antiteológico, porque eso no le interesa mucho al público, en realidad. Para eso están los libros, no el cine.

J. de la C.: Es difícil pensar que en esta película no hay un punto de vista de usted sobre temas religiosos. Porque al principio Viernes toma a Robinson casi como por un Dios: cuando Viernes ve a Robinson disparar su escopeta, se arrodilla ante él y se somete no sólo como el criado ante el amo, sino como la criatura ante Dios.

Si yo hubiera pensado eso antes de escribir y filmar, tendría usted razón. Usted lo piensa así después de ver la película. Yo no soy completamente irracional, pero tampoco hago la película como una discusión intelectual, ni con una idea predeterminada en cuanto al significado. La discusión comienza en una escena y, si usted quiere, yo entro de algún modo en ella. Al final puede ser que eso esté bien, que surja algo interesante y hasta sea lo mejor de la película. Pero se trataba sólo de un diálogo dentro de la acción.

J. de la C.: En la película, Viernes dice algo que a mi juicio todo cristiano debe haberse planteado alguna vez: si Dios quiere que seamos buenos y puros, ¿por qué nos envía la tentación? ¿Sólo por ponernos a prueba? ¿Sólo por castigarnos o recompensarnos?

Como ustedes ya saben, fui católico, pero perdí la fe a los 17 años. La perdí aun antes de leer a Darwin. Mi duda comenzó por las ideas sobre el infierno y la justicia de Dios.

J. de la C.: La Biblia, como en la novela, está muy presente en la película. Cuando Robinson grita en el barranco, para oír el eco de su voz, cita aquello de «el hombre corto en días y largo en sinsabores». Y frecuentemente lo vemos leyendo la Biblia.

Esa escena me atraía porque Robinson quería oír la voz humana, aunque sólo fuese el eco de su propia voz. Entonces aquí la cita de la Biblia tiene un interés dramático. Meter muchas citas más de la Biblia me hubiera parecido pesado.

T. P. T.: La película es muy narrativa, se atiene mucho a los hechos.

Sí, pero recuerden que también hay sueños y alucinaciones.

T. P. T.: A eso iba, don Luis. Y los sueños y las alucinaciones introducen una visión surrealista...

Claro, porque siempre he sido fiel a ciertos principios de mi época surrealista y éstos tienen que surgir, aunque yo no esté filmando una película cien por cien surrealista. Defoe, al fin y al cabo, también tiene sueños y alucinaciones en su libro. Porque el sueño aparece en la vida de Robinson o del Papa o de un ciudadano cualquiera, ¿verdad? A propósito: por eso, salvo dos o tres películas, no me interesa el neorrealismo. Filman la realidad inmediata y razonable. Por ejemplo: un vaso, para un neorrealista, es un objeto de cristal que sirve para beber agua y nada más. Pero según el grado de afectividad que pongamos en esa contemplación, por simple compulsión irracional, y por la intervención del subconsciente, ese vaso puede evocar para mí un caballo desbocado, o el recuerdo de mi madre, o lo que sea. Eso no quiere decir que me propuse hacer un Robinson surrealista, un Robinson «a la Buñuel». Creo que, en general, me atuve a los hechos principales del libro.

J. de la C.: En los sueños o alucinaciones hay imágenes muy poderosas. Robinson se sueña castigado por el padre.

Tiene la sed que da la fiebre y sueña que está atado y metido en agua hasta la cintura, y las ligaduras le impiden beber. El padre no le quiere dar de beber e incluso empuja un jarro, derramando su contenido, y se ríe. Eso lo filmé porque así lo sentí, porque es un sueño muy propio de la fiebre, no por hacer buñuelismo o surrealismo. ¿Qué quiere decir el sueño? Ah, eso para mí mismo es un enigma. No pretendo resolverlo.

J. de la C.: Aceptémoslo como un enigma. Hay otros enigmas, menos importantes tal vez. Y me gusta que no queden resueltos.

Por ejemplo: Robinson llega a la isla con un perro y una gata.

Y la gatita pare gatitos.

J. de la C.: Pero, ¿de dónde salió el gato padre? Robinson mismo se hace la pregunta.

Es un pequeño misterio que me divierte. Pero tal vez no hay nada misterioso, porque la gatita podría venir ya preñada en el barco, o haber conocido en la isla a un gato salvaje.

J. de la C.: Hay además un cierto tema «antropológico». Al final la voz de Robinson indica que los gatitos se hicieron salvajes y…

Se hacen salvajes como los perros si son abandonados en la naturaleza, lejos del hombre. Si a Tristanita, mi perra, la dejo en un bosque y sobrevive, se convierte en una perra salvaje, como una loba. Eso puede suceder hasta con un niño de muy corta edad. Incluso si son niños de diez a quince años pueden empezar a volverse salvajes. Por eso me interesó mucho la novela de William Golding: *El Señor de las moscas*, que es lo contrario de aquélla de Verne, *Dos años de vacaciones*, ¿verdad?,

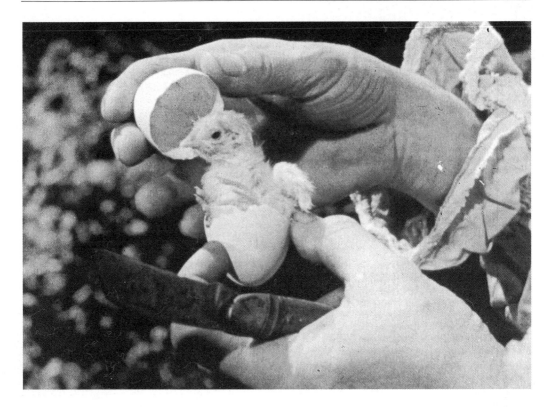

donde los niños viven en una isla mucho tiempo y continúan siendo muy civilizados, como si siguieran viviendo en un colegio inglés.

J de la C.: Hay también en *Robinson* uno de los momentos que más me gustan de sus películas. Después de tantos años, Robinson deja la isla en compañía de Viernes y unos marineros. Cuando la isla se ve ya muy lejana, oímos el ladrido del perro que en realidad ha muerto hace mucho.

Eso es muy mío: la no correspondencia entre el sonido y la imagen. El ladrido aparece allí como un recuerdo, como una fijación sentimental de Robinson con la isla. Se me ocurrió, como se me ocurren tantos detalles, en el rodaje. La escena de la partida de Robinson me parecía un poco sosa, sin relieve. Entonces pensé que estaría bien el ladrido del perro muerto.

J. de la C.: Y ya antes nos había impresionado la misma muerte del perro.

Es natural, porque significa para Robinson la completa soledad. La total soledad humana es lo que más me interesaba de Robinson: ¿Qué piensa, siente o sueña un hombre enteramente solo? Estoy seguro de que si a cualquiera de nosotros lo abandonan durante años en una isla desierta, empezará a oír voces. De ahí la escena en que Robinson se emborracha y cree oír a sus amigos de juventud, como si estuviera con ellos bebiendo en una taberna. También sucede, como les digo, que me gusta meter sonidos que no están justificados por la imagen. Claro que en este caso hay una justificación «interior». Las voces de los amigos contrastan más la soledad de Robinson.

T. P. T.: Sí, uno se estremece cuando las voces cesan y Robinson se encuentra solo en su choza. De ahí la importancia de la banda sonora, que está muy cuidada.

Pero la banda sonora era fácil. Un número de rollos con un solo personaje, más el ruido del mar, de la selva, de los pájaros, y luego unos rollos más con lo que dicen Viernes y los personajes que llegan al final de la historia. Es una película con pocos diálogos.

T. P. T. Pero hay una atmósfera obsesiva creada por los sonidos naturales. Y luego

▲ «¡La paleta de Buñuel no existe!...

esas «incorrespondencias» de las que hemos hablado. Esos elementos pueden llegar a tener más importancia que los diálogos.

Por cierto que para las primeras ocasiones en que Viernes habla tuve que inventar un idioma «isleño». Cuando Viernes debía decir algo, yo le indicaba que dijera cualquier palabra al revés; por ejemplo «Arerbac Ohcnap» (Pancho Cabrera). Así sonaba como un dialecto salvaje.

T. P. T.: Podría decirse que la película tiene tres segmentos muy precisos: soledad de Robinson, aparición de Viernes y amistad entre los dos y, finalmente, solidaridad con otros hombres y retorno a la civilización.

Bien visto. La relación amo-criado se convierte en amistad porque es natural. Entre dos personajes solos en una isla, que deben sobrevivir y ayudarse, no es natural que se mantengan nuestras convenciones sociales. Estas se irán aflojando.

T. P. T.: Al surgir la amistad, la isla se hace vivible, una especie de paraíso reencontrado.

Para que fuera el paraíso harían falta unos amigos más y algunas mujeres. Pero entonces algún productor vivillo querría una versión pornográfica. Robinson le diría a Viernes: «Oye, ¿qué tal están las mujeres de tu isla?» «Pues señor, están muy bien.» «Ah, pues vuelve allá y tráeme tres.»

J. de la C.: *Robison Crusoe* **era su primera película en color. ¿Esto no le planteó problemas?**

Ninguna de las películas que había hecho hasta entonces en México había tenido más de tres semanas de rodaje. Esta me llevó tres meses, porque era la primera película en Eastmancolor del continente[1] y el negativo sólo podía ser revelado en Hollywood. Dancigers me dijo: «No me importa si filman durante una semana

---

[1] En todas las filmografías de Luis Buñuel publicadas hasta la fecha, el proceso de color de *Robinson Crusoe* aparece como *Pathécolor*. Luis Buñuel insiste en que se trataba de *Eastmancolor*, proceso que se utilizaba entonces por primera vez fuera de los Estados Unidos.

...Será más bien la de Alex Phillips.» ▲

o durante cuatro meses, pero lleve de fotógrafo a Alex Philips.» En Manzanillo estuvimos filmando un mes y medio, porque Alex era un profesional muy precavido y había días en que obteníamos sólo un plano. Por ejemplo: yo elegía el sitio donde filmar; Alex medía las luces y me decía que allí las sombras no convenían para una película en color. Yo le respondía que eligiera él un lugar parecido, pero sin esos problemas. Alex se iba a explorar y yo me sentaba a beber un par de cervezas. Muy avanzado el día, llegaba Alex. Había encontrado un buen sitio, aunque un poco lejos. Ibamos a verlo y estas idas y venidas demoraban el rodaje. A veces caminábamos una hora por la selva, detrás de Alex, para lograr un solo plano muy corto. Otras, cuando llegábamos al sitio elegido por Alex, él de pronto ponía cara de disgusto: el sitio ya no se veía como antes, porque en una hora había cambiado la luz. Yo decía: «Vamos a ver si nos da tiempo para filmar otra cosa allí donde estábamos, y mañana volveremos aquí a la hora adecuada.» Era la locura: la película estaba pendiente de Alex... y Alex estaba pendiente de los cambios de luz. Tardábamos horas para filmar un plano brevísimo en que Robinson disparaba a una ardilla o se rascaba una oreja.

T. P. T.: ¿Usted no cambió su concepción de las escenas, su dirección de actores, a causa de estar filmando en color? ¿No pensó, por ejemplo, en un color dominante?

Para nada. Dejé que Alex Philips se las entendiera con sus lentes y sus filtros. A veces me consultaba: «¿Si empleáramos aquí el filtro magenta?» Yo le decía que hiciera lo que creyese conveniente. Luego salió en *Cahiers du Cinéma* un artículo en el que hablaban de la *palette* de Buñuel. ¡La paleta de Buñuel no existe! Será más bien la de Alex Philips.

12. *Él*. El «voyeurismo»

J. de la C.: Yo creo que en el protagonista de *Él* ha puesto usted algo de su propio modo de ser.

Quizá es la película donde más he puesto yo. Hay algo de mí en el protagonista.

J. de la C.: Como si usted se hubiera dicho: este sería yo si fuera paranoico.

T. P. T.: Francisco Galván, el protagonista, me parece alguien que está tratando de liberarse sin saber cómo. Tiene cierta relación con el de *Ensayo de un crimen*, Archibaldo de la Cruz. La diferencia es que, mientras Archibaldo «pone en escena» su imaginación y hace simulacros, Francisco confunde sus obsesiones con la realidad. Pero ambos intentan escapar mediante la imaginación.

Archibaldo es más cerebral, más frío, más «esteta».

T. P. T.: Archibaldo está visto con distancia, mientras Francisco Galván está «interiorizado». Me llama la atención su egoísmo radical cuando, por ejemplo, le dice a su mujer, en la torre de la iglesia: «odio la felicidad de los estúpidos.»

Sí. Comparto su sentimiento cuando ve a la gente allá abajo, como hormigas, y dice: «Me gustaría ser Dios, para aplastarlos...

T. P. T.: ¡Entomología!

(Ríe.) Y hay otro episodio que me gusta, porque algo parecido ocurre con mucha gente. Francisco y su mujer están de luna de miel en Guanajuato. En realidad están empezando a conocerse. Francisco pregunta: «¿Qué es lo que no te gusta de mí?» Ella: «De ti me gusta todo, Francisco, no te encuentro defectos.» Francisco: «Pero alguno debo de tener.» Ella niega y al fin, ante la insistencia de él, dice: «Bueno, sí, quizá a veces eres un poco... un poco injusto.» Y él salta: «¡Injusto! ¡Yo soy uno de los hombres con mayor sentido de la justicia!» Es muy frecuente en todos nosotros este tipo de reacción, ¿verdad? Por ejemplo: «Maestro, ¿qué le parece a usted mi cuadro?» le pregunta un pintor a un conocedor, y él responde: «Bien, muy bien.» «No, dígame la verdad. No quiero un elogio, sino verdadera crítica.» «Pues yo el cuadro lo encuentro bien.» «Pero algo habrá que no esté logrado y quiero que usted me lo diga». Finalmente el otro se atreve: «Bueno, tal vez ese cielo no está muy bien logrado, se ve un poco plano...» Y el pintor: «¡Pero qué dice usted, hombre! ¡Si nunca en mi vida he pintado un cielo mejor!» ¿No somos todos un poco así? No diré nombres, pero ocurre con los del cine. El realizador pregunta a un amigo, después de la función: «¿Qué le ha parecido mi película?» «Muy bien, ha gustado mucho.» «No; dígame la verdad; algún defecto le habrá encontrado usted.» «Pues, tal vez el final está un poco forzado...» «¿El final? ¡Qué va! ¡Es lo mejor de la película!» *(Ríe.)* Es decir, que todo ese preámbulo pidiendo una crítica esconde en realidad el deseo de que el otro diga que hemos hecho una obra maestra.

J. de la C.: Sí, hay en el protagonista de *Él* un deseo de ser alabado, pero quizá interviene un cierto masoquismo, o el buscar un pretexto para pelear con el otro.

Es posible. No sabemos lo que hay en el fondo de la paranoia, y Francisco Galván es un paranoico. Predomina, sin embargo, la necesidad de que los demás lo tengan por perfecto, de que lo consideren el mejor de todos los hombres.

J. de la C.: Habíamos hablado de Archibaldo. Encuentro a Francisco más simpático, porque vive en la pasión y no es hipócrita. Tiene cambios contradictorios, pero él siempre «se entrega entero», ¿no?

Sí, es un hombre fiel a sus pasiones y principios. Y hay también una cosa que me gusta, porque de nuevo me reconozco allí. Sucede igualmente en la luna de miel. «Amada mía, te idolatro...», etc. Ella: «Yo también, Francisco. Qué felices vamos a ser, qué gusto conocer tu tierra natal...» Ella sonríe pensativa y él, de pronto: «¿En qué estás pensando?» «En ti, Francisco, y en nuestra luna de miel.» «No. Tú estás pensando en otro. Dime en quién estás pensando o te...» Entonces él, convertido en una fiera, la deja sola y se va a dormir aparte.

J. de la C.: El celoso trata de justificar sus celos. Francisco es a veces capaz de una gran lucidez, una gran cordura, pero lo aqueja una especie de sed de absoluto y hasta de catástrofe.

El paranoico puede ser el hombre más cuerdo y razonable... mientras no se le toque en su punto flaco: el delirio de persecución, que se refleja en los celos, o en buscar pleito. Entonces desconfía de la mujer, busca una pelea. Conocí a un hombre, un militar, a quien en Madrid todos tenían por una persona perfecta. Lo adoraban, decían: «¡Es todo un caballero!» Generoso, bueno, afable. Se portaba bien con todo el mundo, siempre que no se tratara de su mujer o su familia.

T. P. T.: Encuentro en Francisco Galván una similitud con el personaje de Gastón Modot de *La Edad de Oro*: los dos van más allá de la moral.

J. de la C.: No, al contrario. Francisco Galván es moralísimo. Tiene su propio código moral y por eso desprecia a los demás.

Yo diría que está dentro de la moral tradicional que ha recibido, y cree en ella. Se pliega a las reglas de la sociedad, es un burgués auténticamente caballero, auténticamente católico. De eso no hay duda. Pero tiene delirio de persecución: cree que le ponen los cuernos, que le arman una trampa legal para quitarle lo suyo y entonces, ¡pumba!, es capaz de matar.

J. de la C.: Hay una escena extraordina-

ria. **En la noche, Francisco va a la alcoba donde duerme su mujer y lleva una cuerda, aguja, hilo, una hoja de afeitar. Se diría que va a practicar un rito, pero ¿va a coserle el sexo a la mujer?**

Sí, sí. Eso es algo que han visto todos los críticos. Mientras filmábamos esa escena, mi asistente me dijo que cuando el público viera esa cuerda enorme, como para atar un buque, iba a soltar la carcajada. Y en efecto, la gente reía por ese detalle.

J. de la C.: Creo que la gente ríe de lo absurdo del intento y de que el personaje fracase.

El hace dos nudos de modo que, si ella despierta, baste un tirón para tenerla amarrada. Pero ella pide socorro y él huye.

J. de la C.: Esa conjunción de objetos: cuerda, aguja, navaja, etc., es muy surrealista, aunque tengan una función precisa. Lo que no entiendo muy bien, desde la intención de él, es la navaja de afeitar.

Puede ser para cortar el hilo, después de haber cosido el sexo de ella. O... quizá quiere cortarle el clítoris. No sé. Allá él. Yo no le hubiera cortado el clítoris. Coserla, eso sí. *(Ríe.)*

T. P. T.: Nos dijo usted algo acerca de un psicoanalista que había interpretado toda la película como un sueño.

Sí, el doctor Fernando Cesarman. Según él, al final Francisco tenía pleno uso de razón y... ¡Alto!, le dije, mire usted cómo se aleja zigzagueando.

T. P. T.: Yo diría que la película puede ser un sueño desde el momento en que Francisco se levanta, va al cuarto del criado, etc., hasta la escena en que estalla totalmente el delirio, en la iglesia.

En esa escena hay una interpretación delirante de la realidad, pero no un sueño. Francisco cree que la gente se ríe de él, que el cura lo amenaza. Pero no hay un sueño.

J. de la C.: Puesto que usted reconoce que en el personaje hay algo de usted, veo que no sería tan absurdo algo que creo haber notado: que hay gestos de Arturo de Córdova, principalmente de los hombros, que son de usted.

Cuando dirijo actores hago a veces el gesto que requiero de ellos, para ahorrarme descrip-

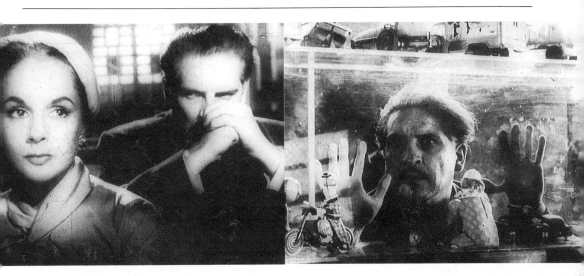

ciones. Depende de los actores que lo copien o lo hagan a su manera.

J. de la C.: Arturo de Córdova, un actor tan estereotipado, ¿no le causó dificultades en el trabajo?

Puso algunas objeciones. Le parecía mal eso de levantarse en la noche para ir al cuarto de su criado, que está en calzoncillos. Temía que lo tomaran por homosexual. Me dijo: «Podemos nombrar unos jueces para que den su opinión sobre el asunto, a reserva de que, si usted insiste, hacemos así la escena.» Yo le dije: «No veo nada de malo en la escena. El criado está en calzoncillos porque se halla en la cama ya. Además usted no llega a declarársele, sino a llorarle, a decir que usted es infeliz porque su mujer lo engaña…» Esto tiene cierta lógica. El criado lleva años con él y es su favorito entre la servidumbre. Recuerde cómo comienza la película: Francisco encuentra al criado y la criada en jugueteos, y a quien despide es a la criada, aunque el que empezó el jugueteo es el criado. ¿Tiene por eso Francisco inclinaciones homosexuales? No lo creo. Galván es un hombre puro, un hombre de amores platónicos. Como dice el confesor, se ha casado virgen. La mujer va al confesionario a quejarse: «Padre, la vida con él es un infierno; me maltrata…» Y el cura: «Hija mía, ese hombre es bueno y puro. Tiene cuarenta años y no ha conocido a otra mujer que tú… La culpa es tuya. Debes ser más comprensiva con él…», etc. El cura dice incluso a la mujer: «Te vi bailar el otro día con el abogado. Debes ser más recatada.» Recuerden el incidente del baile. Francisco baila muy digno y respetuoso con

una invitada. Su esposa baila de manera más amable con el abogado, porque se lo ha pedido el mismo Francisco (él tiene negocios con el abogado). El cura, presente en la fiesta, comenta: «En seguida se ve la decencia de la gente en el bailar. Mire usted a Francisco, qué caballero. En cambio el abogado, ¡qué indecencia!» Aunque el abogado baila correctamente, claro está.

J. de la C.: La película está basada en una obra de Mercedes Pinto que es un poco novela y un poco testimonio de algo vivido.

Un libro interesante que ella había compuesto con anotaciones sobre la vida con su esposo, Foronda. Algunas páginas hubieran podido pasar, tal como estaban, a la película. Por ejemplo, cuando ella estaba en el jardín cuidando las flores, llegaba Foronda y advertía que a lo lejos había, en una torre, un campanero ocupado en lo suyo, y venían inmediatamente los celos: «¡Zorra, te entiendes con ese hombre!», y la golpeaba.

J. de la C.: ¿Qué pensó la autora del libro de cómo usted lo «llevó a la pantalla»?

Le gustó mucho. No ocurrió como cuando hice *Ensayo de un crimen* y Usigli protestó por el tratamiento que di a su novela.

T. P. T.: ¿Recuerda usted la escena inicial, en la iglesia, con la ceremonia del lavatorio de pies?

De *Él* recuerdo todo muy bien. En esa escena está Francisco, muy digno, con su banda pectoral de Caballero del Santo Sacramento.

«Una interpretación delirante de la realidad» (Arturo de Córdoba y Delia Garcés). ▲

J. de la C.: Yo creía que era la banda de los Caballeros de Colón, que es una orden católica que existe aquí en México, compuesta por seglares.

También existe la del Santo Sacramento. Y Francisco está ayudando a la ceremonia del lavatorio, en que el cura moja y enjuaga los pies de los niños y luego los besa en el empeine. La cámara sigue el movimiento de la mirada de Francisco a través de una hilera de pies y de pronto echa marcha atrás para tomar los pies de Delia Garcés. La mujer siente la mirada de él y se turba, ruborosa. Se siente la fascinación entre el gavilán y la paloma, ¿verdad? Allí comienza la pasión de Francisco.

J. de la C.: Creo que Delia Garcés, con su tono modoso y algo cursi, está muy bien en el papel de la esposa. Un modelo de esposa según el «macho». Parece capaz de aguantarle todo al marido.

Delia Garcés es argentina. Había llegado a México con su marido y filmó algunas cosas. Era muy modosa, muy dulce, en efecto, como aquella mujer del paranoico que yo había conocido en España.

T. P. T.: Francisco es paranoico, pero tiene además características de sadomasoquista y de fetichista. El famoso fetichismo del pie en Buñuel.

Sí. Hay una escena que ustedes recordarán: están los dos sentados a la mesa, comiendo. El está de mal humor, no habla con su esposa, lee el periódico. Ella está intimidada. De pronto, el periódico cae al suelo, Francisco se agacha a recogerlo y ve, bajo la mesa, los pies de ella. Cuando Francisco alza el rostro, su expresión ha cambiado, se ha hecho amable. Quiere besar a la mujer, pero, como ella tiene la boca llena con un bocado, se resiste. Esto pone furioso a Francisco y la echa de la mesa. Lo importante es que él se había excitado al ver los zapatos de ella.

T. P. T.: Aquí el fetichismo aparece como el resultado de un deseo reprimido. Cuando la imaginación erótica se autocensura, ¿no cae en el fetichismo, precisamente?

¿Por qué en el fetichismo nada más? Puede desembocar en muchas otras cosas, aun las más terribles. Puede desembocar en el incesto, en la sodomía, en el asesinato. En el plano

▲ «Francisco podría espiar a su mujer...».

mental, la imaginación puede permitirse todo, ir hasta el final. En la práctica, tratándose de hechos posibles, puede ser terrible. Yo podría ahora coger una escopeta y asesinarlos a ustedes. Tranquilícense, no lo haré.

J. de la C.: ¡Un momento, don Luis! Si dice usted eso, es porque lo ha pensado. ¿Y por qué lo ha pensado?

Por poner un ejemplo.

J. de la C.: Pero ¿por qué *este* ejemplo? ¿Por qué lo enuncia así? Pudo usted haber dicho: «Ahora De la Colina toma su escopeta y nos mata a Pérez Turrent y a mí.»

(Ríe.) ¡Bueno! Ahí tiene usted. Ahora es usted el que se imagina matándonos.

J. de la C.: No tentemos al diablo con bromas. Lo importante es esto: cualquier ser humano alguna vez pone en escena, en su «teatro mental», acciones que podrían llenar varios tomos como los del Marqués de Sade.

Claro, y eso es lo admirable de Sade: su modo de poner la imaginación en total libertad, no negarle nada... pero sobre el papel, por supuesto. En la vida real sus «crímenes» fueron de poca monta. Hoy, como mucho, merecería unas cuantas multas insignificantes.

J. de la C.: Pero la imaginación ¿es tan inocente? Supongamos que un hombre se levanta sonámbulo y realiza sin darse cuenta lo que la imaginación le dicta: matar a sus gatos y luego a su esposa.

Ese acto nada tiene que ver con la imaginación. Soy consciente de que en la realidad no pasaré de un límite. Por ejemplo: estoy sentado aquí, solo. Jeanne duerme en su cuarto. Me levanto, cojo un cuchillo, entro, la agarro por el pelo, así, y la degüello. Todo ha sucedido en la imaginación y me he quedado tan tranquilo.

J. de la C.: Continuemos con Francisco Galván. Cuando está pasando su noche de bodas, cree que en el cuarto contiguo del hotel hay un voyeur, y mete una aguja de sombrero por la cerradura, para reventar el ojo del indiscreto. ¿No revelaría esto que el mismo Galván es un voyeur que *delega* en otro su voyeurismo?

Podría ser, pero no lo creo. Sin ser él voyeur, sabe que esa gente existe. Yo nunca he espiado a nadie por una cerradura, pero sé que puedo hacerlo. Francisco podría espiar a su

mujer por una cerradura, pero lo haría porque tiene sospechas de ella.

J. de la C.: ¿Pero siempre el voyeurismo sería una aberración?

Hombre, si se queda en eso, si es la única vía por la cual se canaliza el erotismo, sí es una aberración.

J. de la C.: ¿No puede ser nada más que un modo de satisfacer enteramente la imaginación con la mirada?

Yo dudo de que el voyeur quede satisfecho con sólo ver. Deberá satisfacer su deseo de alguna manera. Se masturbará o quedará más excitado.

J. de la C.: Supongamos que estoy mirando por la ventana de mi cuarto, distraído, y descubro en una ventana de enfrente a una hermosa mujer que se desnuda. Es natural que la contemple. Y es natural que me esconda tras las cortinas para hacerlo, porque si ella me descubre se ocultará o empezará a gritar.

Yo no llamaría voyeurismo a eso. Voyeurismo sería, creo, que usted, estando en un hotel, fuera a la puerta del cuarto de enfrente a espiar a una mujer por la cerradura.

J. de la C.: Lo que cuenta, entonces, es la premeditación.

La obsesión.

J. de la C.: Pero ¿no es la obsesión una imaginación que se repite?

(Ríe.) Es usted un sofista. Por cierto, hay un voyeurismo del oído, y es mejor que el de la vista.

J. de la C.: ¿Usted se reconocería voyeur?

Lo soy un poco. Todo el mundo lo es.

J. de la C.: Si lo es todo el mundo, ¿se le puede llamar aberración?

Si sustituye al acto erótico completo, sí.

J. de la C.: Quedaremos en que eso define el voyeurismo. ¿Y el cineasta y el espectador de cine no son voyeuristas en gran medida?

Tanto es así que en un cine refinado lo mejor sería dar una cerradura a cada espectador, para que viera más a gusto la película.

T. P. T.: En el tiempo en que hizo *Él*, ¿se sentía ya más a gusto con la técnica?

La técnica me ha interesado siempre. Lo

que pasa es que no sé hacerlo mejor. Ahora si veo *Él* advierto cuántas cosas hubiera podido mejorar. Pero la técnica me preocupaba antes. Ahora sólo pongo la necesaria para contar una historia.

T. P. T.: Creo que *El* es técnicamente la mejor película que se ha hecho en México. Y en ese sentido es la más perfecta de las de usted, con más movimientos de cámara, los cuales sin embargo no se hacen sentir.

Eso no. No es siquiera comparable con las que he hecho últimamente en París. En éstas casi no hay un momento con la cámara inmóvil: va de un personaje a otro, a un objeto, a un grupo, luego otra vez al personaje, y sin que el público lo advierta. *El* la hice en tres semanas, porque entonces en México no daban más tiempo para rodar una película.

J. de la C.: Parece que en sus películas mexicanas hay una economía de movimientos de cámara. Incluso en *Nazarín*, que es una película más cuidada.

Si la vuelven ustedes a ver, fíjense y advertirán que hay muy pocos. Los mismos que en *El*, más o menos.

J. de la C.: Tal vez la sensación de que en *El* hay muchos movimientos de cámara se deba al dinamismo, a la movilidad de las situaciones.

Sí, será eso. Pero mis últimas películas tienen más cámara en movimiento. Para mí ya casi es una rutina ahora.

T. P. T. Lo curioso es que esa movilidad de situaciones en *El* se da en espacios muy cerrados, muy ahogados: la casa, el compartimento de tren, el cuarto de hotel, la iglesia, el monasterio.

Ahí la escenografía es de un estilo que me gusta, porque mi padre, que era un «indiano», como dice el pintor Gironella, se hizo una casa al estilo 1900, un poco *art nouveau*. Yo tengo amor por esa época. A Dalí y a mí nos fascinaba el *art nouveau* y la arquitectura de Gaudí.

T. P. T.: ¿Todo se hizo en el estudio?

Todo: la sala, la escalera, las habitaciones superiores. Filmé pocos exteriores. Los objetos tienen importancia. Francisco llama al criado y le dice: «Enderece ese cuadro, está torcido.» Un cuadro torcido en la pared, o un libro que sobresale en la estantería, me inquietan.

J. de la C.: En cambio, en *El fantasma de la libertad*, Jean Claude Brialy ve dos objetos en la repisa, colocados simétricamente, y altera su posición.

Deliberadamente rompe la simetría. Es como las dos ciruelas de *Tristana*. Mi hermana hacía lo mismo. Veía dos ciruelas iguales y se preguntaba: ¿Cuál de las dos me comeré antes? La cuestión no tenía importancia, pero fijándonos bien, ¿por qué entre dos ciruelas o dos calles iguales nos decidimos por ésta y no por aquélla? Hay muchas vivencias mías en mis películas, como ésta que les cuento.

J. de la C.: *El*, al ser exhibida, ¿no causó problemas? Porque yo creo que tiene una gran carga subversiva.

Nunca he tenido problemas con la censura.

J. de la C.: No digo la censura oficial. Tal vez alguna asociación religiosa o de vigilancia de las buenas costumbres.

No, nada. El único problema es que al ser estrenada la película fue un fracaso. Si duró tres semanas en la sala, se debió al nombre de Arturo de Córdova, que tenía mucho cartel. Fui al cine ya comenzada la sesión de la tarde y encontré a Dancigers que salía de allí. Casi lloraba: «Es terrible: todo el mundo se ríe más que con Cantinflas.» Esperé a que comenzara la sesión siguiente y entré. El público estuvo callado largo tiempo, pero en el momento en que Francisco mete la aguja por la cerradura, brotó una carcajada de quinientas personas. Y a partir de allí, carcajadas a cada momento.

T. P. T.: Y sin embargo, ahora, *El* es una de las películas que más renombre tiene entre las suyas.

Sí. Incluso la usan en las lecciones de psiquiatría para ilustrar los casos de paranoia.

13. *Abismos de pasión.*
La ilusión viaja en tranvía

J. de la C.: En los comienzos de los años treinta escribió usted con Pierre Unik una adaptación de *Cumbres borrascosas.*

No era un guión, sino sólo una línea narrativa de unas veinte páginas, que no entraba mucho en detalles. Siempre he admirado esa novela, que entusiasmaba a los surrealistas por su clima de pasión, por el loco amor que arrasa con todo.

T. P. T.: ¿Qué lo animó a usted a volver aquí en México a ese proyecto y filmar *Abismos de pasión***?**

Dancigers me llamó un día: quería hacer una comedia con Jorge Mistral, Irasema Dilian y Lilia Prado, a quienes tenía contratados. Yo le dije que tenía escrito un argumento, el de *Cumbres borrascosas*. Era un argumento imposible para aquel reparto: no convenía nada. Pero me vencieron las ganas de hacer esa historia que me gustaba tanto.

T. P. T.: De todas maneras en el cine mexicano de entonces hubiera sido difícil hallar un reparto más adecuado.

Difícil, pero posible. El problema era la variedad de acentos: entre Irasema y Mistral. Lilia Prado, que es muy simpática, estaba bien en otros papeles, como la rumbera de *Subida al cielo*, pero no como una jovencita romántica. Aceves Castaneda no daba el tipo como hermano de Irasema.

T. P. T.: La impresión del espectador es que aquello que no logran dar los actores, intenta darlo la música. Hay mucho Wagner.

Fue culpa mía no haber cuidado la adapta-

ción musical. Siempre he sido muy wagneriano y me pareció que el *Tristán* le iba bien a esa historia. Me marché a Europa dejando la película montada e indicando que convendría ponerle música de Wagner. Dancigers me hizo demasiado caso acerca de Wagner y metió la música por todas partes, hasta cuando sólo se mostraba a un personaje tomando una taza de café.

T. P. T.: Llama la atención que usted filmara en la zona tropical de México y sin embargo lograra en la película un paisaje seco y austero, muy estilizado.

Los exteriores los filmamos en una hacienda cerca de Taxco, la de San Francisco Cuadra. Debió de ser en marzo o en mayo, o sea en esa época en que el paisaje mexicano puede ser un secarral. Los interiores eran decorados hechos por Edward Fitzgerald en los estudios.

T. P. T.: ¿Conocía usted la película de William Wyler sobre la misma novela?[1]

La había visto años atrás. Creo que la mía, quitando el funesto reparto que hizo el productor, está mejor desde el punto de vista del espíritu de la novela.

T. P. T.: La versión de usted es menos académica y fría.

Sí, la crítica ha dicho eso.

J. de la C.: En Wyler no se siente tanto el carácter maldito de ese amor, que se opo-

---

[1] *Wuthering Heights (Cumbres borrascosas)*, realizada por William Wyler en 1939.

ne no sólo a las convenciones de la época, sino además a Dios mismo, y destruye a los propios protagonistas.

Amor y odio al mismo tiempo, dentro de los protagonistas. Un conflicto eterno.

J. de la C.: Pero es más: es una revuelta cósmica, una blasfemia.

Es el amor loco, que arrasa con todo.

J. de la C.: Y Wyler no se atrevía a las escenas finales a las que usted sí llega: el delirio, el beso a la muerta, la profanación de la tumba.

En el libro se dice que Heathcliff vagabundea en torno a la tumba de Catherine. Era fácil imaginar la escena: que bajara a la tumba, abriera el ataúd y contemplara emocionado el cadáver de Catherine. No es necrofilia, sino amor puro y más allá de la muerte. Luego viene el delirio: ve bajar por la escalera de la cripta a Catherine, pero en realidad no es ella, sino el hermano con un fusil, que viene a matarlo.

J. de la C.: Y elementos de literatura negra o gótica: la cripta fúnebre, la imagen fantasmal, el velo blanco.

También he sido entusiasta de la novela negra: las de Radcliffe; *El monje*, de Lewis; el *Melmoth*, de Maturin.

T. P. T.: Hay un bestiario: el sapo en el fuego, las mariposas que clava con alfileres un personaje, la araña que devora una mosca.

La escena de la araña y la mosca la filmé a las dos de la mañana. Agustín Jiménez, el fotógrafo, me había dicho: «Es muy tarde y habrá que esperar a que la araña atrape la mosca.» Yo, que conozco bien las costumbres de las arañas, le dije: «No esperaremos mucho, ya verá usted.» Pusimos la cámara frente al agujero de la araña, grité «¡Acción!», tiré a la telaraña una mosca que tenía preparada y ¡zum! la araña salió al instante, atrapó el insecto y volvió a meterse en el agujero.

J. de la C.: Es difícil no ver esa escena

▲ «el amor loco, que arrasa con todo» (Irasema Dilian y Jorge Mistral) como una especie de símbolo de la dureza de las relaciones entre los personajes.

En la película un niño acaricia a un hombre adormilado y por entretenerse atrapa una mosca y la arroja a la tela de la araña. Es del tipo de *gags* que realzan una escena que podría ser monótona. Se me ocurren durante el rodaje. Ya ante el decorado, mientras se preparan los actores y los técnicos, un objeto o una parte del decorado suscitan la idea...

T. P. T.: En general, esos detalles se le ocurren a usted en relación con animales.

También con cualquier objeto. Ahora, por ejemplo, estamos tomando café. Supongamos que hay que filmar este momento, pero siento que hay que enriquecerlo. De pronto se me ocurre que usted, en lugar de echar el terrón de azúcar dentro de la taza, lo mantiene entre los dedos y lo deja empaparse poco a poco de café.

J. de la C.: Sí, es frecuente entre latinos. Da más espesor de realidad a una escena, aunque no «signifique» especialmente. Como el hecho de que *Viridiana* pele para don Jaime una naranja logrando una sola cinta de piel, ¿verdad?

Eso es. Luego ustedes los críticos escriben alrededor de eso un ensayo de diez páginas.

J. de la C.: Por ejemplo: ¿Qué críticos? ¡Nombres, nombres!

Ah, no. Algunos son amigos míos.

J. de la C.: Y dos de ellos podríamos ser Pérez Turrent y yo.

No digo nada.

J. de la C.: En esta entrevista está usted más parco que de costumbre, don Luis. Voy a intentar «extorsionarlo». Y lo voy a hacer por el lado del contenido de la película, el lado en el que casi siempre usted se muestra reticente. En *Abismos de pasión* hay el amor total, el *amour fou*. Es algo muy de Breton y los surrealistas, entre ellos usted. Una posición que acaso a las nuevas generaciones les parezca anacrónica o ingenua. ¿Usted sigue siendo fiel a ella?

La idea sigue conmoviéndome; aunque si usted quiere, por mi edad, de una manera teórica.

J. de la C.: Le haré a usted un test imaginario. Está usted ante dos botones: A y B. Lo obligan a apretar uno de ellos, pero pue-

de escoger. Si aprieta el botón A, desaparece el mundo entero, toda la humanidad, menos su amada. Si aprieta el B, se salva el mundo, toda la gente, pero desaparece la amada de Buñuel. ¿Qué hace usted?

Dejo en paz los botones y me tomo una copa.

J. de la C.: No crea usted que una situación como ésta (o parecida, si bien a menor escala, menos «cósmica») no se presenta. Hay un caso ocurrido en Cuba, en la época de la oposición contra Batista. Los batistianos apresaron a una mujer que luchaba en la clandestinidad y le dijeron: «En la celda de al lado tenemos a tu novio. Te traeremos sus ojos en una bandeja si no nos das los nombres de los «contactos» con los guerrilleros.» Como ella no dio los nombres, cumplieron la amenaza. ¿Qué dice usted a esto?

Hombre, no sé. Es un dilema tremendo. Comprometer la vida de muchos hombres por... Comprendo a la mujer que no dio los nombres.

J. de la C.: Heathcliff, por los ojos de Catherine, hubiera admitido que se hiciera saltar el mundo en pedazos (y creo que es Camus el que decía esto). Y el Marqués de Sade.

Sade sacaría a alguien los ojos por placer, en «teoría». Pero no hubiera aceptado que se hiciera por los motivos de esos torturadores batistianos, ni por motivos político-revolucionarios. Eso lo habría indignado.

J. de la C.: Es decir, tanto si sacaba a alguien los ojos por sentir placer «sádico», como si se oponía a que se hiciera eso en nombre de la revolución, estaba dentro de su propia moral.

Claro: Sade no traicionaría sus propios principios.

J. de la C.: Y por otra parte sería fiel a su deseo. Le concedería todos los derechos a su deseo.

Sí. Por lo demás, Sade todo lo llevaba a cabo en su imaginación y sólo en ella. Salvo en dos o tres ocasiones. Ya hemos hablado de esto. Sade se opuso a los aguillotinamientos. Igualmente se hubiera opuesto a las barbaridades de los nazis y seguramente éstos lo habrían fusilado.

J. de la C.: Por lo demás, Sade no es Heathcliff. Sade no es un enamorado de un

ser único; él busca el placer absoluto. Heathcliff sólo puede amar a Catherine.

Sí. Sade es más cerebral, aunque esa búsqueda del placer absoluto, como dice usted, es para él una pasión que se basa principalmente en el odio a la sociedad.

T. P. T.: Creo haberle oído a usted que volvería a filmar Cumbres borrascosas.

Para hacerla mejor. La filmaría en Inglaterra o en Francia, con un buen reparto. En un reparto ideal hubiera escogido a Claudia Cardinale para Catherine. La Cardinale me gustó mucho en la película de Visconti **Sandra**. También la hubiera puesto en el papel de la diablesa de **El monje**. Peter O'toole interpretaría a un duque, un personaje creado por mí. Para el monje mismo se ofreció Omar Shariff, pero no lo acepté, porque yo pensaba en Francisco Rabal. En cuanto a **Cumbres borrascosas**, hubiera sido ideal filmarlo en Inglaterra, o en su defecto en Francia, y con un buen reparto. Siempre me ha gustado esa historia en que el amor es también enemistad y destrucción.

LA ILUSION VIAJA EN TRANVIA

J. de la C.: La ilusión viaja en tranvía **recuerda las películas del neorrealismo italiano.**

Es posible, porque en el trayecto del tranvía se van viendo diversos aspectos de la realidad social mexicana: los barrios pobres, los carniceros del Rastro, los acaparadores de alimentos. Pero no pensé en las películas italianas, no me atrae el neorrealismo. Creo que la línea del argumento empezaron a escribirla Mauricio de la Serna y José Revueltas, y colaboramos Luis Alcoriza y yo. La línea argumental tenía unas cuantas cuartillas: desaparece un tranvía, suceden varias peripecias y al final el tranvía aparece en el depósito. Ustedes saben que en los vehículos públicos de México es posible, o lo era en aquella época, encontrar gente que lleva cajones de fruta, o pavos vivos, en fin: las cosas más increíbles, y por eso se me ocurrió que en el tranvía viajaran los obreros del Rastro con los cuartos de res, y las viejas beatas con la imagen de un santo.

T. P. T.: Eso ha desorientado a algunos críticos europeos. La película le parece muy extraña al francés Luc Moullet.

Llamaba la atención ver esos detalles en un tranvía. En México, es verosímil. Claro que en un solo viaje en tranvía no encuentra usted tantos elementos insólitos concentrados.

T. P. T.: Los grandes cuartos de res ¿son un recuerdo de Un perro andaluz?

En **Un perro andaluz** no hay cuartos de res.

T. P. T.: Pero hay una presencia insólita de la carne: los cadáveres de los burros. Además, en El Bruto **ya aparecía el Rastro.**

Algunas cosas se repiten de una película a otra. ¿Por qué? No sé. Son coincidencias.

T. P. T.: Creo que en La ilusión... **usted mete elementos surrealistas en un contexto realista.**

Claro, pero es precisamente lo que hacía el surrealismo. En un cuadro de un pintor surrealista, por ejemplo, no todo tiene que ser surrealista. Basta que haya un pequeño detalle que lógicamente no debía estar allí.

J. de la C.: Yo diría que en La ilusión... **hace usted «collages», como Max Ernst hacía con grabados antiguos.**

Sí. Podría ser como en los grabados de La femme 100 têtes: tomar de un grabado del Rastro o de una iglesia unos cuartos de res, o unas beatas con la imagen de un santo, y pegarlos en el grabado del interior de un tranvía. Pero esto es una explicación «a posteriori», aunque yo se la acepte.

J. de la C.: También la pastorela que representan los vecinos de la barriada sería un «collage».

Eso también tiene una justificación realista. La historia ocurre durante los festejos de final de año, y hasta hace poco en esas fechas la gente de las barriadas representaba pastorelas. Me dicen que en el rumbo de Coyoacán, no muy lejos de mi casa, aún lo hacen. Esa pastorela de la película, por lo demás, es auténtica. La tomé de una selección de pastorelas que hallé en un libro publicado en México en el siglo XIX.

J. de la C.: Pero usted no «pasa de largo» por la pastorela. Se detiene a filmarla como una obra dentro de la obra. Además mete usted en ella su propia «visión del autor». Creo poco verosímil que la gente de un barrio pobre mexicano, en una pastorela, represente a Dios con tal desenfado.

¿Por qué? No hay desenfado. Son actores aficionados, inexpertos e ingenuos. Quieren hacer una representación digna, pero les sale

graciosa por inocente. «¿Cómo hacer que Dios descienda a la tierra?», pueden haberse preguntado. «Pues lo ponemos en un columpio y lo bajamos». Es lógico: si Dios está en el cielo, debe bajar desde lo alto.

T. P. T.: La película se parece a *Subida al cielo*.

Porque son películas en las cuales las cosas ocurren en torno a un viaje. Pero ése es el único parecido. En *La ilusión* está la angustia de la circulación indebida del tranvía por la ciudad, de la denuncia que puede presentar el viejo inspector jubilado.

J. de la C.: Hay como una amenaza imprecisa flotando sobre los personajes, y no la respiración libre, casi optimista, de *Subida al cielo*. **Además aquí hay un personaje repugnante: el viejo ex empleado de la compañía, que es un delator.**

No, es un inspector jubilado que no se resigna a no seguir en su trabajo; tiene amor a la profesión y quiere seguir siendo útil a la compañía. En una novela de Galdós hay un personaje parecido, jubilado a los treinta años de servicio, que vuelve constantemente a la oficina y conversa allí con sus antiguos compañeros, hasta que éstos finalmente se aburren y lo echan. Lo mismo le sucede al personaje de Isunza en mi película: sin su trabajo la vida le parecería vacía, y sigue sirviendo a la compañía aunque sea gratis.

J. de la C.: Hay otra similitud con *Subida al cielo*. **Existen dos fotografías muy semejantes de las películas: en las dos, Lilia Prado tiene el gesto de subir al autobús y luego al tranvía. Son gestos idénticos: un pie en el estribo del vehículo, la falda a medio muslo.**

Sí, las dos fotos son muy semejantes. Reconozco que aquí se trata de algo muy mío, de mi juventud y de la de cualquiera de mi generación. Cuando las mujeres, con aquellas faldas largas, subían al tranvía, les echábamos la vista, para ver si enseñaban algo de pantorrilla. Claro, en las dos películas la falda es más corta, y por fuerza Lilia muestra algo de los muslos. Son gestos que se graban. Yo no me

La pastora (*La ilusión viaja en tranvía***).** ▲

pongo ahora a espiar a las muchachas en mini-falda que suben a los autobuses, pero si tuviera quince años, lo haría, seguramente.

J. de la C.: Sospecho que filmó las dos películas para meter en ellas esa imagen.

(Ríe.) No. Mis caprichos no van tan lejos.

T. P. T.: *La ilusión...* **y** *Subida al cielo* **son películas itinerarantes. Parecen tener la intención de dar una metáfora de la vida, como si todos los elementos de ésta: la vida, la muerte, el trabajo, el amor, quedaran representados en esos dos viajes. Es como si subieran a esos vehículos representantes de la humanidad.**

Todos los que suben al tranvía están justificados por el argumento. Los carniceros salen del Rastro y toman el tranvía llevando algo de carne a casa. Las beatas suben con un santo por el que tienen devoción. Hay un caballero que al ver que no le cobran —para él es absurdo, pero no para los conductores, que no se atreven a cobrar porque ya el viaje del tranvía es ilegal—, exclama: «¡Ésto es comunismo!», y se trata de un detalle propio del personaje, no de que yo haya querido meter tesis política. Como tampoco en el episodio de los niños huérfanos quise hacer un comentario de la infancia desamparada.

J. de la C.: Hay allí algo que es a la vez muy mexicano y muy español. Uno de los huérfanos ve por la ventanilla a una mujer, al parecer de vida ligera, que se arregla las medias a la vista de todos, y entonces le dice a otro niño: «¡Mira, ahí está tu mamá!» El otro mira hacia la mujer y queda terriblemente impresionado. Por cierto, parece una escena improvisada.

No, debía estar prevista en el argumento, porque es difícil que improvise usted una escena así. Tiene usted que llevar al rodaje, por lo menos, a la actriz que va a interpretar a la «mamá». Por otra parte, sí, hay como el re-cuerdo de un insulto de tradición muy españo-la: «¡La puta de tu madre!»

T. P. T.: Y muy mexicana: «¡Tu chingada madre!» En México este insulto tiene una raíz muy fuerte, porque los conquistadores españoles «chingaban»[2] a las mujeres.

Tampoco yo quise remontarme a las raíces de tal o cual complejo mexicano. Es la ruda broma de un niño que deja muy impresionado a otro. Tiene gracia también que todos los huérfanos que van en el tranvía tengan un mismo apellido, pero eso está tomado de la realidad. En los orfelinatos sucede que hay que darles un apellido a los chicos inscritos, y se recurre casi siempre al mismo.

J. de la C.: Para terminar con esta película, insistiré en que contiene más surrealismo del que usted admite. El tranvía sale fuera de itinerario en la noche, burlando la vigilancia, y su aventura se disuelve al llegar el día. Permítame usted el «delirio de la interpretación»: el tranvía sería una imagen de la subsconsciencia, un «sueño» que recorre la realidad... y luego se desvanece.

La película se llama *La ilusión viaja en tranvía*, pero el título no me gusta nada y además no lo puse yo. Admito, sí, que el mecanismo subconsciente puede reflejarse en todo, hasta en las películas más razonables, y sin que uno se lo proponga.

J. de la C.: Bueno, ése sería precisamente un triunfo del surrealismo: que el subsconsciente saliera a la luz sin el artista proponérselo.

Hasta cierto punto, porque el surrealismo no es tocar la flauta por casualidad, como el burro de aquella fábula.

---

[2] El insulto más fuerte entre los mexicanos. Tiene diversos acepciones, en este caso es la de *fornicar*.

14. *El río y la muerte.*
Ensayo de un crimen

J. de la C.: *El río y la muerte* **es una película en la cual se siente que usted no la filmó a gusto.**

Es posible. Era una novela de «mensaje social». No la elegí yo. Me la propuso Clasa Films a través de Mauricio de la Serna, y el autor, Alvarez Acosta, no vendía el libro si no se respetaba su tesis. Además, corrigió la adaptación que escribimos Alcoriza y yo. Por primera vez en mi vida dirigía una película «de tesis» y me remordía la conciencia. Y la tesis era muy discutible; algo como esto: «Si todos los hombres fueran a la Universidad, habría menos crímenes.» ¡Imagínense!

T. P. T.: O sea: La educación arreglará el mundo.

Entre universitarios puede haber también el deseo de matar, ¿verdad? Ya sé que de todas maneras en los medios cultos hay menos violencia que en los medios incultos, porque tienen más racionalidad, más barreras culturales y morales… y más miedo a las consecuencias, de modo que ese impulso es refrenado.

T. P. T.: Pero la educación no sería el problema básico.

Creo que no. El problema básico sería económico y social… Y tampoco esto puede afirmarse rotundamente. Miren ustedes qué violencia la de los terroristas actuales y muchos de ellos provienen de medios económicos aceptables y han tenido una educación superior.

J. de la C.: Lo malo de la «idea» de *El río y la muerte* **es su esquematismo: civilización contra barbarie. Pero —en la película,**

al menos— no vemos una comunidad bárbara. Ciertos actos violentos son allí una forma de cultura. Hay un ritual y un código de honor: si un hombre es asesinado, la familia debe tomar la justicia en su mano y vengarse. Es un código moral, como ir a misa.

De acuerdo: es un código moral sangriento, pero no precisamente bárbaro. No se trata de una comunidad salvaje, aunque allí la cadena de muertes parezca inevitable. Lo que en realidad me interesó del libro fue ese elemento de falta de respeto a la vida humana. Desde el comienzo de la película, en un bautizo, dos compadres se matan por una bagatela, que para ellos es una cuestión de honor. Luego las muertes vienen en serie. Me interesó mostrar una costumbre auténtica de la costa de Guerrero: Cuando alguien ha sido asesinado, el cadáver es llevado sucesivamente a las casas de los parientes y los amigos, donde los del velatorio van tomando copitas. Luego, llevan el ataúd frente a la casa del asesino, que ha huido, y los deudos gritan: «¡Que salga el tal por cual! ¡Va a pagar esta muerte!» Y comienzan las venganzas en cadena entre las familias.

T. P. T.: El asunto se prestaba al lugar común de las nupcias entre el mexicano y la muerte. Un crítico europeo llegó a citar las «calaveras» de Posada.

No pensé para nada en los grabados de Posada. Detesto hacer «películas de arte» metiendo en ellas referencias pictóricas. Hay críticos que si ven en una de mis películas un enano o un mendigo, se ponen a mencionar a Velázquez y Goya. Lo mismo podrían decir que soy un cineasta «cubista» si ven en una película mía una casa cuadrada. Sucede con esto como con los «símbolos de Buñuel». «Aquí está este pino que simboliza el pene, según tal o cual párrafo de Freud...» Es absurdo. Este psicologismo fácil llega a ser risible. Freud abrió una ventana maravillosa hacia el interior del hombre, pero el freudismo se ha convertido en una iglesia con respuestas para todo. Quizá algún freudiano vea como símbolos fálicos todas las pistolas que aparecen en el film.

J. de la C.: Hay un chiste acerca de eso. Un hombre cuenta uno de sus sueños al psicoanalista. «Vi un árbol en el camino», dice el paciente. «Símbolo fálico», comenta el psicoanalista. «Saqué del maletín una pistola...» «Símbolo fálico», repite el psicoanalista. Etcétera. Finalmente el hombre dice: «Ante la hermosa mujer, me saqué la verga.» Y el psicoanalista exclama: «¿Qué significará eso?»

(Ríe.) Es bueno.

T. P. T.: Un crítico europeo decía que *El río y la muerte* era una película de «consumo interno» mexicano.

No le faltaba razón. La película fue al festival de Venecia. Ese año fueron Jaime Fernández y otros mexicanos, y luego me contaron lo que pasó durante la exhibición. Hubo aplausos al aparecer mi nombre en los créditos, pero, en cuanto comenzaban las muertes, la gente reía a carcajadas, pedían que mataran a otro más. Yo había previsto que la película no sería entendida en Europa, y prefería que enviaran ***Robinson Crusoe***, pero el gerente de

Clasa hizo que enviaran ***El río y la muerte***. También causaba risa la escena en que Fernández abofetea a Cordero, que está inválido, en un «pulmón» artificial.

T. P. T.: Y es una escena muy buena, porque rompe las convenciones morales del público.

El público tal vez piensa que Fernández, por muy bruto que sea, es un hombre digno, incapaz de abusar de un indefenso. Pero en realidad esa bofetada es más un insulto que una violencia física.

T. P. T.: Al final, los dos «machos» de familias enemigas se reconcilian, despreciando las convenciones del clan.

Ese final tal vez era un poco forzado, poco verosímil; un final de «tesis». Mejor hubiera sido hacer que se mataran todos a tiros y en lugar de poner «Fin», poner «Continuará», o «Más muertos la próxima semana».

T. P. T.: En esa escena, uno de los antagonistas dice: «¡Al diablo el pueblo y la familia!» La réplica tiene un espíritu surrealista.

En un sentido muy general, de anticonvencionalismo. Quiere decir que no le importa ya el *qué dirán*; que no está dispuesto a seguir la tradición, la cadena de venganzas.

J. de la C.: ¿Podría verse la película como una «comedia negra»?

Puede verse como usted quiera. Pero, si bien hay rasgos de humor, no es una comedia. Aun-

▲   Representaciones de la muerte («El río y la muerte»).

que me sentía molesto con el corsé de la tesis, no traté de burlarme del argumento. Cuando me lanzo a hacer una película, lo hago a fondo y no pretendo hacer guiños de complicidad con el espectador. Eso me parece tan malo como los actores que dicen «morcillas» para buscar el aplauso.

ENSAYO DE UN CRIMEN

J. de la C.: En principio, *Ensayo de un crimen*, **la novela de Rodolfo Usigli, me parece un asunto muy lejano de usted. ¿Quién le propuso filmarla?**

Había una crisis económica del cine y el sindicato se decidió a producir películas en cooperativa. El actor Ernesto Alonso me dijo que podríamos filmar la novela de Usigli bajo ese sistema. Me interesaban algunos elementos del libro: la obsesión, la vocación de asesino frustrada. Empecé a adaptarlo en compañía del autor, pero dejamos de hacerlo a los quince días, porque Usigli no permitía la menor variación de su texto. Cuando vio la película terminada se quejó en una asamblea del sindicato. Pero salí absuelto, porque en los créditos yo había puesto «Inspirada en...» O sea que no pretendía haber hecho una transcripción exacta del libro, sino una obra diferente que partía de él para desarrollar determinados elementos a mi manera.

J. de la C.: Cuando el libro se publicó, se le tomaba por una novela en clave que satirizaba una burguesía rampante.

El lado de *roman à clef* no me interesaba, porque yo no conocía el mundo que describía Usigli, ni creo que le interesara al espectador. Me interesaba lo otro: la obsesión del personaje. Comprendo que Usigli no estuviera de acuerdo con mi versión. No nos disgustamos: nos separamos amistosamente.
Además, para el extranjero, cambié el título: *La vida criminal de Archibaldo de la Cruz*.

T. P. T.: ¿Con quién hizo finalmente la adaptación?

Con mi amigo Eduardo Ugarte, un intelectual español, que había colaborado conmigo cuando yo era productor asociado en España. Era yerno de Arniches, el autor de sainetes, y cuñado de José Bergamín. Falleció hace años.

J. de la C.: La novela tiene un tono intelectual y esteta que no coincide con el cine de usted.

Tampoco me interesaba en principio el asunto de *Belle de Jour*. Pero me basta que un libro me dé dos o tres imágenes estimulantes y que yo pueda desarrollar a mi modo.

J. de la C.: Es curioso que en su respuesta asocie usted *Ensayo de un crimen* **y** *Belle de Jour*. **Me parece que hay una cierta relación entre los principales personajes de las dos películas, que intentan hacer realidad su imaginación, las exigencias de su deseo.**

Lo acepto, aunque «a posteriori». Sí: Archibaldo y la Belle de Jour imaginan cosas prohibidas que tratan de vivir en la realidad. Gran parte de su vida es sólo imaginación.

J. de la C.: Está también la fijación en torno a objetos sonoros: la cajita de música en *Ensayo de un crimen*, **las campanillas del carricoche en** *Belle de Jour*.

Es verdad. Tenemos obsesiones auditivas como tenemos obsesiones visuales. Creo, además, que lo auditivo habla más a la imaginación que lo visual.

T. P. T.: Decía usted que el protagonista de *El* **le interesaba como un caso clínico. ¿Sucedió igual con Archibaldo?**

Me parece que no. Tal vez era un caso clínico en la novela, aunque creo que tampoco. En cuanto a Archibaldo (este nombre es diferente al del personaje de la novela), sé que no es un psicópata, sino más bien un hombre a quien las cosas no le resultan, o le resultan mal. El desea asesinar, pero alguien se le adelanta en hacerlo, o las víctimas se mueren antes. Es un hombre bastante cuerdo, pero quiere realizar su sueño, su obsesión, como otros quieren escalar los Alpes o lograr la más exquisita planta de jardín. La cajita de música libera su imaginación, lo hace volver a su infancia, a ciertas relaciones agradables en relación con la muerte de otra persona... qué sé yo. La cajita ya estaba en la novela, pero, si no recuerdo mal, no era tan importante.

J. de la C.: A propósito de la cajita, me llama la atención la coincidencia con la «invención» del marqués de Hervey-Saint-Denys, el autor de un libro sobre el modo de dirigir los sueños. He aquí cómo describe Breton una experiencia de dicho marqués: «Obteniendo de un director de orquesta entonces de moda que dirigiera exclusivamente, de manera sistemática, la ejecución de dos valses determinados cada vez que debía bailar con dos damas que le atraían, estando

cada uno de esos valses en cierto modo dedicado y rigurosamente reservado a cada una de ellas, y arreglando luego para una hora matinal la reproducción en sordina de uno de esos mismos aires por medio de un ingenioso aparato compuesto de una caja de música y un reloj despertador, Hervey logró hacer aparecer en sus sueños a una u otra de las dos damas», etc. Digamos que esto sería una sistematización de la «magdalena mojada en té» de Marcel Proust.

El sistema del marqués no me convence: es demasiado directo y mecánico. Teóricamente está bien, es ingenioso, pero dudo que funcione en la realidad. Posiblemente el olor a gas de este encendedor me provoque esta noche un sueño en que aparezca mi amada, otorgándome sus favores. En cambio, también es posible que el olor de la ropa íntima de mi amada, colocada sobre mi rostro mientras duermo, produzca en mi sueño, no a ella, sino a un elefante paseándose en la selva. El subconsciente tiene sus propias leyes y su sistema de

relaciones. Si usted lo quiere conducir racionalmente, se rebela.

T. P. T.: Sin embargo, la cajita de música de Archibaldo sí tendría alguna semejanza con la «magdalena mojada en té».

Podría ser. La música de la cajita excita a Archibaldo porque está ligada a un recuerdo infantil de erotismo y muerte, a aquella ocasión en que vio caer muerta a su institutriz, con los muslos ensangrentados. Yo no creo que en una novela de Proust haya un momento tan fuerte. Por lo demás, Archibaldo sabe que puede dirigir sus fantasías en la vigilia mediante la cajita de música. Pero no intenta dirigir sus sueños. El sueño es indirigible. No se ha descubierto su secreto. Ojalá pudiera yo orientar mis sueños según mis deseos. Entonces... no me despertaría nunca.

T. P. T.: Como en los héroes surrealistas de usted, en Archibaldo se da otra vez la conjunción de erotismo y muerte.

▲ «La cajita de música libera su imaginación.»

Eso ya viene de antiguo: *l'amour, la mort*. Ya esto aparecía en *Un perro andaluz*. Cuando Batcheff acaricia los senos de la mujer, vemos su cara con un rictus terrible, los ojos en blanco y la boca babeante: como un muerto o un agonizante. Se ha comparado muchas veces el éxtasis erótico al momento de la agonía. Esto es algo que todos podemos sentir.

T. P. T.: Archibaldo, como asesino, falla. Es un frustrado, un impotente.

Pero no un impotente sexual, si eso es lo que usted quiere decir. Es un frustrado en ciertas relaciones suyas con la realidad. Casi todas mis películas tienen ese tema: la frustración. Burgueses que no pueden salir de una habitación, gente que quiere cenar y todo se lo impide, un tipo que desea asesinar pero sus crímenes fallan. La frustración aparece ya desde *Un perro andaluz*: el hombre va hacia la mujer, pero las cuerdas con los objetos atados a ellas le impiden el avance. En la escena del jardín de *La Edad de Oro* los amantes no pueden ni siquiera besarse. Es la distancia entre el deseo y la realidad. Intentar y fracasar.

T. P. T.: Pero en *Ensayo de un crimen* está además la frustración erótica. Archibaldo prepara toda una *mise-en-scéne* para recibir a Lavinia. Ella llega, sí, pero... acompañada de unos turistas.

Claro, y eso es aún más terrible: tener tan cerca a la persona deseada, sin poder llegar a cumplir el deseo. Sin embargo, la frustración no proviene de una supuesta impotencia de Archibaldo, sino de la situación misma, de la realidad.

J. de la C.: Archibaldo, para lograr su deseo, ejecuta rituales: manda hacer un maniquí igual a Lavinia, la sienta en la sala, etc. Y cuando ha preparado todo esto, aparece Lavinia en persona. Esto recuerda la escena de *Un perro andaluz* en que la mujer hace que el hombre surja de la conjunción de ropas masculinas.

Sí, en *Un perro* hay una invocación mágica, pero en *Ensayo de un crimen*, no. Aquí hay una casualidad muy verosímil, un azar feliz (o infeliz, por la frustración de que hablábamos más arriba). Lo que las dos películas tienen en común es el fetichismo, y el fetichismo es en cierto modo una invocación mágica, lo reconozco. El hombre que acaricia un zapato de su amada está «invocando» eróticamente a esa mujer.

T. P. T.: El acto de matar tiene para Archibaldo una doble función. Por un lado, de posesión erótica; por el otro, de liberación de las represiones que vienen desde la infancia. Al matar en el plano de la imaginación, Archibaldo se libera.

Tengo un recuerdo muy vago de la película, pero no coincido en lo que usted dice. Archibaldo quiere matar, de eso no hay duda. Posiblemente matar lo libere desde el punto de vista sexual, pero si llegara a matar realmente, no se sabe lo que haría a continuación. Es un asesino. Pero evidentemente, también le gusta la frustración, la adora. Busca matar a una mujer y falla. Intenta matar a otra y vuelve a fallar. Se diría que desea fallar, para volver a intentar. ¿Lo hace por liberarse? Quizá lo haga por todo lo contrario. Sé que esto parece oscuro. A mí me atrae la oscuridad en un personaje. Si ustedes intentan construir un personaje muy racionalmente, ese personaje no tendrá vida. Debe haber una zona de sombra.

J. de la C.: Pero el mismo Archibaldo es muy racional. Y, por ejemplo, no sufre (o goza) el *amour fou*.

No, y tampoco el amor platónico. Tiene un deseo sexual y es un *gourmet* erótico que calcula su relación con las mujeres. El personaje que sí vive el *amour fou* no es él, sino el que

Sexo, amor y muerte (*Ensayo de un crimen*). ▲

interpreta Linares Rivas como marido de Rita Macedo. Este hombre sí vive el amor loco, el amor que es una agonía, un combate con el ser amado, y por eso la mata y se suicida. Archibaldo no se suicidaría. Buscaría otra mujer, fríamente.

T. P. T. ¿Archibaldo no terminaría caminando en zigzag, como el protagonista de _El_?

Nunca. Francisco es un ser moral, un inocente, y Archibaldo un esteta criminal.

J. de la C.: Algunos críticos ven en Archibaldo cierta homosexualidad.

Podría ser un homosexual sin saberlo, y por eso querría matar a las mujeres, pero yo no lo veo así. Si de niño se pone las ropas de su madre, eso es fetichismo, tal vez edipismo. Don Jaime, de **Viridiana**, también se pone ropas femeninas, pero es para evocar, o «invocar», más intensamente a su difunta mujer. Hay que distinguir entre el transvestismo homosexual y el transvestismo fetichista, aunque acaso existen conjuntamente en algunas personas.

J. de la C.: En las películas de usted no suele haber homosexuales.

No lo había advertido. Y en efecto, no los hay. Sí, creo que nada más el pederasta de **Los olvidados**, pero es un personaje casi efímero. Esa ausencia de homosexuales no se debe a ningún prejuicio. En cambio, en mis películas sí hay muchos fetichistas. Creo que se debe a que todos somos fetichistas; unos más, otros menos.

T. P. T.: En _Ensayo de un crimen_ hay dos fetiches muy reconocibles: la caja de música y el maniquí.

La caja de música ya estaba en la novela. El maniquí lo inventé yo. Tal vez soy un precursor de los consumidores de muñecas de goma que se venden en las tiendas de objetos eróticos.

J. de la C.: Hay otros precursores. Ramón Gómez de la Serna tenía un maniquí de cera en su piso de Madrid. Y he oído que el dramaturgo Ghelderode tenía una habitación llena de maniquíes femeninos.

Entonces tal vez soy el precursor del consumo de muñecas para ensayar crímenes. Tal vez un día se vendan: «Muñecas asesinables, muy prácticas, con sangre perfectamente imitada.» A propósito, he sabido que para su película **Tamaño natural**, Berlanga usó siete muñecas que costaron ciento cincuenta mil dólares. La muñeca de cera que usé en **Ensayo de un crimen** costaría unos cien dólares y fue hecha a partir de una mascarilla de Miroslava. No estaba muy bien.

J. de la C.: Era perfecta. Hay una fotografía del rodaje en la que usted está entre Miroslava y la muñeca. Es imposible distinguir a una de la otra.

Ahora que recuerdo, tal vez usamos dos muñecas. Y las dos fueron quemadas en el horno.

J. de la C.: Toda la secuencia de la cremación «en efigie» de Miroslava es muy impresionante por dos razones, una de ellas «extracinematográfica». Por ejemplo: en el trayecto de arrastre al horno, el maniquí pierde una pierna. ¿Azar del rodaje?

No. Fue deliberado. Ya les he dicho que siempre busco un detalle que realce una escena. Eso sí, el detalle lo improvisé durante el rodaje.

J. de la C.: ¡Ya se anunciaba la pierna cortada de _Tristana_!

Usted lo dice. ¿Y cuál es la otra razón que hace impresionante la escena?

J. de la C.: Es un detalle exterior y posterior a la película.

Ya sé cuál. A unos veinte días del estreno de la película, Miroslava se suicidó y su cadáver fue incinerado, como ella había dispuesto.

J. de la C.: El final de _Ensayo de un crimen_ es irónico, o por lo menos ambiguo.

Me han criticado mucho ese «happy end». Pero es un poco como el final feliz de **Susana**. Archibaldo tira la cajita de música al lago, se va caminando y encuentra a Lavinia. Su primer impulso —el instinto criminal— es matarla, pero se arrepiente, la toma del brazo y se van, felices. Ahora bien: el espectador puede preguntarse qué va a suceder con Lavinia. Posiblemente Archibaldo la mate, una hora después. Porque en realidad nada indica que él haya cambiado.

15. *Cela s'appelle l'aurore.*
La mort dans ce jardin

T. P. T.: Alguna vez ha mencionado usted *Cela s'appelle l'aurore* **como una de sus películas favoritas.**

Es una película de «Amor sí —policía no» y tengo un buen recuerdo de ella. Mi agente en París me había recomendado la novela de Emmanuel Robles, en el año en que estuve de jurado en el festival de Cannes, 1954. Me gustó el libro y empecé a trabajar el guión con Jean Ferry, un escritor surrealista, autor de un estudio sobre Raymond Roussel.

T. P. T.: Ferry es además uno de los fundadores del Colegio de Patafísica.

Sí, es patafísico. Y con él me ocurrió una cosa curiosa. El escribió una escena de amor de tres páginas, con besos y frases muy líricas. A mí me daba vergüenza filmar eso. Se me ocurrió entonces que el protagonista llegara a casa de su amante, se hablaran cariñosamente y él, como estaba fatigado, se descalzara y dijera, mientras ella servía la sopa: «Mira en mi bolsillo; te traigo un regalo.» Ella encontraba en el bolsillo una tortuguita viva. El hombre y la mujer se besaban. Y de este modo evité tres páginas de diálogos que escritos podrían estar bien, pero filmados eran imposibles. Ferry escribió al productor, exigiendo que quitaran su nombre de los créditos, porque yo había convertido una escena sublime en otra de zapatos, sopa y trivialidades. Pobre Ferry, ha muerto ya. Tenía talento, pero en esa ocasión le falló.

J. de la C.: Sabemos que hubo un problema en relación con Paul Claudel.

Una escena se abría en el despacho del comisario, en cuyo escritorio se veían las obras completas de Claudel, con el retrato de éste, y sobre ellas unas *menottes* (esposas). Luego, el comisario cogía sus guantes de un mueble en el que tenía además una reproducción del Cristo de Dalí. O sea: que Dalí y Claudel eran poeta y pintor de comisaría, aunque excelentes, desde luego.

T. P. T.: Pero al mismo tiempo el comisario quedaba definido como hombre culto, sensible.

Puede haberlos, ¿no? Bueno, pues la hija de Claudel me escribió más o menos en estos términos: «Monsieur, he visto la innoble película en el que usted profana la memoria de mi padre. Nada puedo hacer legalmente contra usted pero sirva esta carta para expresarle mi desprecio.» Había además en la película una escena en la que el comisario, yendo en coche por una carretera de la isla, se refería al paisaje y recitaba versos de Claudel. Julien Bertheau, que interpretaba al comisario, me dijo: «Buñuel, preferiría no decir estas líneas. He actuado en ***L'annonciation à Marie***, tengo amistad con la hija de Claudel, y esto me parece una burla.» Le dije: «Pero ¿cree usted que va a ser una escena grotesca? No. Usted dirá esos versos con seriedad, sin burla, recitando a un buen poeta.»

T. P. T.: La burla estaría en el contexto. Y muchos saben que Claudel era una bestia negra de los surrealistas.

El grupo surrealista atacaba a Claudel por su nacionalismo, sus elogios a la policía y luego a Franco. Pero insisto en que a mí me parece un buen poeta.

T. P. T.: ¿Y por qué la asociación Clau-del-Dalí?

Dalí también es nacionalista y católico, a su modo, y partidario de regímenes fascistas. El comisario podría tener ideas parecidas a las de ellos, gustar de sus obras. ¿Dónde hay burla en eso? Yo, por ejemplo, tengo aquí en la casa, como ustedes saben, un retrato de Dalí, es decir un retrato que él me pintó. ¿Acaso eso significa que comulgo con las actuales ideas de Dalí? Por lo demás, el comisario tiene algunos aspectos buenos: reprende a los policías cuando se les «va la mano» en un acto de represión. Hay una escena en que le aplasta la mano al viejo encerrado en el gallinero. Pero ahí el comisario está indignado porque el viejo ha violado a una niña. Su indignación se comprende, aunque, claro, el viejo está indefenso.

T. P. T.: Hubo muchas críticas contra la película. Particularmente una de Eric Rohmer.

A Rohmer lo llamé fascista, aunque no por eso. Un día me lo presentó el gerente de los *Cahiers du Cinéma*. Yo recordé que Kyrou y Prévert habían llamado fascista a Rohmer y, en broma, le dije: «Tengo el honor de saludar a un fascista.» Añadí en seguida: «Usted per-done, me han dicho que es usted fascista.» El se puso muy colorado y yo me despedí: «Bueno, pues encantado de conocerle.»

T. P. T.: Recuerdo la crítica de Rohmer: decía que usted se empeñaba en derribar puertas abiertas desde hace mucho tiempo, que tenía una *petite place* en la historia del cine como colaborador de Dalí en *La Edad de Oro* y como representante del cine mexicano. Y concluía: «Muy pocas cosas.»

Pues tiene gracia.

T.P. T.: Algunos críticos dijeron que en *Cela s'appelle l'aurore* había alcanzado usted la serenidad. Pero la película suscitó reacciones violentas, por ser muy clara en su posición.

Me gusta la escena final, cuando Marchal se niega a dar la mano al comisario y se marcha con su amante y con tres amigos obreros, abrazándolos por los hombros, y se oye un acordeón al fondo. Ésta es la única música en la película. Reconozco que la escena es un poco simbólica.

T. P. T.: Al revés de otros personajes de usted, Marchal es un personaje muy claro, muy neto.

▲ La escena del crimen (*Cela s'apelle l'aurore*).

Pero no desde el principio. Primero lo vemos trabajar como médico de la policía. La experiencia que vive en la isla, ver de cerca la injusticia, lo hace cambiar. Cuando al principio esconde al obrero perseguido, lo hace sólo por generosidad y amistad, e incluso contra la opinión de su esposa y su suegro. Además, se ha enamorado ya de la Bosé. Pero hasta aquí es sólo un hombre de buenos sentimientos, compasivo, enamorado. Cuando matan a Gianni, que es asesino por desesperación, en el médico empieza a surgir un sentimiento de solidaridad humana más amplio.

T. P. T.: Pero ¿no es posible que después de ese impulso ese médico vuelva a solidarizarse con su propia clase?

Imposible. Yo creo que un hombre que es capaz de indignarse profundamente ante la injusticia ya no puede aceptar más ésta. Para mí está claro que Marchal, a partir de la muerte de Gianni, ha cambiado radicalmente de rumbo. Por lo menos, ya no colaborará con la policía. También Nazarín y Viridiana cambian su modo de ver y de vivir en el mundo. Ya no serán como antes. No soy determinista; quiero decir que no creo que nadie esté moralmente determinado para siempre por haber nacido en tal o cual clase social. Nacer burgués no condena a nadie a pensar y actuar como burgués toda la vida. La convivencia cambia modos de ser. Pongamos un caso extremo: un guardia y un prisionero. Es muy difícil que un guardia pueda mantener día tras día una posición intransigente con su prisionero. Tendría que ser increíblemente vil para no establecer alguna forma humana de relación con él. Pero... no hay reglas, ¿verdad? También la convivencia forzada puede degradar las relaciones humanas. Si a usted y a mí nos obligan a estar siempre encerrados en un cuarto, podemos ser bonísimas personas, tratar de ayudarnos, pero casi seguramente terminaremos detestándonos, encolerizándonos por cualquier cosa. A usted le parecerá insufrible el modo en que me rasco la oreja; a mí, el modo en que usted se peina.

J. de la C.: Eso es parte del asunto de El ángel exterminador.

Sí. Pero la convivencia puede actuar de manera contraria: en el sentido de la solidaridad. El médico de **Cela s'appelle l'aurore** convive afectivamente, aunque no físicamente, con la gente pobre de la isla; y además el amor lo hace más generoso. Por eso rompe con las convenciones: deja a su esposa, por muy enferma que esté, y se va con la amante. Ya le sería insoportable vivir cualquier forma de engaño.

T. P. T.: Entonces, lo que a usted más le interesa de un personaje es su posibilidad de cambiar.

Claro. ¿Qué interés tiene una historia, si no? Se trata de ver si un personaje se hará mejor o peor, feliz o desdichado... El personaje de Zachary Scott, en **La joven**, cambia hacia el bien: deja de ser racista, se enamora realmente de la chica, ya no es un bruto violador y egoísta. Pero Tristana, en cambio, se hace vengativa y tiránica, se endurece. Sólo en las novelas de folletín los buenos son siempre buenos y los malos siempre malos. No aprenden nada, la vida no los cambia. Ven ustedes un ejemplo de cambio en el personaje de Gianni Esposito. Durante casi toda la película es un infeliz, incapaz de rebelarse contra la injusticia que lo abruma. Es como un autómata de la desdicha, ¿no? De repente ya no puede más, toma un revólver, va a buscar al patrón y le pega un tiro en la barriga.

J. de la C.: La escena del crimen es espléndida, porque es como un momento de La Edad de Oro, pero más fuerte, porque está más «justificado». Y olvida usted al gatito...

Es verdad, lo olvidaba. ¡Qué memoria la de ustedes para los detalles!

J. de la C.: Es más que un «detalle»: tiene belleza, misterio. Esposito llega a la mansión donde ocurre la fiesta. Un gatito lo sigue por el jardín y Esposito lo levanta, lo acaricia y se lo lleva en los brazos. Entra en el salón y, sin soltar al gatito, saca el revólver y dispara contra el patrón. Una conjunción poética, relampagueante: en un mismo instante una gran ternura y un grande y justificado odio.

Son gestos que yo podría tener en una situación semejante. Y me interesa la situación que permite dos actos contrarios simultáneos: besar y al mismo tiempo insultar, acariciar y al mismo tiempo matar, o al revés. No me interesan personajes sin aspectos contradictorios, porque entonces sabemos todo sobre ellos desde el primer momento.

J. de la C.: Eso es lo que me pasa con el personaje de Marchal, pese a que usted diga que en él hay cambio. A mi ese personaje no me sorprende, me parece demasiado lineal. Me sucede con toda la película, salvo

esa escena del crimen en el salón con el «detalle del gatito». Conste, don Luis, que «ideológicamente» la película de ninguna manera me desagrada. Simplemente la encuentro previsible, «plana».

Lo entiendo. A mí tampoco me basta con que una película comparta mis ideas para que me guste o me emocione.

T. P. T.: Aparte de la escena de las *menottes* y el libro de Claudel, hay otra imagen fuerte en la película: un Cristo que sirve de poste telegráfico.

Muchos habrán dicho: «Un detalle buñueliano». Bueno, pues perdón, pero la realidad a veces se pone buñueliana ella sola. Cuando los norteamericanos invadieron Africa, en la Segunda Guerra, encontraron un monumento con la imagen de Cristo y allí pusieron los alambres telefónicos que necesitaban. Y como el médico ha estado en Africa, tiene en su casa esa fotografía: el rostro de Jesús lleno de aisladores y alambres. No es invención mía, como tampoco lo era, en **El Bruto**, la Virgen de Guadalupe en los mataderos del Rastro.

LA MUERTE EN ESTE JARDIN

Casi no querría hablar de **La muerte en este jardín**. El rodaje fue un sufrimiento continuo, porque desde el comienzo hubo dificultades. El productor estaba inquieto por la censura y me pidió que modificara algunas cosas. Simone Signoret, la estrella, se sentía incómoda porque Montand estaba lejos de ella, en Italia, y quería reunirse con él; buscaba cualquier pretexto para volver a Europa. Al pasar la frontera norteamericana adrede mostró un pasaporte con visas de viajes a la Unión Soviética y otros países socialistas, pero los agentes de inmigración — «rara avis»— la dejaron pasar. En el rodaje se cambiaban tantas cosas que había que reescribir las escenas minutos antes de echar a andar la cámara, y además Gabriel Arout tenía que traducir el texto al francés. Sufrí mucho con la muchacha que interpretaba a la muda, Michele Girardon, que estaba en el cine porque así lo querían sus padres y, desde luego, lo ignoraba todo del oficio. Las pasé negras. Al terminar el rodaje estaba harto y ni siquiera me ocupé de la música. Les dije que pusieran la que quisieran.

T. P. T.: En el guión colaboró un escritor que De la Colina y yo admiramos mucho: Raymond Quéneau.

Un hombre de talento. Se le ocurrían soluciones que sirven de ejemplo de lo que es buen diálogo cinematográfico. De él era una elipsis muy inteligente que no pude utilizar por necesidades de la acción. En un pueblo, los mineros se declaran en huelga y el gobierno envía tropas contra ellos. La prostituta va de compras a una tienda. Pide varios artículos y una pastilla de jabón. Entonces, afuera, suena el clarín que anuncia la llegada de los soldados, y la prostituta corrige el pedido: «¡Seis pastillas de jabón!» Comprendemos enseguida que la prostituta va a tener más actividad profesional, sin necesidad de que diga la vulgaridad de «¡Uf, qué trabajo me espera!», ni de poner una imagen demasiado truculenta de una hilera de soldados a la puerta de un cuarto de burdel, esperando su turno. Quéneau era un escritor excepcional, con mucho sentido del lenguaje hablado. Había sido surrealista, pero cuando yo in-

▲ «comportamientos de personajes más o menos civilizados...

gresé en el movimiento, él ya no estaba. Lo conocí precisamente al hacer esta película. Como guionista no le atraían las escenas demasiado fuertes. A mí tampoco. Y creo que, aunque cumplía profesionalmente, no se sentía a gusto con la película. Cada vez que encontrábamos una solución de emergencia, después de horas de buscarla, él decía: «Mais, je me demande si...» («Pero, me pregunto si...»).

T. P. T.: La película podría ser vista como una metáfora política.

Yo sólo me propuse filmar una historia de aventuras que permitiera observar comportamientos de personajes más o menos civilizados en medio de la naturaleza y en situación de peligro. El único personaje que se compromete con los mineros es Marchal. También Vanel, al principio, pero luego retrocede. En realidad, la película es un poco anarquista.

T. P. T: Hay una cierta línea de entronque con *Robinson Crusoe*.

Claro: el tema de la naturaleza y el modo en que cambian las relaciones humanas: hacia la discordia o hacia la solidaridad. Sin esa solidaridad, los personajes, que se hallan en peligro, estarían perdidos. Es algo que no sólo ocurre en la selva. El conflicto de los personajes de ***El ángel exterminador*** es semejante... y ocurre en un suntuoso salón.

J. de la C.: El paralelo es curioso, porque en *La muerte en este jardín*, los personajes tienen en la selva una velada de salón, mientras que en *El ángel* podríamos decir que la ley de la selva se instala en el salón.

Me interesa, como siempre, ver cómo las circunstancias van a hacer cambiar a los personajes. Es como meterlos en un caldo de cultivo. En ocasiones se puede comprobar que gente muy inteligente y civilizada, ante una situación de peligro común, se vuelve brutal, se animaliza. Y al revés. A unos la experiencia los mejora, a otros los empeora.

J. de la C.: Hacia el final parece que el aventurero y la sordomuda han salido mejorados e iniciarán una nueva vida. No es el caso de *El ángel exterminador*... donde los personajes vuelven a su modo de vida... y a quedar encerrados.

Por eso les digo que no se pueden establecer reglas, tesis ni mensajes. No hago «cine de ideas». Hay, desde luego, ideas a las que soy fiel, y podría decirles que muchas son las mismas que tenía a los veintiocho años, aun cuando algunas haya tenido que matizarlas, porque la realidad me ha obligado a ello. Yo expongo, no impongo, esas ideas. Y más que ideas, son imágenes, sentimientos. Pero me sucede frecuentemente que en un argumento, o durante el rodaje, apenas pongo algo que parece tener un significado cierto, inmediatamente me viene a la imaginación lo contrario.

J. de la C.: ¿La dialéctica de Buñuel?

No. Tampoco es un sistema y menos un método filosófico. Quizá sucede que me avergüenzan las afirmaciones rotundas o las negaciones tajantes. Me gusta lo que le dice Pilatos a Jesús: «¿Qué es la verdad?» En eso entiendo más a Pilatos que a Jesús. Me simpatizan los que se esfuerzan en buscar la verdad; disiento de los que hablan como si la hubieran encontrado.

J. de la C.: Borges dice que «los españoles hablan como quien desconoce la duda».

Lo acepto, pero no se aplicaría sólo a los españoles.

T.P. T.: Volviendo a lo que usted nos decía: que le interesan los personajes que cambian. El cura de *La muerte en este jardín,* **por ejemplo, termina usando el cáliz como un simple vaso, y arrancando una hoja de la Biblia para encender una fogata.**

Porque interviene algo más fuerte que sus verdades o sus dogmas: la necesidad. Además lo hace por espíritu cristiano y por ayudar a los demás. El personaje que cambia radicalmente es el de Vanel, que se convierte en una fiera enloquecida. Esa es la otra posibilidad de una situación como la de la película.

J. de la C.: Hablemos un poco más del «salón en la selva». La situación es ésta: los personajes encuentran los restos de un avión caído entre la vegetación y sacan de él víveres, champagne, vestidos de gala, y hacen en la selva un salón mundano, efectivamente. Esto es una especie de conjuro que les permite detener en ellos el avance de lo selvático... Pero el hallazgo del avión ¿no es demasiado «providencial»?

Tal vez, pero no me importaba. Me atraía eso de convertir la selva en un salón. Es una especie de ventana a la imaginación, ¿verdad? Un personaje contempla una postal de París y se siente en una calle o un bulevar, con las luces de neón, los vehículos que pasan. La realidad, sin la imaginación, es la mitad de la realidad. Ya saben ustedes que no soy neorrealista. Además, en la situación más terrible puede haber un respiro.

T. P. T.: Yo veo ese «salón en la selva» de otra manera. Durante el trayecto por la selva, los personajes se han solidarizado y han postpuesto sus conflictos personales en nombre de la salvación común. Encuentran el avión, los vestidos, las joyas... y vuelven a hacerse fieras.

Ésas son consideraciones *a posteriori*. Lo primero que atrajo mi imaginación es esa *soirée* en medio de la naturaleza salvaje. Si ustedes quieren, es como un cuadro surrealista, como un «collage» de Max Ernst, como los cuartos de res en el interior de un tranvía, en *La ilusión viaja en tranvía*.

T. P. T.: En esa secuencia, el cura, que había quemado una hoja de la Biblia para hacer una fogata, y dado de beber agua en el cáliz, vuelve a su código de valores. Dice que quitarles las joyas a los muertos del avión es un robo. O sea: retorna a la idea de que la propiedad es sagrada.

Porque no puede ser absoluto su cambio. Quedan algunas de las viejas ideas, luchando con las ideas nuevas. Yo, por ejemplo, ya les he dicho que dejé de ser religioso desde la adolescencia. Pero ¿creen ustedes que no tengo todavía en mi forma de pensar muchos elementos de mi formación cristiana? Entre otras muchas cosas, una ceremonia en honor de la Virgen, con las novicias en sus hábitos blancos y su aspecto de pureza, puede conmoverme profundamente.

J. de la C.: Pero por razones llamémoslas poéticas, no religiosas.

Puede ser por muchas razones. Incluso eróticas, ¿verdad? Pero ¿por qué esa ceremonia y no otra? A mí, por ejemplo, un baile de unas bellísimas huríes en un harén no me atrae como esa ceremonia. Es decir: ha quedado un trasfondo cristiano, católico. Yo no soy de la «grey», pero ¿cómo puedo negar que estoy marcado culturalmente, espiritualmente, por la religión católica?

T. P. T.: Entre los personajes está la joven sordomuda. ¿Por qué sordomuda?

¿Y por qué no? También podría cantar ópera como los mismos ángeles y eso podría interesarme. Pero sin duda me atrae que sea sordomuda porque eso, entre personajes que hablan, introduce una dimensión insólita y hace la actuación, quizá, más interesante para el espectador: hay que adivinar lo que piensa y siente a través de sus miradas, sus gestos.

T. P. T.: Es el personaje más puro. Y curiosamente se salva junto al aventurero.

Se salva por su inocencia, no porque sea sordomuda. Y el aventurero se salva por algo muy distinto: porque está mejor capacitado para las pruebas difíciles, es el más fuerte y tiene más sangre fría. O sea que sobreviven el más fuerte y el más débil. ¿Por qué? No sé. La naturaleza no actúa según las leyes humanas: es ciega.

16. *Nazarín*

T. P. T.: *Nazarín* **significa el primer encuentro de usted, cineasta español, con el más grande novelista español después de Cervantes. Podría pensarse que ese encuentro debería producirse algún día. Pero ha tardado en ocurrir.**

Ya por los tiempos de *El gran calavera* yo había intentado filmar *Nazarín*. Tenía comprados los derechos de esta novela y de *Doña Perfecta* a la hija de Pérez Galdós, doña María. El productor, Pancho Cabrera me dijo que, mientras yo trabajaba en la adaptación de *Doña Perfecta*, él trabajaría en la de *Nazarín*. Me trajo su adaptación poco después y era increíble, lo peor del mundo: Nazarín se arrodillaba ante la Virgen y exclamaba, con los ojos en blanco: «¡Oh Madre Santísima, amparo de los pecadores!», etc. Le dije que mejor filmáramos *Doña Perfecta* y ya antes de comenazar mi trabajo apareció una noticia en los periódicos: Roberto Gavaldón iba a dirigir la película. Le pedí explicaciones a Cabrera y él me dijo que la estrella iba a ser Dolores del Río y que ella había preferido ser dirigida por Gavaldón. «Lo siento mucho -añadió-, pero ya ha cobrado usted diez mil pesos y estamos en paz.» Pero si yo había comprado el argumento era porque deseaba dirigir la película. Recurrí al sindicato y Cabrera tuvo que pagarme el resto. Finalmente la película la dirigió, no Gavaldón, sino Alejandro Galindo. Bien: entonces no se hizo *Nazarín*. Más tarde hubo el proyecto de hacer *Tristana* con Silvia Pinal y Ernesto Alonso en los papeles principales, pero no se llegó a nada concreto. Cuando en 1957 Barbachano Ponce me propuso una película, consideramos varias posibilidades. Una de ellas era, otra vez, *La casa de Bernarda Alba*, que desechamos, por-

que me parecía un tema demasiado español y el teatro de Federico se basa ante todo en la palabra. Hubo un proyecto más, *El acoso*, de Alejo Carpentier, que como historia me atraía más para filmarla. La adaptación avanzó bastante, pero descubrí que no sabía qué hacer con ella. Me resultaba como una simple película de aventuras nocturnas, parecido a una inglesa en la que también había un hombre perseguido en la noche.

T. P. T.: *Odd man out*, **de Carol Reed, con James Mason.**

Sí. Finalmente me decidí por *Nazarín*, que me interesaba como tipo humano, como conflicto espiritual, religioso, moral, etc. Era una obra escrita ochenta o noventa años antes pero que podía situarse en México en el periodo del dictador Porfirio Díaz y las situaciones seguirían siendo parecidas. Además podía introducir muchos elementos personales, y más de hoy, sobre el cristianismo, la caridad.

T. P. T.: **Creo que usted estaba ya rondando a este personaje, por ejemplo: el padre Lizardi en** *La muerte en este jardín*.

¡Pero no hay comparación posible! Nazarín es siempre un hombre puro, mientras Lizardi es un cura cualquiera, humano, pero no excepcional. Nazarín es un hombre fuera de lo común y por el que siento gran afecto.

J. de la C.: **En la concepción de Pérez Galdós ya el personaje es como un cruce de Cristo y Don Quijote.**

Sí, es un Quijote del sacerdocio, y en lugar de seguir el ejemplo de los libros de caballería, sigue el de los Evangelios. En vez de tener al

escudero Sancho Panza, es acompañado por dos mujeres, que son un poco sus «escuderas». Al mismo tiempo, Beatriz podría ser la Magdalena y Andara sería una versión femenina de San Pedro (por ejemplo: Pedro saca la espada cuando prenden a Cristo; Andara golpea a un guardia cuando apresan a Nazarín).

J. de la C.: ¿Desde cuándo es usted «galdosiano»?

No soy un galdosiano viejo. En mi juventud Galdós nos interesaba muy poco a mí y a mis amigos. Galdós nos parecía anticuado y un poco farragoso. Fue más tarde, en el exilio, cuando empecé de verdad a leerlo, y entonces me interesó. Encontré en sus obras elementos que podríamos incluso llamar «surrealistas»: amor loco, visiones delirantes, una realidad muy intensa con momentos de lirismo. *Nazarín* es una novela de su última etapa y no de las mejor logradas, pero su historia y su personaje son apasionantes, o por lo menos a mí me sugerían muchas cosas, me inquietaban.

J. de la C.: Un crítico hablaba de la influencia de Goya en la película.

Tal vez lo diría por el enano Ujo, pero Goya no fue el que pintó enanos, sino Velázquez, y lo mismo podría hablarse de influencia velazquiana. Pero ni Velázquez ni Goya ni El Greco ni el Museo del Prado entero... No busco el ejemplo de los pintores. Es un tópico: Buñuel cineasta español: Buñuel influido por Goya y Velázquez, y hasta por la fiesta de toros. Hombre, mucho de lo español tiene que haber influido en mi vida, pero si en una película hay un detalle que pueda parecer una cita cultural, lo suprimo.

J. de la C.: Y sin embargo, Galdós...

Claro, en este caso partí de un novelista español. Pero también he utilizado novelas de Usigli, Defoe y Mirbeau, sin ser usigliano, defoiano ni mirboiano. Por lo demás, si se fijan bien tanto *Nazarín* como *Tristana* son muy diferentes en forma de libros y en forma de películas. En el final de la novela, Nazarín delira y cree estar oficiando una misa; en el final de la película, nada de eso. Quiero decir otra cosa: *Nazarín* no es una de las grandes novelas de Galdós, y tampoco *Tristana*. No se comparan con *Fortunata y Jacinta* o la serie de *Torquemada*. Cuando filmo una novela, me siento más libre si no es una obra maestra, porque así no me cohíbo para transformar y meter todo lo que quiero. En las grandes obras hay un gran lenguaje literario ¿y cómo hace usted pasar eso a la pantalla?

J. de la C.: ¿Por eso, a fin de cuentas, no

▲ Rodando *Nazarín* (Buñuel con Francisco Rabal).

ha filmado usted ni a Valle-Inclán ni a García Lorca?

Valle-Inclán es extraordinario de lenguaje, con sus neologismos, sus valleinclanismos. Es muy literario en el mejor sentido de la palabra. Tampoco García Lorca me interesa para el cine.

T. P. T.: Acerca de *Nazarín*, algunos críticos dijeron que la película era poco mexicana, que sus personajes no encuadraban en el país.

No recuerdo si esto sucedió con Pancho Cabrera o con Barbachano Ponce, pero en la escena en que las tres prostitutas del vecindario insultan a Nazarín, me objetaron que no era verosímil: tres mexicanos no insultan a un sacerdote, y menos en tiempos de don Porfirio. Ya lo sé, pero no me proponía hacer una película con esa clase de verosimilitud, sino sobre un cura excepcional, que quiere vivir de acuerdo a la letra y al espíritu del cristianismo original.

T. P. T.: ¿Tendrían razón los que ven *Nazarín* como una película cristiana, y a usted como un cristiano encubierto?

Pertenezco, y muy profundamente, a la civilización cristiana. Soy cristiano por la cultura, si no por la fe. En cuanto a *Nazarín*, puedo decirles que si yo estuviera tan cerca de la cultura budista como lo estoy de la cultura cristiana, podría haber hecho tal vez un *Nazarín* budista. Pero, como ya les he dicho, lo oriental a mi no me atrae gran cosa. Ya sé que *Nazarín* puede ser vista como una «película» y hasta «catolicísima». En Cannes hubo tres votos a favor y cinco en contra cuando se propuso darle un premio católico. Un día, Federico Amérigo, el jefe de producción de la película, me dijo que debía irme a Nueva York porque allí el cardenal fulano me iba a premiar la película. Me negué. No es una película católica ni anticatólica. El protagonista no quiere evangelizar, no desea convertir a nadie. Quiere ir por los campos, vivir de limosna, pero no es un misionero, no busca hacer prosélitos. Claro, lo impulsa su creencia, su ideología. Lo que me conmueve es lo que pasa dentro de él cuando esa ideología fracasa, porque donde Nazarín interviene, aun con la mejor voluntad sólo provoca conflictos y desastres. Hay un episodio, que no está en Galdós, en que Nazarín se ofrece a trabajar a cambio sólo de la comida. Los otros obreros llegan y le dicen: «Con eso nos perjudicas a todos; vete.» Sin

saberlo, está haciendo de esquirol. Al capataz no le conviene que se vaya un obrero tan barato y riñe con los obreros. Cuando Nazarín está ya lejos, por el camino, se oye un disparo. El incidente quizá ha costado una muerte, sin que el bueno de Nazarín se entere.

J. de la C.: O sea: Nazarín se «proletariza» por un momento, pero no llega a tener «conciencia de clase».

No es un cura obrero. No podría serlo por la época en que ocurre la historia. Por lo demás, yo traslado un conflicto de hoy al México porfiriano. Muy seguramente en esos tiempos unos peones de carretera no encontrarían mal que un hombre vendiera su fuerza de trabajo sólo por la comida, pues tal vez ellos habrían hecho lo mismo.

J. de la C.: Pero en esa época, en México, ya había anarquistas, inquietud gremial, esbozos de sindicalismo.

Tal vez, pero no como ahora. Yo creo que lo que el peón inconforme le dice a Nazarín es sobre todo una actitud moderna. Por lo demás, Nazarín no tiene ni idea del sindicalismo, desconoce todo acerca de los problemas obreros. Siente la injusticia social, claro, pero no se la explica en términos de lucha de clases. El episodio muestra sólo cómo un hombre bueno, necesitando comer, provoca un conflicto sin quererlo.

J. de la C.: El episodio de los peones sería una especie de apólogo, como el del perro atado al carro en *Viridiana*.

Muy bien visto, aunque la palabra apólogo no me guste. Si se quitara ese episodio, la película sería poco más o menos la misma. Dejando el episodio en ella, la historia queda reforzada y enriquecida, a mi juicio. Nos muestra cómo un hombre tan puro y bueno, con tal amor por sus semejantes, fracasa en un mundo que es como es.

T. P. T.: Nazarín también fracasa en su actitud cristiana.

J. de la C. Porque, para poner un caso, no logra que la moribunda, en el pueblo de la peste, encomiende su alma a Dios.

A Nazarín llega un momento en que le falla todo. Además él mismo es contradictorio. El cree en la limosna, ha predicado a favor de ella. Al final, cuando una pobre mujer le da una piña, se niega a aceptarla. Para mí, allí Nazarín falla, porque está rechazando lo que ha sido el principio de su vida, sus creencias. Y se va llorando.

J. de la C.: Un momento, don Luis, olvida usted algo. Nazarín rechaza la piña, pero apenas da unos pasos, vuelve atrás, acepta la piña y la agradece. Después de esta aceptación es cuando empieza a llorar. Entonces se puede interpretar ese llanto muy de otra manera de como usted lo hace. El gesto generoso de la mujer ha conmovido a Nazarín, le ha devuelto un poco de esperanza.

Me parece bien que usted interprete así ese momento, pero, cuidado, yo no pretendo que Nazarín vuelva a tener fe en la religión o en los hombres, ni tampoco que esa fe la haya perdido totalmente. Lo que yo podría decirles es que esa actitud de Nazarín me intriga tanto como a ustedes. Y me conmueve. ¿Qué va a ser de este hombre, después de tan tremendas experiencias? No sé.

J. de la C.: Con la famosa ambigüedad de Buñuel hemos topado, Tomás.

(*Ríe.*) La ambigüedad siempre flota por ahí. Pero, hablando en serio, no es que me proponga en mis películas poner cosas que lo mismo se pueden interpretar en blanco o en negro. Sería hacer trampa. Lo que sé es que cualquier hombre, en una situación semejante a la de Nazarín, tiene impulsos contradictorios. Supongamos que soy Nazarín y estoy interiormente destruido, abrumado por mi fracaso como cura y como hombre. Me ofrecen una piña, por compasión, y mi primer movimiento es rechazarla. ¡Para piñas estoy yo ahora! Luego doy unos pasos y recapacito: esa pobre mujer me ha ofrecido lo que puede dar; no ve en mí a un cura ni a un delincuente, sino a un hombre en desgracia; yo, en cambio, he tenido con ella un gesto violento de rechazo, una falta de humildad. Y vuelvo atrás y acepto la piña. No hay teorías ni metafísicas en la escena. Yo habría actuado así. Nazarín me es muy cercano.

J. de la C.: El momento es especialmente significativo porque es el final de la película. Y cuando aparece la palabra «Fin», la i tiene la forma de la cruz.

No lo recordaba. Pero ése es un detalle del que hizo los letreros de la película, y de eso no me ocupé. Lo que yo sí puse, porque por razones sindicales había que usar alguna música, fue el redoble de los tambores de Calanda. Y me pareció bien ponerlos por razones de intuición, de sentimiento, no por dar alguna significación.

T. P. T.: Pero, se quiera o no, todo es susceptible de alguna significación en una película, porque no se trata de un árbol o de una nube que por casualidad salió en el encuadre, ni de unos sonidos captados al azar por el micrófono. La piña, los tambores, finalmente ha decidido usted que estén. Y no en cualquier momento, sino cuando la película se cierra.

Lo acepto, pero no se trata de interpretaciones en un sólo sentido. Yo dejo la interpretación abierta al espectador. En cuanto a la mía, tal vez tendría que hacerme un psicoanálisis para saber por qué están allí esos detalles que me atrajeron y conmovieron. Lo malo, como ya creo haberles dicho a ustedes, es que según un psicoanalista yo soy no-psicoanalizable. Desde luego, no faltarán «los que digan que la piña es una afirmación fálica, para no variar.»

J. de la C.: Un dato tenemos seguro: los tambores de Calanda se repiten. Se oyen por primera vez en *La Edad de Oro* y por segunda vez en *Nazarín* y en situaciones que son semejantes en esto: son finales, son momentos de desesperación o de incertidumbre.

T. P. T.: Y no podemos menos que preguntarnos si no hay algún vaso comunicante entre el protagonista de *La Edad de Oro* y el de *Nazarín*.

No hay ninguna relación entre los personajes. Modot es en *La Edad de Oro* un hombre destructor, un subversivo. Nazarín, no. Sería todo lo contrario.

J. de la C.: Me llama la atención esto que nos dice usted ahora del personaje de Modot. Siempre lo interpreté como un burgués preso en el código moral de su clase y que de pronto se rebela.

El personaje de Modot surge de la nada y ni siquiera sé si es un burgués. Es un personaje un poco fantástico, aunque lleve traje y corbata. Es un surrealista natural. Va hacia el amor como una mariposa hacia una llama, pero destruye todo a su paso, no por torpeza como Nazarín, sino por rabia y un poco por capricho, quizá. Nada indica que desde el comienzo esté «preso en el código moral de una clase», como dice usted.

J. de la C.: Pero se supone que tiene una

posición social, que está investido de una misión humanitaria y muy honrosa.

¡Pero esa misión es un detalle absurdo, puesto allí como un champiñón! Lo que me gusta de la escena en que muestra sus títulos, el pergamino con la misión humanitaria, es el absurdo mismo. Ese título puede estar falsificado, puede habérselo robado a un ministro.

T. P. T.: Yo también, y muchos críticos, hemos interpretado a ese personaje de manera semejante a como lo hace De la Colina: Modot comienza siendo un hombre preso de las convenciones de clase y finalmente es un rebelde, arrastrado por la fuerza del deseo. Viste y se peina convencionalmente, está en relación previa con un ministro, aunque luego lo mande a la porra...

No estoy de acuerdo con ustedes. ¿Qué es lo primero que le vemos hacer en la película? Revolcarse en el barro con su amada, a la vista de todas las personas que van a inaugurar la Nueva Ciudad. Es decir: que comienza y termina haciendo cosas *en contra*. Si unos críticos, un librito, o varios libros, o muchos psicoanalistas interpretan eso de otra manera, me parece muy bien, están en su derecho... Pero yo no estoy de acuerdo.

J. de la C.: ¿Estaré entonces en mi derecho de dar una interpretación del redoble de Calanda en *Nazarín*?

Bueno, venga.

J. de la C.: El redoble es el de un fusilamiento: *usted* fusila al sacerdote Nazarín, pero deja vivo al hombre Nazario.

No, qué barbaridad, no es un fusilamiento, aunque como delirio de interpretación no está mal. La Iglesia misma no se propone fusilarlo. Le dicen: «Usted ha dejado muy mal parado su sacerdocio. Lo llevarán a usted aparte de los otros presos y sin ropas de sacerdote.» Eso es todo.

T. P. T.: En la película hay además otros curas. Uno es un cura «Chocolatero» que echa amablemente a Nazarín de su casa, porque no quiere problemas. Otro es un cura completamente imbécil y que acepta sin protestar el maltrato que da un militarote a un pobre campesino.

Ese momento me gusta, porque se ve el lado quijotesco de Nazarín. En el camino hay un carricoche parado, porque la mula que tira de él se ha sentado. Un cura y un militar esperan que el problema se arregle y Nazarín se ofrece a echar una mano. Pasa por allí un humilde «indito», en silencio, y el militar lo increpa porque no los ha saludado. Nazarín se indigna y dice, muy digno, al militar: «Ese ser al que usted trata como a una bestia, es un hombre como usted y como yo, y no hay derecho a tratarlo como lo haría un déspota de esta época o de todas las épocas». Lo dice con auténtica indignación pero también con cierta retórica, ¿verdad?, y los otros no pueden creer lo que oyen. El cura dice: «Déjelo usted, coronel, ha de ser uno de esos elementos subversivos que tienen tan atareado al gobierno.» Sí, Nazarín es quijotesco, pero la diferencia es que Don Quijote a veces está loco y a veces no, y Nazarín siempre está cuerdo. Tampoco es un revolucionario, aunque quizá un día podrá ser un revolucionario puro y un tanto inocente. Nazarín acaso termine creyendo más en el individuo que en Dios o la sociedad. Yo también creo más en el individuo que en la sociedad.

T. P. T.: ¿En esta sociedad o en cualquiera que pueda haber?

En cualquier sociedad. En una época, mis simpatías iban hacia el movimiento colectivo, hacia el socialismo. Era mi reacción contra el sistema organizado. Simpatizaba con todo lo que pudiera destruir la sociedad existente, convencional e injusta. Pero pienso ahora que cuando esa sociedad es destruida, aparece otra que termina siendo lo mismo... de otra manera. No sé si es cierto eso de la tesis, la antítesis o la síntesis. Soy actualmente un escéptico, digamos un escéptico bien intencionado. Quiero decir que conservo mi simpatía para aquellos que creen en lograr una sociedad mejor, y si puedo, ayudaré a que así sea. Puedo pensar que el comunismo sigue siendo por ahora el más firme pilar de la revolución mundial, aunque yo en realidad ya estoy fuera de esa lucha. No puedo proponer soluciones, no sé cuáles serían. Simplemente procuro no traicionar mis convicciones de juventud, hacer el menor daño posible. Y trato de que mis películas sean moralmente honradas.

J. de la C.: Lo que alguien dijo: «Si no puedo cambiar el mundo, por lo menos procuraré que el mundo no me cambie a mí.»

Además, a mi edad, ya sería difícil cambiarme. Y creo que los sistemas cambian, pero que los hombres son esencialmente los mismos... Ojalá esto no suene a una de esas «verdades» que hacen temblar los siglos, a una declaración solemne para la televisión. Pero...

¿por qué estamos hablando de esto y no de las películas?

J. de la C.: Porque usted a veces se pone muy hermético respecto a sus películas: «Esa escena no significa nada deliberadamente, eso lo puse porque lo sentí así; esto otro me gusta o me disgusta, no sé por qué.» Y yo a veces trato de asaltarlo a usted desde otra dirección... aunque nos vamos por los cerros de Ubeda. A veces tengo la impresión de que estas entrevistas deberían titularse: *Asaltos a la esfinge Buñuel*. Y a veces, incluso, hago frente a usted de abogado del diablo.

T. P. T.: Pues bajemos de los cerros de Ubeda y volvamos a *Nazarín*. Cuando éste se halla en la cárcel, el «buen ladrón» le dice: «Tú haciendo el bien y yo haciendo el mal, ninguno de los dos servimos para nada.» ¿La acción del hombre no modifica el mundo en algún sentido?

Tal vez lo modifica, sí, pero ¿en sentido positivo? No lo sé, aunque —perdón— me atrevería a decir que no. La sociedad va de mal en peor. Antes los hombres también se mataban entre sí, pero no en la escala en que lo hacen ahora, que es ilimitada. En nuestra época científica y tecnológica, el hombre está moralmente como en la edad de las cavernas. Mucho peor que en épocas pasadas, con una mayor carga de azufre. No quiero hacer el papel de profeta, pero pienso que nos acercamos a la catástrofe final. Si no es por la bomba atómica, será por la destrucción del medio ambiente. Miren ustedes la publicidad que se le da a la violencia. El exceso de información es como la peste. Hoy los terroristas tienen más cartel que las estrellas de cine. Se suponía que en nuestro siglo iban a acabarse las dictaduras, pero termina una y surgen dos. Y el *smog*, y la pesadilla del ruido y de la música enlatada, y el caos que son las ciudades. No creo más en el progreso social. Sólo puedo creer en unos pocos individuos excepcionales y de buena fe, aunque fracasen, como Nazarín.

J. de la C.: Usted se ha referido a la peste. En *Nazarín* hay una larga secuencia sobre

▲ «Un Quijote del sacerdocio.»

un pueblo apestado. **Todos recordamos una imagen terrible: la niña que llora arrastrando una sábana por una calleja.**

Esa imagen resume la peste. Una escena así no puede ser prevista en el guión. Estoy filmando en una calleja solitaria, casi en ruinas. De pronto surge en mi mente una imagen: una niña que avanza arrastrando una sábana. Tengo así una imagen irracional, pero que resume la tragedia. La sábana orinada, arrugada. La idea de algo humillado, ultrajado. La asociación, claro, vino sin saberlo. Creo que finalmente no llegué a poner en la sábana el vómito ni el excremento. No soy tan naturalista, no me atrevo. Cuidé, eso sí, de que la sábana se viera muy extendida, muy larga.

T.P. T.: Usted dice que detesta los símbolos, pero yo creo que la secuencia de la peste resume un poco la película. El Mal es la Peste. Es imposible detener la peste, pero dentro de ella se pueden dar la esperanza y el amor.

Lo acepto. La esperanza tal vez no; el amor, sí. Nazarín se inclina hacia la muchacha moribunda y trata de hacerla «arreglar cuentas» con Dios, para que vaya al cielo. La muchacha dice: «Cielo, no; ¡Juan, Juan!» Es decir que a ella le importa más la presencia del hombre amado que la salvación de su alma. El hombre llega, echa al cura y a las mujeres, y besa en la boca a la moribunda, sin temor al contagio. Esto me conmueve de verdad: es el amor total y a pesar de todo. Un amor que ni siquiera cuenta con la esperanza.

T. P. T.: Lo cual hace recordar el beso de Heathcliff al cadáver de Catherine en *Abismos de pasión.*

Sí, el amor que se afirma por encima de todo lo demás. ¿La idea es demasiado romántica? Tal vez, pero me sigue emocionando. Si se fijan ustedes, hay mucho amor humano en *Nazarín.* El de Beatriz y El Pinto, el del enano por Andara, el de las dos mujeres por Nazarín. Y el de la muchacha moribunda.

T. P. T.: La relación entre Andara y el enano, ¿está en Galdós?

Sí. También usé un recurso de Galdós: disfrazar las malas palabras: por ejemplo: poner «¡puño!» en lugar de «¡coño!».

T. P. T.: Esta es otra de las cosas por las cuales se ha dicho que Nazarín no encuadra con México.

Ya les digo que eso no me importa mucho. Si no es México ni España, es un país posible el que muestro en la película. Aparte de que ustedes saben que en muchos detalles —si no en ésos, precisamente, sí en otros— México es muy español. Lo es y no lo es, eso lo hace más interesante. Pero me importaba más ese amor del enano Ujo, y lo que dice: «Todos te dicen mujer pública, pero yo te estimo, ¡puño!»

J. de la C.: Ujo es un personaje «fuera de serie» en el realismo convencional del cine. Resulta poéticamente desarreglador que ese enano feo, enamorado de una prostituta, se comporte como un enamorado romántico. Poe y Hoffmann se atreverían a esa mezcla de sublime y grotesco, o tal vez los primeros cineastas, como Griffith, acaso Stroheim... Pero rara vez se ve hoy una escena como ésa en que Ujo sigue a Andara, que llevan presa, y cae exhausto y la ve alejarse y cuando ella le grita adiós, baja los ojos llevándose la mano al pecho, como un galán de vieja película «romántica»... A usted lo emparentan también con la novela picaresca española, pero Ujo no es, en ese sentido, un personaje picaresco. Es totalmente romántico, como el Quasimodo de Hugo. Una mezcla de gárgola y ángel. O un monstruo angélico. Y Nazarín, por cierto, parece ser un imán para los personajes al margen, los que la sociedad desecha.

T. P. T.: Y al mismo tiempo parece ser insensible al amor que le ofrecen los otros personajes, como Andara y Beatriz.

No es insensible y seguramente tampoco es impotente, pero para él todo eso se funde en el amor divino, en la comunión cristiana. Tal vez el personaje podría, en algún momento, sentir inclinación carnal por Beatriz y hasta por Andara. O responder sexualmente a Andara por compasión. Pero es casto, por convicción. Además, este asunto daría otra película: el curita y la tentación, etc. Y sería ridículo: «Ven, Andarita, vamos a acostarnos un rato.» Andara tiene tal vez un amor más puro por Nazarín que el que tiene Beatriz. Finalmente sería más posible que Andara llevara una vida santa, conventual, y no Beatriz. Esta se horroriza y le da un ataque cuando su madre le dice que quiere a Nazarín «como hombre»: es porque hay algo de eso, pero ella lo rechaza.

J. de la C.: Hay una escena muy bella y muy irónica al mismo tiempo. Nazarín y las dos mujeres están descansando por la noche

en el campo, ellas apoyadas junto a él, los tres sentados en un tronco. Allí se desata una pequeña tormenta de celos entre las mujeres y mientras tanto Nazarín se ocupa... de una oruga.

Pero no lo hace por ironía hacia las mujeres. Es su lado franciscano: «Hermana oruga.» Para él todo entra en el amor universal, el de Dios por sus criaturas.

J. de la C.: Queda claro todo lo cristiano que es Nazarín, no el cristianismo... de Cristo. La única imagen de Cristo que hay en la película es el cromo que Andara ve durante su fiebre: lo ve como un hombre diabólico, riendo a carcajadas. Usted, en sus primeros textos surrealistas, «Una jirafa», ya había registrado: «Cristo riendo a carcajadas.»

Aquello era una ocurrencia surrealista. Andara, en cambio, está delirando.

T. P. T.: Por cierto que cuando la película pasa por televisión suprimen esa imagen. Delirio o no delirio, es considerada demasiado fuerte para el público mexicano.

No sabía eso, porque no veo televisión; no soporto los anuncios comerciales. Por lo demás, eso de la risa de Cristo no tiene por fuerza que ser un detalle diabólico. Cristo ¿no habrá reído nunca a carcajadas? En *La vía Láctea* lo muestro afeitándose la barba. ¿Por qué no? No creo que esos detalles sean diabólicos ni profanatorios. No veo por qué Cristo tendría que haber sido siempre un señor solemne y barbado que anda majestuosamente y sólo suelta frases para la posteridad. Y por otro lado, la imagen convencional de Cristo puede ser interesante: por algo es la que se ha quedado en la memoria de la gente.

J. de la C.: Nazarín podría ser un Cristo «desmitificado».

Podría ser, pero es Nazarín.

▲ **La escena del delirio de Andara.**

17. *La fièvre monte à el Pao. La joven*

T. P. T.: Parece que usted no guarda muy buenos recuerdos de *La fièvre monte à El Pao* **(en español** *Los ambiciosos*)**.**

No, y Gérard Philipe tampoco los tenía. Es la última película en la que actuó. Un día, durante el rodaje, nos quitamos las máscaras, cordialmente. «¿Por qué ha aceptado usted hacer esta película?», le pregunté. «No lo sé», me dijo, «¿y usted?» «Tampoco lo sé», le respondí. Nadie sabía por qué estaba en la película. A Gérard no le iba bien el papel, no era el hombre para el personaje, y eso se notaba hasta en el hecho de que llevaba la pistola al cinto como un colgajo.

J. de la C.: Pero ¿Cómo surgió el proyecto?

Me lo propuso mi agente desde París. Cierto productor quería hacer una película conmigo y vino a verme a México. La verdad es que no me interesaba gran cosa el asunto y lo acepté porque en aquellos momentos tomaba todo lo que me ofrecían, siempre que no fuera indigno, —pues no tenía dinero, vivía al día. Y creo que finalmente se nota mi desinterés. Resultó una película muy rutinaria, hecha para salir del paso.

J. de la C.: Sin embargo, en principio, podía haber sido interesante como una fábula política. Me parece que se intenta mostrar la imposibilidad de cambiar la sociedad desde dentro del poder establecido.

Algo hay de eso. El personaje de Philipe es un idealista que quiere acabar con la dictadura y se mete en el engranaje de ésta para hacerlo, pero al final fracasa porque el engranaje lo atrapa. Debo decir que las películas políticas, por lo general, no me interesan. Objetivamente, entiendo el interés que puedan tener, pero no me interesa hacerlas, no siento que sean mi terreno.

T. P. T.: El protagonista tiene ciertos rasgos que lo acercan a Nazarín. Es un idealista que no se da cuenta de nada de lo que realmente sucede. Quiere ser justo en un sistema de injusticia y todo lo hace mal, empeora las cosas.

El parecido con Nazarín es sólo superficial. En abstracto, el personaje, Ramón Vázquez, me era simpático humana y políticamente, pero finalmente me di cuenta de que no me conmovía. Quizá por eso muere al final. No recuerdo bien cómo.

T. P. T.: Elige conscientemente la muerte. Su rasgo positivo es darse cuenta de que todos sus intentos no han servido para nada. Está en el poder, pero todo sigue igual. Lo único que ha conseguido es «humanizar» la represión, es decir: ayudar a hacerla tolerable.

Recuerdo muy mal el argumento, seguramente porque quisiera no haber hecho la película. Claro que, a pesar de todo, traté de hacer las cosas bien, profesionalmente, e incluso meter siempre detalles interesantes. En la película había demasiados diálogos, las situaciones se resolvían con palabras, y como esto no me gustaba, procuré enriquecer las escenas... mediante ciertos plagios. No sé si ustedes habrán advertido esos plagios. Son plagios muy decentes, aclaro, porque los hice sobre obras que son del dominio público.

T. P. T.: ¿Por ejemplo?

Ya les he dicho que los argumentos de las óperas me dan ideas para los míos. En *La fièvre* plagié el final de *Tosca*. María Félix se desnuda ante el tirano y se le ofrece para salvar la vida de Philipe. En *Tosca* es igual, y cuando el tirano firma el salvoconducto, Tosca lo apuñala. No sirve de nada, porque finalmente el héroe es fusilado. He sido un fanático de la ópera italiana. Yo tenía un libro maravilloso, que he perdido, con los argumentos de unas cuatrocientas óperas. Excelentes argumentos, melodramáticos, fuertes, de pura acción.

T. P. T.: El problema de la película es que no sólo está muy «hablada», sino además las situaciones se resuelven más verbal que visualmente.

Eso es. Y a pesar de todo yo busqué elementos que dieran vida a las escenas. Había un momento en que Philipe debía declararse a María Félix. ¿Cómo filmar eso sin caer en la palabrería? Se me ocurrió que María Félix rompiese un armario de cristal y ordenase a Philipe que recogiera los cristales. Así ella afirmaba su dominio sobre él, ¿verdad? Entonces Philipe se le declaraba al mismo tiempo que recogía los cristales como lo haría un criado. Esa contradicción podía ser interesante y hay unas cuantas pequeñas ideas como ésa en la película. Lo malo es que quizá no se notan. Lo que sentí mucho es que Philipe haya muerto muy poco después del rodaje y haber sido yo el que le dirigió en una de sus películas más flojas. No pudimos ninguno de los dos «sacarnos la espina» con algo mejor hecho.

LA JOVEN

J. de la C.: Creo que *La joven* es un «buen Buñuel menor», una película lograda, pero un tanto impersonal.

¿Ah, sí? Yo al contrario, creo que es una de mis películas más personales.

J. de la C.: Quiero decir que si yo no supiera que la película es de usted, podría salir del cine diciendo: «He visto una buena película de un cineasta desconocido.» No habría advertido «lo de Buñuel».

Me parece que eso podría ocurrir con *Cela s'appelle l'aurore*, que sí es más impersonal en la realización. Con la misma idea, la podría haber hecho cualquier director. *La joven* es una película más mía. Hay muchos detalles: los pies del cadáver, las arañas, las gallinas, la imparcialidad: el film no es ni pro-negro ni pro-blanco. Incluso dejo justificarse al blanco racista cuando habla con el negro. El racista dice al negro maniatado: «Siento que sufras, porque tienes sangre y en algo te pareces a mí, pero tú no tienes alma, eres como un animal.» No hay malos ni buenos absolutos. El racista da al negro un cigarrillo, agua para beber, pero no puede verlo como un semejante. Esto no se debe a la maldad, sino a ciertas influencias sociales. Estas ideas son mías —aunque no

sean geniales— y creo que se advierten en la película.

J. de la C.: Tal vez mi impresión de «impersonalidad» de la película provenga de que está producida al modo norteamericano.

Los actores son norteamericanos, salvo Claudio Brook, y lo es también el adaptador, Hugo Butler, y el productor, aunque hayamos filmado en paisajes de México. Y desde luego, el tema es norteamericano.

T. P. T: Usted detesta el cine de tesis, pero *La joven* sería una película de clara tesis antirracista.

El racismo es uno de los problemas que trata el argumento, pero quizá no el único. Está también, no lo olviden, el de la relación erótica entre un hombre y una muchacha, casi una niña. Sin embargo, acepto que el problema del racismo pesa mucho en la película. Sin pretender presentar una tesis, traté de comprender —no justificar— a los personajes racistas. Hay cinco personajes: Zachary, la muchacha, el músico negro, el pastor protestante y el racista violento. Zachary es racista porque lo han educado para serlo, pero durante la película su trato con el negro se va modificando. Su misma relación con la muchacha lo va humanizando y al final dejará marchar al negro. El otro racista, Jackson, es un auténtico bruto, un fanático de sus ideas, aunque dentro de esto tenga su forma de bondad. Podría linchar a cinco negros y luego dar una espléndida limosna a un mendigo. El negro es según él un animal, ¿verdad?, y puede ser compasivo con los animales. Es un monstruo… con atenuantes. Ve al negro y le dice: «Qué pena. Tienes forma de hombre, pero no tienes alma.»

J. de la C.: El tratamiento del personaje del negro es interesante. Algunos críticos «progresistas» censuraron que usted lo mostrara demasiado belicoso y además drogadicto.

El negro no tiene que ser un hombre perfecto. Puede tener tantos defectos humanos como cualquier hombre. Lo malo de ciertas películas de tesis es que, en el caso del racismo, por ejemplo, presentan a los negros como unas almas de Dios. Esto creo yo que es jugar con trampa.

T. P. T.: Hay una escena muy buena en que el negro y el linchador pelean. El negro coge el fusil y está a punto de disparar sobre

el otro. El linchador casi lo provoca a que dispare, pero el negro no lo hace, y con esto el blanco se siente humillado. Le ofende que un negro le perdone la vida.

¿Saben ustedes que durante el rodaje el negro se tomó en serio la pelea y golpeaba al otro de verdad? Hubo que tranquilizarlo.

J. de la C.: El sacerdote tiene también una actitud racista.

El sacerdote es un hombre bien intencionado, dentro de sus ideas. No está de acuerdo en que se trate mal a ningún ser humano; reconoce un alma en el negro; pero cuando le dan, para dormir, el colchón donde ha dormido el negro, pide que lo vuelvan del revés, porque es más fuerte que él: no soporta el «olor de los negros». Es el contraste entre nuestra moral y nuestros sentimientos, con nuestra sensibilidad puramente física.

T. P. T.: La muchacha parece quedar fuera del problema del racismo.

Tiene la inocencia de una niña, es como un animalito. La actriz no era profesional y dirigirla fue para mí como una pesadilla. La esposa de Zachary Scott, Elsa Ford, que ha sido colaboradora de Faulkner y es además una consumada actriz de Broadway, se llevaba aparte a la niña para enseñarla a decir, por ejemplo: «No quiero agua». Ya frente a la cámara, la muchacha lo decía una y otra vez mal. Juan Luis, mi hijo —que era mi ayudante—, se ocupaba también en ensayar con ella las escenas, con la paciencia de un patriarca, y el resultado también era malo. La muchacha era completamente inútil, pero la justificaba que no había hecho cine antes y que además no le interesaba. Estaba en la película porque así lo querían sus padres. Creo que después hizo una película muy importante, que me hubiera gustado ver. En mi rodaje, parecía totalmente alérgica al cine.

T. P. T.: Quizá esto ayudó al personaje y a la película.

Quizá, porque estaba muy natural. En la escena de la seducción, Zachary Scott le decía: «No tengas miedo, no te va a pasar nada». Se lo decía a la actriz, más que al personaje, porque la muchacha estaba realmente asustada, como si el hecho fuera real.

T. P. T.: Yo encuentro a la actriz muy bien, con una pasividad un tanto animal, en efecto. Y todos recordamos la escena en que camina por primera vez sobre tacones altos.

◀ **Buñuel con Gabriel Figueroa.**

El andar femenino es una de las cosas que más me atraen. Por ejemplo, en *Le journal d'une femme de chambre*, Jeanne Moreau tenía que caminar con botas altas, abotonadas. Es una delicia ver caminar así a Jeanne Moreau, la manera en que se dobla sensualmente su tobillo.

J. de la C.: De acuerdo, don Luis. Las mejores escenas de *La noche***, de Antonioni, son aquéllas en que escapamos al aburrimiento gracias a que ella camina.**

Pero ya existía la película de Louis Malle: *Ascensor para el cadalso*. También caminaba muy bien allí, y un largo rato.

T. P. T.: Malle la echó a andar y aún no ha parado. *(Risas.)*

J. de la C.: En *La joven* **hay una escena inquietante en la que un animal devora las gallinas. Creo que precede a la seducción-violación de la muchacha.**

El animal es un tejón. La escena me da horror, porque los tejones matan por gusto. Pue-den matar a quince gallinas y luego sólo chupar la sangre de una. He dicho que esto me horroriza, pero también me atrae.

J. de la C.: Lo curioso es que usted suele introducir una escena marginal de animales en secuencias donde hay o va a haber un acto erótico. ¿Por la relación sádica cruel-dad-erotismo?

Una vez más les diré que esto no es premeditado. Pero déme algunos ejemplos.

J. de la C.: En *Los olvidados***, El Jaibo seduce a la madre de Pedro y luego vemos unos perritos bailando penosamente. En** *Viridiana***, cuando la sirvienta es seducida, un gato salta sobre un ratón...**

Yo creo que la coincidencia en esas asociaciones de imágenes es espontánea. No me propuse ilustrar la relación entre erotismo y crueldad. Pero como esa relación existe, las imágenes que usted dice salieron a la superficie. Aunque sin darme cuenta yo, gracias a Zeus.

J. de la C.: Con animales o no, en el cine

▲ «Traté de comprender —no de justificar— a los personajes racistas.»

de usted esa relación es muy frecuente. ¿Cómo lo explicaría?

Por el sentimiento eterno de que el amor y la muerte van unidos. Para mí, la fornicación tiene algo de terrible. La cópula, considerada objetivamente, me parece risible y a la vez trágica. Es lo más parecido a la muerte: los ojos en blanco, los espasmos, la baba. Y la fornicación es diabólica: siempre veo al diablo en ella.

T. P. T.: La explicación que da usted de la cópula coincide con las imágenes de agonía de Batcheff en *Un perro andaluz.*

Y de Modot en ***La Edad de Oro***. El acto sexual es como una forma de muerte. Por lo demás, hay muchos insectos y arácnidos que mueren después del coito. La araña «Viuda Negra», y la «Mantis», devoran al esposo después de las nupcias. Y el tortugo muere en el acto amoroso.

«...tiene la inocencia de una niña, es como un animalito!.. ▲

115

18. El retorno a España. *Viridiana*

T. P. T.: Viridiana es una de la películas clave de usted, una de las más famosas, y significa su reencuentro con España. ¿Cómo surgió? ¿De dónde viene el nombre?

El nombre viene del latín *viridium*: sitio verde. Allá por 1910, cuando yo estaba estudiando con los jesuitas, había una revista, *La Hormiga de Oro*, que contaba, en un número, la vida de Santa Viridiana. No recuerdo si era una santa italiana, pero realmente existió. Aquí, en el Museo de la Ciudad de México, hay un retrato de ella: está con una cruz, una corona de espinas y unos clavos (esos objetos aparecen en la película). Bueno: después de filmar *Nazarín*, creo, Gustavo Alatriste, entonces casado con la actriz Silvia Pinal, me dijo que quería hacer una película conmigo: «Tiene usted libertad total para hacer la película a su gusto.» Yo pensaba cobrar lo que había cobrado hasta entonces en México, pero Alatriste me ofreció cuatro veces más y quiso que filmáramos en España. Ahí empezó para mí el conflicto: ¿Debía ir a trabajar a España? Finalmente me dije: si la película es honesta, ¿por qué no hacerla?

J. de la C.: ¿Cómo fue ese reencuentro con España?

Conmovedor. Soy muy sentimental, vivo mucho de los recuerdos. Reencontré tantas imágenes personales, de la infancia, la adolescencia, la juventud, que fue como cuando volví a París después de la Segunda Guerra. Paseaba solo por las calles, con lágrimas en los ojos.

J. de la C.: Si en Madrid se hubieran encontrado el Luis de veinte años y el don Luis de sesenta, ¿qué hubiera pasado?

Que el primero le habría dado una paliza de bastonazos al segundo. O tal vez al revés. Porque odio mis veinte años. No idealizo mi juventud... Por lo demás, encontré una España que empezaba a desarrollarse dentro de la visible tranquilidad, quizá una excesiva tranquilidad. En lo político, nada me sorprendió: ya conocía la situación, aunque fuera a distancia. En seguida entré en contacto con el torero Dominguín y el cineasta Bardem. Ricardo Muñoz Suay reformó un poco el guión de *Viridiana*, quitando cosas que no serían aceptadas por la censura. Dominguín me había llevado a hablar con el Director de Cinematografía. Este me dijo que se aceptaba la película, pero si había otro final, porque era tremendo que una novicia religiosa terminara en el dormitorio de un hombre.

J. de la C.: Para acostarse con él...

¿Para qué, si no? En el argumento original ella llamaba a la puerta, él la hacía pasar y... fin. El censor hallaba eso imposible y le prometí cambiarlo. Así lo hice y la nueva solución satisfizo a la censura, aunque a mi juicio es todavía más inmoral.

T. P. T.: Sugiere un *ménage à trois*.

Viridiana entra cuando su primo y la criada están jugando a las cartas y se sienta junto a ellos. La cámara inicia un lento retroceso. El primo dice: «Bien sabía yo que mi prima Viridiana terminaría jugando al tute conmigo.»

T. P. T.: Sabemos cómo surgió el nombre, pero ¿y la historia?

El punto de partida es un recuerdo de infan-

cia o de adolescencia. Yo sentía gran atracción por la reina de España, Victoria Eugenia, que era una rubia preciosa. Una de las cosas que imaginaba en torno a ella era que me introducía furtivamente en su recámara, donde la reina dormía aparte del rey, y echaba un narcótico en su vaso de leche. La reina tomaba la leche, se desnudaba y se acostaba. Yo esperaba a que se durmiera profundamente, me acercaba y la tomaba en mis brazos. Etc., etc. Fantasía de colegial de 14 años. Lo absurdo y lo estupendo era la gran diferencia: social, de edad, y otras cosas. Un chico zaragozano y una reina de nacionalidad inglesa. En *Viridiana*, aunque a la inversa, se da también la diferencia de edad. La diferencia de clases no existe, pero sí el hecho de que ella sea novicia y él sea su tío. De cualquier modo, intervienen, en los dos casos, grandes obstáculos, que alimentan más el deseo. La idea de disponer de una mujer dormida me parece muy estimulante. Puedo realizarla en la imaginación, pero en la práctica me daría miedo.

J. de la C.: ¿No pensó usted en el mito de la Bella Durmiente del Bosque?

Nunca.

J. de la C.: Porque la película tiene estrechos paralelismos con ese cuento. Las tierras no cultivadas de don Jaime representarían el bosque: el tiempo histórico se ha detenido en ellas. Viridiana es, desde luego, la Bella Durmiente. Pero habría una variante: don Jaime sería también una especie de Caballero Durmiente. Eso aparte de que parece haber además una alusión a la historia de España, al letargo del franquismo. «Veinte años estuvieron sin cultivar las tierras», dice don Jaime.

Pudo decir quince o treinta años. No pensé en hacer una referencia histórica. Estaba esa obsesión infantil y además el personaje de don Jaime, aunque fuera un viejo terrateniente egoísta, me provocaba afecto. Yo me identificaba un poco con él.

J. de la C.: El personaje es fetichista: acaricia las ropas de su difunta esposa.

E incluso se las pone. Ese también es un rasgo infantil mío. Es transvestismo fetichista, no transvestismo homosexual. De niño, me gustaba ponerme las ropas de mi madre, y a veces las combinaba con las de mi padre. Por

▲ **Santa Viridiana con la cruz, la corona de espinas y los clavos (Silvia Pinal).**

ejemplo: el sombrero de copa de mi padre, el polisón y las botas abotonadas de mi madre. Mi madre notaba que alguien había cogido su ropa y gritaba: «¿Quién ha estado enredando aquí?» Yo tenía unos seis o siete años. Tal vez durante un tiempo he tenido un gusto por el transvestismo fetichista, o por el disfraz. Ya les he contado, creo, que a los 14 años salía a la calle vestido de cura, con la sotana y el manteo de un tío, que era cura, efectivamente. Hay otras «claves», como ustedes dicen, que les puedo indicar sobre el argumento de la película. Cuando buscaba exteriores para el rodaje, vi perros que marchaban atados al eje de las carretas, así todo el camino, y me dio mucha lástima. Fue sobre todo en Alicante. Esto me impresionó tanto que lo puse en la película, aunque no viniera a propósito, como quien hace una anotación al margen de un libro. Rabal ve a un perro que llevan así y pregunta al carretero: «¿Por qué no lleva el perro dentro?» El carretero responde: «Porque dentro es para las personas, no para los animales.» Luego me enteré de que atan el perro para que no vaya suelto y lo atropelle un automóvil. Pero eso se evitaría llevando el perro en el interior de la carreta, ¿verdad? Pobres animales. Bueno, en

realidad el episodio termina integrándose al argumento, porque Rabal critica la caridad de Viridiana: «Es una estupidez. ¿Para qué sirve recoger veinte mendigos, si hay millones en el mundo?» No se da cuenta que él, al comprar el perro del carretero, ha hecho algo igual. Hay miles de perros en esa situación en España.

J. de la C.: Se produce entonces un paralelismo entre el perro y los mendigos.

Sí, pero no fue deliberado por mi parte. Les aseguro que fue una casualidad. Racionalmente, yo también critico la caridad de Viridiana; es más: estoy contra la caridad de tipo cristiano. Pero luego, si veo a un pobre hombre que me conmueve, le doy cinco pesos. Si no me conmueve, si me parece antipático, no le doy nada. Entonces, no se trata de caridad.

J. de la C.: ¿La película trata de la inutilidad de la caridad cristiana?...

Más bien de su carácter contraproducente, porque produce catástrofes: el estropicio de la casa por los mendigos, riñas entre éstos, la posible violación de Viridiana. Sin embargo, no se trata de una película anticaridad, ni antinada. No creo que criticar la caridad cristiana

Transvestismo fetichista (Fernando Rey). ▲

sea un asunto importante en nuestros tiempos. Sería un poco ridículo.

J. de la C.: Digamos que ese tema aparece «durante el camino». Yo encuentro que hay un tema mayor y que usted ha tratado frecuentemente: el divorcio de la realidad y el deseo, o de la realidad y el sueño. Eso lo hemos visto en el cine de usted desde La Edad de Oro **hasta ahora, pasando por** El, Ensayo de un crimen, Nazarín.

Es el abismo que puede haber entre una idea del mundo y lo que el mundo realmente es. En efecto: casi todos mis personajes sufren un desengaño y luego cambian, sea para bien o para mal. Es el tema del *Quijote*, a fin de cuentas. Viridiana es en cierto modo un Quijote con faldas. Don Quijote defiende a los presos que llevan a galeras y éstos lo atacan. Viridiana protege a los mendigos y ellos también la atacan. Viridiana vuelve a la realidad, acepta el mundo como es. Un sueño de locura y finalmente el retorno a la razón. También don Quijote volvía a la realidad y aceptaba ser sólo Alonso Quijano.

T. P. T.: Así, Viridiana sería la prolongación de Nazarín. Curiosamente, el actor de Nazarín**, Rabal, interpreta aquí a un personaje muy contrario, el cínico e inmoral hijo de don Jaime.**

No es un inmoral. Es un hombre muy racional, con sentido muy práctico, desdeñoso con las convenciones sociales. Es un positivista que piensa en el progreso desde el punto de vista racional y burgués. No se interesa en Viridiana por la herencia, porque él tiene ya una parte de la heredad, sino porque ella le gusta realmente. Tal vez no esté enamorado de ella, pero siente atracción. Como son del mismo nivel social, y copartícipes de la hacienda, tal vez se casen. Allá ellos. Yo, como Pilatos, me lavo las manos.

J. de la C.: Con esta película, a propósito de los mendigos, se volvió a hablar de la novela picaresca española.

Qué puedo hacer. Por otra parte, sí: he leído la novela picaresca y mucho de ella se me habrá quedado en la memoria. Pero en España, por lo menos en tiempos de mi juventud, usted podía encontrar mendigos como los que salen en la película.

J. de la C.: Los mendigos resultan tan impresionantemente verídicos que se dijo que usted había dirigido mendigos reales.

No, eso es falso. Están interpretados por actores, y algunos son de renombre en España. El que era mendigo real es el que hace el papel del leproso. Este había sido figurante de teatro, pero actor, nunca. Para mí es el que está genial. Era malagueño, mendigaba realmente en Madrid y estaba alcoholizado. Durante el rodaje era imposible tener comunicación con él, pero finalmente lo conseguí. Sus reacciones en las escenas son auténticas, se indignaba o se alegraba de verdad.

T. P. T.: Podría haber sido un Simón del Desierto perfecto.

Sí, y me hubiera gustado llevarlo en otra película, pero ha muerto el pobrecito. Era muy flaco, como un anacoreta. Cuando llegaba borracho causaba problemas. Había una escena en la que tendía el brazo para que le dieran un pan y otro mendigo le daba un golpe en la mano y decía: «¡No, que tienes lepra!» Él debía gritar, soltando el pan: «¡Mentira! ¡E'to no é lepra!» Bueno, pues era imposible hacerle soltar el pan, se agarraba a él como un náufrago a una tabla. El primer día en el estudio se orinó tras bastidores sobre una caja de registros, provocó un corto circuito y dejó el plató a oscuras. Los técnicos se enfurecieron: «¡Oiga usted, hijo de puta!» Él no comprendía: «Pue» ¿yo qué he hecho? ¿Dónde hay que meá aquí?» *(Risas.)* En la escena en que el cojo va a violar a Viridiana y que el leproso daba un golpe en la cabeza al cojo, vino Silvia Pinal a decirme: «Luis, es imposible, este hombre apesta.» Era verdad, el pobre hombre se había hecho caca en los pantalones: tenía diarrea y era verdad que apestaba. Lo envié al hospital, donde estuvo dos días, vigilado por un ayudante mío para que no bebiese. Estuvo tres días sin beber, lo curaron de la diarrea y a los tres días volvió al rodaje, bien alimentado, sobrio, y a partir de entonces trabajó bien. Unos meses después, Fernando Rey se lo encontró trabajando como extra en otra película. Decía que unos turistas franceses lo habían visto tomando el sol en un banco, lo reconocieron y lo felicitaron. Esto le bastaba al buen hombre para creer que ya era famoso en París. «Don Fernando, ¿puede usté pre'tarme dinero para irme a Parí?» Creía que si llegaba allí lo contratarían en seguida para hacer una película. Pobrecillo, murió al cabo de un año y medio, alcoholizado. Tampoco la enana era actriz, ni lo era entonces la hija de Rabal, que interpretaba a la niña que salta a la cuerda, y que ahora es una actriz importante en España.

Los mendigos de «*Viridiana*». ▶

120

T. P. T.: Una de las cosas impresionantes de *Viridiana* es la homogeneidad y calidad del cuadro de actores. No se dan los grandes desniveles que a veces se advierten en sus películas mexicanas. Además, todos son españoles y eso da mayor verosimilitud. En cambio, en *Nazarín*, cuya acción ocurre en México, hay actores españoles que no «encajan» en la película, desentonan con los rostros realmente mexicanos.

Tal vez tiene usted razón. Los mendigos de *Viridiana*, aunque forman una masa y son muchos, tienen cada uno su individualidad, su verdad. La manera de hablar me parece que está muy conseguida. Suena un español muy popular, muy vivo, ¿verdad? A mí me emociona oírlos hablar.

J. de la C.: Se ve que ese encuentro con España, al cabo de tanto tiempo de ausencia, fue afortunado para usted y lo imantó para los hallazgos. Hasta en lo que se refiere a los objetos. Como esa navaja-crucifijo, un verdadero objeto-collage que habría fascinado a Duchamp y a Ernst.

Parece hecho adrede para la película, una ocurrencia de Buñuel, ¿verdad? Pero la encontré en una tienda de Albacete, cuando andaba localizando exteriores. La hice aparecer en la escena en que Rabal examina los objetos que ha dejado su padre. Algunos creyeron que era una imagen blasfema. Por culpa de *Viridiana* esas navajitas fueron prohibidas en España y no se hacen ya. Recuerdo que una monja de Zaragoza tenía colgada del rosario una navajita-crucifijo de ésas, para pelar manzanas. Un cristo funcional y muy práctico, ¿no creen ustedes? Esos objetos los vendían por millares. Eran como los *mexican-curious* de aquí. Muy populares y muy originales. Por lo demás, el puñal y la espada siempre han evocado la cruz, por la empuñadura.

J. de la C.: El crucifijo-navaja llama la atención, pero es un detalle marginal. Hay otro objeto que «circula» por toda la película y adquiere diferentes significaciones: la cuerda de saltar de la niña. La primera vez es usada «ortodoxamente» por la niña, sólo como una cuerda de saltar. Luego, la cuerda sirve para que don Jaime —a quien le gustaba ver saltar a la niña— se ahorque de un árbol. Finalmente, un mendigo ata a Viridiana con esa cuerda para violarla. Por cierto...

T. P. T.: ¡No! El mendigo se ha atado los pantalones con la cuerda y Viridiana se aferra a las «agarraderas» de ésta, que tienen forma fálica.

Detrás de esta serie de relaciones no hay una línea intelectual, pero sin duda sí hay una línea subconsciente, relacionada con el deseo. Don Jaime se ha fijado en la cuerda cuando observa a la niña saltar. Luego, cuando va a suicidarse, inconscientemente lo primero que toma es esa cuerda. El mendigo encuentra la cuerda por azar y la usa como cinturón.

J. de la C.: Don Jaime, además de fetichista, es *voyeur*. Observa a la niña saltar para verle las piernas.

Hay fijaciones eróticas. Recuerdo una película de Stroheim, me parece que era *La viuda alegre*. Un teatro, el escenario, una bailarina. La cámara se centra en tres personajes del público: un hombre mayor, severo y digno; otro tipo deforme y lascivo; un joven con aire soñador. Los tres ven diferentes partes del cuerpo de la bailarina. El hombre mayor le ve las piernas o el busto. El hombre lujurioso y sádico, le ve los piececitos. El joven, el enamorado puro, le ve el rostro. Era muy bueno: usar diversos encuadres para mostrar diversas psicologías. Se me quedó muy grabado el plano de los pies de la bailarina. Posiblemente recor-

dé esto subconscientemente en las escenas en que la niña salta a la cuerda.

T. P. T.: ¿Qué significan las cenizas que Viridiana pone sobre la cama de don Jaime?

Es un acto sonámbulo de Viridiana. Las cenizas significan, en la tradición católica, la muerte: «Polvo eres y en polvo te convertirás». Yo no psicoanalizo mis películas, pero quizá en su sonambulismo Viridiana está anunciando que don Jaime va a morir a causa de ella. Pero, si quieren una respuesta concreta, psicoanalicen ustedes a Viridiana, y no a mí. Yo les he advertido: un psicoanalista me calificó como «no psicoanalizable».

J. de la C.: La parodia de la La Ultima Cena ha sido muy comentada, en todos los tonos, desde el elogio hasta la indignación.

La indignación no la comprendo. Los mendigos están cenando y casualmente forman una composición como el cuadro de Leonardo.

J. de la C.: Una de las mendigas dice: «Voy a tomarles una foto con una camarita que mi madre me dio». Se alza las faldas y

▲ La «reencarnación» de la esposa muerta (F. Rey, S. Pinal y Margarita Lozano).

«fotografía» —con el sexo, se supone— a sus compañeros en la composición «leonardesca».

Es una vieja broma infantil española. Si alguien se coloca en una postura en que destaca mucho su trasero, se le grita: «¡Me estás fotografiando!» La mendiga repite esa broma, que es inocente, de niños.

J. de la C.: Pero ¿es inocente que *usted* lo filme?

Son mendigos españoles, son creyentes pero al mismo tiempo se toman libertades con la religión. Eso es muy español. No tienen mala intención. Además están borrachos, se divierten. Viridiana los ha tenido rezando y trabajando todo el tiempo. Esa orgía nocturna es para ellos una liberación. Otra cosa: a algunas personas les pareció mal que se viera la corona de espinas quemándose en una hoguera. ¿Qué hay allí de blasfemo? Los viejos objetos litúrgicos suelen ser quemados...

T. P. T.: Vamos ahora al personaje de don Jaime. Se advierte que usted lo trata con cariño. Pero ¿por qué se ahorca?

Creo que está claro: porque Viridiana lo abandona. Es un viejo muy solo y se ha enamorado locamente de su sobrina, que se parece tanto a su difunta esposa. Como ella lo deja para siempre, y enfadada con él, don Jaime se queda ya sin ilusiones, arrepentido de haber intentado poseerla... y se suicida. Ya no puede vivir en el presente, porque le avergüenza; ni en el pasado, porque Viridiana ya no «reencarnará» a su esposa muerta.

J. de la C.: Pero cuando escribe su «carta de suicida» hay algo intrigante: se detiene un momento y sonríe, como si estuviera preparando una broma.

Es un matiz de actuación que se me ocurrió mientras filmábamos. No quise caer en el tópico de esos casos: un rostro angustiado y sudoroso, una música angustiosa. La sonrisa en ese momento desarregla la convención, introduce una contradicción que es más interesante. ¿Qué sabemos de lo que piensa un hombre que se suicida? Confieso que además me gusta obtener una sorpresa del público. Lo ven escribir sonriendo y luego aparece ahorcado: la sorpresa es mayor, y quizá la emoción.

J. de la C.: Esa sonrisa a mí me hace pensar que don Jaime está, en efecto, jugándole una «broma pesada» a Viridiana. Al dejarle su herencia a la muchacha, la aparta

del convento, la obliga a entrar en una realidad más concreta, a aceptar el mundo.

Y eso es lo que realmente sucede, aunque don Jaime no puede preverlo con seguridad. Piense usted en otra posibilidad: que don Jaime sonríe porque piensa a su vez algo como esto: «Qué viejo ridículo soy, qué tonterías he hecho.» Podría reírse de sí mismo. Una de las razones por las cuales simpatiza con don Jaime es que, salvo cuando más enamorado está de Viridiana, tiene cierto sentido del humor, cierta ironía consigo mismo.

J. de la C.: La rebelión de los mendigos recuerda otra que ocurre al final de una novela de Galdós, *Angel Guerra*.

Es posible, pero nosotros no pensamos en ella. El argumento es original, de Julio Alejandro y mío.

T. P. T.: Don Jaime parece prolongarse en el Don Lope de *Tristana*.

No. Son muy diferentes. Don Jaime es un viejo bonachón, humilde, capaz de enamorarse violentamente, un hidalgo pueblerino. Don Lope es un viejo señorito, mujeriego, algo fanfarrón. Las únicas coincidencias son la vejez y el hecho de que los dos personajes los interprete Fernando Rey.

T. P. T.: Háblenos del escándalo que provocó *Viridiana*.

Terminamos de filmarla poco antes del festival de Cannes y fue invitada a éste. El festival comenzó cuando aún se estaban haciendo las mezclas en París. Dos o tres días antes de que terminara el concurso, Juan Luis llegó a Cannes con la copia, para exhibirla. Se le dio el premio ex-aequo y un padre dominico, hermano de un banquero muy conocido, que estaba como corresponsal de *L'Osservatore Romano* en el festival, escribió que *Viridiana* blasfemaba sobre los santos óleos, que el cine estaba perdido moralmente, etc. De *L'Osservatore*, esa opinión pasó a España, al episcopado, a los ministros. El director de Cinematografía español, que había recogido la Palma de Oro concedida a la película, fue destituido. El ministro de Información dimitió, pero Franco no aceptó su renuncia.

J. de la C.: La verdad es que el escándalo no sólo vino de parte de la «España negra», sino también de la «España de las luces». Los exiliados republicanos españoles estaban indignados de que usted hubiera aceptado filmar en España bajo el régimen de

Franco. El periodista Mirabal escribió en una nota: «Ya va el falso genio Buñuelito a España a servirle una película a Franco...», algo así.

Ahora ya no me llama «Buñuelito», sino don Luis.

J. de la C.: En fin, la «España desterrada» estaba furiosa contra usted, consideraba *Viridiana* (sin haberla visto aún) como una traición. De repente, todos tuvieron que callar. El caricaturista Alberto Isaac resumió muy bien el desenlace del episodio en un breve comic: en el primer cuadro se le veía a usted llegando a España y siendo recibido con honores por el Generalísimo; en el segundo cuadro, usted dejaba un paquete de regalo a Franco, mientras del otro lado del mar un refugiado gritaba: «¡Muera el prevaricador Buñuel!»; en el tercer y último cuadro, el paquete había hecho explosión, dejando maltrecho a Franco, y el refugiado se quedaba estupefacto. El «cartón» se titulaba: *Veni, Vidi, Vici.*

La verdad es que yo sabía que *Viridiana* no era una película del gusto del régimen franquista, pero tampoco pensé que fuera una especie de «bomba» cinematográfica, como en la caricatura de Isaac, ni que llegaría a estar tanto tiempo prohibida en España. El dominico, que fue el primero en tocar las campanas a escándalo, fue el que hizo de *Viridiana* una película maldita y le procuró una publicidad que no hubiera podido pagarse ni con millones de pesetas.

J. de la C.: Los surrealistas estaban encantados.

Claro. Buñuel —este señor que habla con ustedes—, más que encantado, estaba un poco perplejo. Breton me había dicho, unos años antes: «En estos tiempos, nadie se escandaliza.» Se ve que eso no era del todo verdad en 1961.

J. de la C.: *Viridiana* me parece a la vez una película realista y romántica. Está el realismo muy a ras de tierra, muy de novela picaresca, en efecto, pero también el *élan* romántico, las ráfagas de novela gótica o negra.

Es posible, porque son dos corrientes que corresponden a mi formación cultural, y desde luego aparecen en la película obsesiones mías, de las que ya hemos hablado bastante.

T. P. T.: Aunque la «escritura» de la película no es surrealista —vaya, ni siquiera hay un sueño—, creo que *Viridiana* es una de las obras de usted que más corresponde al espíritu del surrealismo.

Si entendemos por escritura surrealista la escritura automática, *Viridiana*, desde luego, no es surrealista. Tiene un argumento lógico, una consecuencia en los hechos, etc. Le dimos Julio Alejandro y yo una arquitectura dramática, una verosimilitud a los personajes. Muy distinto que en *Un perro andaluz*, en que se trataba de recoger las imágenes que nos daba el subconsciente. Pero, sí, hay un espíritu surrealista en el significado de la película y también en su «humor».

▲ **El debut de Teresa Rabal.**

19. *El ángel exterminador*

T. P. T.: En sus filmografías suele aparecer *El ángel exterminador* **como «película basada en la pieza de José Bergamín:** *Los náufragos de la calle Providencia».*

Nada de eso. Lo único que es de Bergamín en toda la película ni siquiera abarca una línea: es el título. En Madrid, cuando fui a hacer *Viridiana*, Bergamín y yo nos encontrábamos en una «peña» a la que venía mucha gente: toreros, escritores, gente de cine. Un día, Bergamín me dijo que se proponía escribir una obra de teatro con el título de *El ángel exterminador*. Esto viene de la Biblia, el Apocalipsis, pero también se daban ese nombre los miembros de una asociación española, los apostólicos de 1828, y creo que un grupo de mormones. Le dije a Bergamín: «Es un título magnífico. Si voy por la calle y veo anunciado ese título, entro a ver el espectáculo.» Bergamín jamás escribió la obra. Poco después, Alcoriza y yo escribíamos un guión que se llamaba *Los náufragos de la calle Providencia*. El punto de partida era una historia que se me había ocurrido hacia el año 40, en Nueva York, junto a cuatro o cinco más, entre ellas la que luego sería *Simón del desierto* y el episodio de la niña «raptada» que más tarde incluiría en *El fantasma de la libertad*. *Los náufragos de la calle Providencia* era un título largo y literario: no me gustaba. Pensé en el título de Bergamín y le escribí a éste pidiéndole los derechos del título, y me respondió que no necesitaba pedírselos, puesto que esas palabras aparecían en el Apocalipsis.

T. P. T.: En ese tiempo hubiera sido difícil hacer la película con otro productor que no fuera Gustavo Alatriste. No le hubieran aceptado una historia como ésa.

Es verdad. O quizá la hubiera hecho con menos libertad. Lo ideal, desde luego, hubiera sido hacerla en Inglaterra, en un lugar donde verdaderamente existe un estilo de «alta sociedad». Pero, en cambio, con Alatriste tuve toda la libertad del mundo. No me suprimió nada, no me dijo que pusiese esto o lo otro. Ni siquiera conocía el argumento: todo lo que le dije es que se trataba de unas personas que no pueden salir, inexplicablemente, de una habitación. «Adelante», me dijo, «hágalo como usted quiera.» Si no llegué más lejos fue porque me autocensuré. Ahora la haría mejor.

J. de la C.: ¿En qué sentido?

Dejaría a los personajes encerrados un mes hasta llegar al canibalismo, a la pelea a muerte, para mostrar que tal vez la agresividad es innata.

J. de la C.: *El ángel exterminador* **estaría dentro de cada personaje. De todos nosotros.**

Yo primero pensé que el título tenía una relación subterránea con el argumento, aunque no sabía cuál. A posteriori lo he interpretado así: en la sociedad humana de hoy, los hombres cada vez se ponen menos de acuerdo, y por eso combaten entre ellos. Pero ¿por qué no se entienden? ¿Por qué no salen de esta situación? En la película es lo mismo: ¿Por qué no llegan juntos a una solución para salir de la sala?

J. de la C.: Encuentro cierta relación con el tema de *El discreto encanto de la burguesía.*

De otra manera, es lo mismo: no poder hacer algo, aunque en principio se podría hacer.

T. P. T.: Está también el tema de la repetición de ciertos actos.

Creo haber sido el primero en emplearla en el cine. La entrada de los invitados en la lujosa mansión de los Nobile y la subida por la escalera al piso superior la repetí dos veces consecutivas, sin otra variación que una toma en picado y otra en contrapicado. Cuando terminó de hacerse la copia, el fotógrafo, Gabriel Figueroa vino a verme, alarmado: «Oiga usted, la copia no está bien. Una escena se repite. Debe ser culpa del montador.» Le dije: «Pero, Gabriel, el montaje lo hago siempre yo mismo. Además usted filmaba conmigo y sabe que en la repetición usamos otro encuadre. Es una repetición voluntaria.» «Ah, ya veo», dijo, pero estaba de verdad asustado. Luego he visto que Bergman emplea también la repetición en **Persona**. Hay dos mujeres, una enfermera y una paciente. La cámara está fija. La enfermera, de espaldas, cuenta una historia durante unos minutos. Termina y cambio: ahora está de frente la que estaba de espaldas y viceversa. Y el relato se repite exactamente.

J. de la C.: ¿Y por qué la repetición?

Me atrae, tiene un efecto hipnótico. Ya hay repeticiones en mis anteriores películas, desde **La Edad de Oro**. En **El ángel** son constantes. Después de la escena inicial, todos se hallan sentados a la mesa. Nobile se levanta: «Señores, champán, Brindo por la diva que ha cantado maravillosamente esta noche. Brindemos todos por ella.» Brindan, se sientan. Nobile se levanta otra vez: «Señores, champán. Brindo por...» etc. Hay como unas veinte repeticiones en la película. Unas se notan menos que otras.

T. P. T.: Al final, la única manera de salir del encierro en el salón es repetir todos los gestos hechos antes de quedar encerra-

dos. **Entonces estaba previsto el uso de la repetición.**

No, no. Eso se me fue ocurriendo mientras filmaba la película. Nada estaba previsto. Filmé la entrada del grupo en la casa y me dije: «¿Y si lo hago otra vez? Vaya, me gusta, vale la pena.»

T. P. T.: Pero la película misma, su estructura, se basa en la repetición.

Sí, exacto, la estructura es una situación circular, y la repetición final de los gestos en el concierto, eso estaba previsto. Pero las repeticiones intermedias entre el principio y el final, ésas fueron improvisadas durante el rodaje.

J. de la C.: Este motivo de lo cerrado y circular ya se anuncia en otras películas suyas: el cuarto angustioso de Un perro andaluz**, el asfixiante salón de** La Edad de Oro**, el «salón en la selva» de** La mort dans ce jardin**. Incluso la isla de** Robinson**, el circuito nocturno de** La ilusión viaja en tranvía**. También el tema de la impotencia: los bandidos de** La Edad de Oro **desfallecen en el camino, no llegan hasta la playa; los burgueses de** El ángel exterminador **no pueden salir de la sala; los de** El discreto encanto **caminan por una carretera sin llegar a ninguna parte, nunca pueden cenar.**

Bien observado, aunque los motivos varían en cada caso. El de Robinson es un ejemplo: no puede salir de la isla porque no tiene medios suficientes para hacerlo. Lo bueno sería que a la isla llegaran barcos todos los días y él, inexplicablemente, no consiguiera salir.

T. P. T.: El ángel exterminador **¿sería una parábola sobre la condición humana?**

Sobre la condición burguesa, más bien. En-

▲ Una parábola sobre la condición burguesa...

tre obreros no sería igual, seguramente habría una solución al encierro. Por ejemplo, en un barrio obrero un hombre bautiza a su hija, recibe a cincuenta compañeros en una fiesta y al final no pueden salir... Yo creo que finalmente hallarían la salida. ¿Por qué? Porque el obrero está más en relación con las dificultades concretas de la vida.

J. de la C.: Este otro argumento está de algún modo esbozado en la película. Los sirvientes, los trabajadores, sí logran abandonar la casa. Sólo se queda, de ellos, el mayordomo, porque por su jerarquía como sirviente está más cerca de los amos.

Un mayordomo es burgués de corazón.

T. P. T.: Si el problema se diera en la casa de un obrero, sería menos verosímil. Su enajenación es diferente.

Sí. Se trataría de un problema igualmente grave, tal vez, pero acaso no relacionado con el encierro.

T. P. T.: En cuanto los invitados de Nobile empiezan a estar sucios, en cuanto se les cae la máscara, olvidan las formas de cortesía, la elegancia, y se convierten en unas bestias. Esto no ocurriría entre obreros...

J. de la C.: ¡No, por favor! Esto es idealizar al obrero.

Creo que lo que les ocurre a los invitados de Nobile es totalmente independiente de la clase social a que pertenecen. Con obreros o campesinos sucedería algo muy semejante, con ligeras variaciones en la forma. La agresividad no es exclusivamente burguesa o exclusivamente proletaria. Es innata a la condición humana, aunque algunos, solamente algunos psicólogos o antropólogos, lo nieguen. Un obrero puede dar una paliza a su mujer; un

burgués puede preferir «torturarla psíquicamente». Por lo que digo que el drama de *El ángel exterminador*, si se produjera entre obreros, sería más pobre, menos interesante, es porque, en cambio, hay más contraste entre las formas exquisitas de los invitados de Nobile y la situación casi animal a la que finalmente llegan.

J. de la C.: Me pregunto ahora si alguien habrá notado ya la posible similitud entre *Huis clos*, de Sartre, y *El ángel exterminador*.

T. P. T.: Sí. Es lo que hace precisamente el crítico Michel Esteve en un ensayo muy interesante.

Yo no encuentro ese paralelo. En la obra de Sartre se trata de individuos sin cuerpo, almas condenadas al infierno. No son seres humanos concretos.

J. de la C.: Pero de las dos obras se desprendería una idea común: el infierno son los otros.

Yo no lo he expresado como Sartre, pero creo que esto es algo que ya estaba en mi cine, como ya ha dicho De la Colina. Los personajes de *Un perro andaluz* están encerrados en un cuarto y se atormentan entre los dos. El protagonista de *La Edad de Oro* está en guerra contra toda la sociedad, y la sociedad le devuelve los golpes. Los niños de *Los olvidados* se pelean y matan entre ellos... En *El ángel exterminador* los personajes no salen porque no pueden salir, sin saberse por qué. En lo de Sartre sí se sabe por qué: han muerto y están en el infierno. El punto de partida es diferente. Creo que en *El ángel exterminador* hay más misterio. Con perdón de Sartre. O si quieren ustedes, simplemente más irracionalidad. Creo también que en mi película hay humor.

J. de la C.: Vuelvo a la idea, don Luis, de que *El discreto encanto de la burguesía* **es una especie de** *ángel exterminador* **mejor interpretado, vestido y decorado. Más sutil, en suma.**

El ángel exterminador debió estar interpretado por gente que llevara el frac como si lo hiciera todas las noches.

T. P. T.: Lo cual es difícil de obtener con actores mexicanos.

Ustedes notan esos detalles porque viven aquí. Ni en Inglaterra ni en Francia, donde yo creía que iban a reírse de algunas cosas, nadie ha dicho que los actores están mal. Posiblemente piensan que los defectos son más bien peculiaridades de la alta sociedad mexicana, no sé. Esos defectos también yo los veo. Fracs de 800 pesos hechos con tela tropical. Los actores se sentaban para el ensayo y al ponerse de pie tenían el frac arrugado. En el comedor no había servilletas con las iniciales y el escudo de Nobile, sino servilletas comunes y corrientes, como de fonda barata. Usamos una servilleta de encaje que por casualidad tenía una maquilladora alemana en su cesta de maquillaje. Yo ponía esa servilleta a cada actor que estaba frente a la cámara en los primeros planos de modo que pareciera que todos tenían una igual.

T. P. T. Pienso que tal vez nosotros, acostumbrados a ver a actores tan conocidos como Loya, Beristáin, Del Campo, Patricia Morán, Jacqueline Andere, en los melodramas comunes mexicanos, no podemos, en efecto, creerlos como grandes burgueses. Pero a fin de cuentas serían como es la burguesía mexicana: advenediza, sin tradición, *sensa nobilitas,* **es decir snob en el peor sentido de la expresión.**

O sea, que podría haber una cena burguesa igual a la de la película, ¿verdad?

J. de la C.: «El ángel exterminador... de snobs», digamos.

Hablando de snobismo, les diré que metí un detalle en ese sentido que es auténtico. Me lo contó Iris Barry en Nueva York. La invitaron con su marido a una fiesta, por ser la fundadora del Museo de Arte Moderno. Había unos veinte invitados de la alta aristocracia neoyorquina. El camarero debía traer una fuente maravillosa: un cisne esculpido en hielo, lleno de tres kilos de caviar y adornado con foie gras. El camarero apareció en la puerta, dio unos pasos y, voluntariamente, tropezó, cayó al suelo y de-

rramó todo aquello ante el encanto de los invitados.

T. P. T.: Hay una idea formidable: el gran armario de tres puertas que sirve de W.C. Una de las mujeres sale de allí y dice que ha visto un paisaje, un abismo y un halcón.

Eso ha intrigado a mucha gente. Es una especie de «collage», aunque no visual. Metí un recuerdo de mi infancia. En Molinos, pueblo aragonés y también de Cuenca, hay precipicios hasta de cien metros de profundidad. En uno hay en lo alto un retrete de madera: el agujero da al abismo. Yo he visto un halcón volando debajo de mí, mientras cumplía con una necesidad fisiológica.

J. de la C.: Otro detalle. Silvia Pinal tira un cenicero contra una ventana, que se rompe. Otros dos personajes comentan: «¿Qué ha sido eso?» «Han roto una ventana; seguramente lo hizo un judío que pasaba.»

Para un antisemita, hasta la caída de un rayo puede ser culpa de los judíos. En otras épocas culpaban a los judíos de envenenar las fuentes y los ríos, de causar la peste. Es un rasgo antisemita que hay en ciertos sectores de la burguesía.

T. P. T.: Tratan de encontrar razones de su problema que no los enfrenten a la realidad. Yo creo que esos personajes están encerrados porque se niegan al movimiento de la Historia.

Eso es una explicación demasiado racional, y podría haber muchas otras.

J. de la C.: De alguna manera se piensa en la recepción mundana de *La Edad de Oro.* **Allí ocurrían cosas desde fuera del salón o dentro: pasaba una carreta con unos obreros, el guardabosques mataba a su propio hijo, etc. Aquí, en** *El ángel exterminador,* **cuando el encierro comienza, nada llega de fuera. Pero hay elementos extraordinarios: por ejemplo, el oso.**

Porque el argumento exige que tampoco sea posible entrar en casa de los Nobile. Si la gente pudiera entrar, el problema se resolvería en parte, porque llevarían alimentos, agua, ropa limpia...

J. de la C.: Pero como esos salvadores parciales no podrían salir, la casa iría llenándose de gente hasta reventar.

Es verdad, y sería otra variante con interés.

J. de la C.: Ya la filmaron los hermanos Marx en *Una noche en la Opera*. **Ocurre en el camarote de un transatlántico.**

Es verdad. Hay otra cosa que quiero contarles para que vean cómo me atribuyen símbolos arbitrariamente. Estaba filmando *El ángel*, eran las seis de la tarde y a las siete había que dar el corte. No se me ocurría nada, pero tampoco podía desperdiciar una hora. Le dije a Nobile que se sentara junto a un cordero atado a la pata del piano, le entregué un cuchillo y pedí a Silvia que se sentara cerca de Nobile. Y no se me ocurría más y llegaron las siete. Al día siguiente podía seguir con otra escena, pero había que cambiar el emplazamiento y la iluminación. Se me ocurrió que Silvia vendara con un pañuelo los ojos del cordero y le diera el puñal a Nobile. Así quedó. Todo improvisado, sin pensar en que los objetos fueran símbolos. Buen símbolo *de nada*. A pesar de eso algunos críticos hicieron varias interpretaciones. El cordero, es decir el cristianismo; el cuchillo, la blasfemia... Y no había nada de

eso, todo era arbitrario, se trataba de provocar sólo alguna inquietud...

J. de la C.: Recuerdo también otra «interpretación de símbolo». Un crítico de aquí, de México, al ver el oso que recorre la escalera y el pasillo de arriba, dijo que simbolizaba «la amenaza soviética». Por otra parte, el crítico de *Positif* que comentó la película, refiriéndose a la escena en que la esposa de Nobile invita a su amante a ir a ver el incunable, oyó o leyó «incurable» y pensó que se trataba de un moribundo y que ese moribundo, desde luego, era el mismo mundo burgués.

Esto no lo sabía. Lo del oso, sí. El oso era «la Unión Soviética que tenía sitiada a la burguesía», y así la película quedaba enciclopédicamente explicada.

T. P. T.: Ya sé que tiene usted su propia zoología fantástica, pero... ¿qué podría explicar la presencia del oso en la casa?

Nobile con el Cachirulo. ▲

Creo que en la película está explicada. La caída del camarero con el plato exquisito no ha hecho gracia, sobre todo al personaje de Antonio Bravo, al que nada le hace gracia. Entonces la señora de la casa dice al mayordomo: «Estas cosas no hacen gracia a nuestros invitados. Llévese usted el oso y los corderos al jardín.» Es decir, que esos animales iban a ser utilizados en otra broma. Es bonito ver entrar un oso en un salón. Cuando se filmó la escena del oso, yo estaba preparado con un revólver Magnum 44. Se cerraron todas las puertas. El saloncito donde estaban los invitados en escena y la cámara tenían delante una barrera de metro y medio de alto. Le indico a Figueroa: «¡Cámara!» y sueltan al oso. Trepó por una columna porque le dio la gana. Todos salimos corriendo, incluso yo con mi Magnum 44. Si el oso hubiera saltado la barrera y venido hacia donde estábamos, le tiro un balazo. Pero no me gusta matar animales, así que salimos corriendo.

J. de la C.: ¿Por qué Nobile, en la escena del cordero, tiene vendada la frente?

No es una venda, es una prenda de vestir aragonesa a la que se llama «cachirulo». Toda su significación es folclórica… y exclusiva para aragoneses. Ahora bien, Nobile se la ha puesto efectivamente como una venda, porque le han pegado y está herido.

J. de la C.: En esa escena Nobile parece «el Cristo» de la película.

Porque es bondadoso y sufre menos por sí mismo que por sus invitados; pero no creo que sea Cristo.

T. P. T.: Creo que el problema con el encierro de estos personajes es que éstos no son esencialmente libres. El encierro físico sería una pura concreción del encierro moral o espiritual.

La libertad es un fantasma. Esto lo he pensado seriamente y lo creo desde siempre. Es un fantasma de niebla. El hombre lo persigue, cree atraparlo, y sólo le queda un poco de niebla en las manos. Siempre la libertad se ha expresado para mí en esta imagen.

J. de la C.: ¿No ve usted a ningún hombre libre?

Sí, lo hay: Simón del Desierto, que es el hombre más libre del mundo.

J. de la C.: ¿Porque renuncia a actuar?

Porque tiene y hace lo que quiere, sin encontrar obstáculos. Está allá arriba en una columna, comiendo lechuga. La libertad total.

T. P. T.: El protagonista de la *La Edad de Oro*, que según usted desde el principio hace lo que quiere, ¿no es un hombre libre?

Relativamente. Intenta ser libre, arrolla los prejuicios. Pero como lo hace con rabia, eso mismo nos indica que no es libre. Tiende a la libertad, como todos los hombres, pero ¿dónde

▲ **«Lo ideal habría sido hacerla en Inglaterra.»**

se encuentra la libertad? Ya sé que la libertad de Simón no sirve para todos, pero sí le sirve a él.

J. de la C.: En *El ángel exterminador***, los amantes que se aíslan de los demás invitados, colocándose fuera de las convenciones sociales, terminan suicidándose. Ese suicidio ¿sería una especie de libertad?**

Lo de los amantes es un autoplagio. En 1933, en la revista *El surrealismo al servicio de la revolución*, publiqué un texto llamado «Una jirafa». En cada mancha había una escena distinta. En una de ellas se oía la voz de un hombre y luego de una mujer. Ella suplicaba, él le decía: «Mi pequeño cadáver, ven aquí...» Se hace la luz y se ven unas gallinas que picotean la tierra. A los amantes de *El ángel exterminador* les puse también un diálogo irracional. ¿Lo recuerdan?

T. P. T.: «Ahora alcanzamos el mar.» Después la voz de él dice: «¡Su rictus! ¡Horrible!»

Hay además un recuerdo personal, de Madrid, de cuando estudiaba ingeniería. Había un muchacho de 17 años, estudiante de medicina, y una chica de 15. Las familias eran amigas. Lo tenían todo, las familias estaban de acuerdo en que se casarían, podían verse cuando querían. Un día, sin motivo aparente, se suicidaron juntos en un merendero de Madrid. El suyo era amor platónico, amor puro: la chica era virgen. ¿Por qué? Debieron pensar que el amor es incompatible con la vida cotidiana, con el mundo tal como es. «La sociedad es insufrible, desaparezcamos juntos.» Es un hecho conmovedor, que da vértigo. Sin llegar a intentar el suicidio, yo me he sentido así a los 13 y a los 17 años, en que estuve enamorado de esa manera. Y creo que un hecho como ése no tiene solución social: lo mismo se dará en una sociedad capitalista que en una comunista.

T. P. T.: En *El ángel exterminador* **el tiempo es muy lento, un tiempo subjetivo. A mayor concentración del encierro, del espacio, mayor dilatación del tiempo.**

Mientras el encierro y el malestar duran, el tiempo es como una eternidad. En el cine el tiempo y el espacio son flexibles, obedecen al realizador. En esta película, en cuanto los personajes quedan encerrados, es como si ya no hubiera tiempo. ¿Cuánto tiempo están allí dentro? ¿Diez minutos, diez días, diez años? No se sabe. Están en otro tiempo. Por eso hay repeticiones: no es el tiempo como una línea.

J. de la C.: Todo es muy físico: el hambre, la sed...

... el desaliño, la enfermedad, el sudor, la barba que crece, la basura que se va acumulando.

J. de la C.: Es el lado intensamente materialista de la película. Estos personajes que no producen nada, corren en cambio el riesgo de ahogarse en sus propios desechos y detritus. Todo ha empezado a degradarse. Los criados se han ido, es decir, que las fuerzas realmente productivas han dejado de suministrar medios de vida a las clases consumidoras. Hay también un lado de parábola marxista.

Pues será muy marxista, como usted dice, pero el hecho es que no se exhibe en la Unión Soviética. Claro, puede haber una interpretación marxista del argumento: la sociedad burguesa ya no tiene motor histórico, está estancada en sí misma, ha perdido la capacidad creadora. Puede ser, sin que yo lo haya pensado a priori.

T. P. T.: ¿Y la carga final, cuando los personajes vuelven a quedar encerrados en la iglesia? ¿Es la revolución?

No. Es la represión policíaca: la caballería ataca a unos manifestantes. ¿Por qué? No sé: es una imagen que vuelve a mi memoria. Está también en *Tristana* y en cierto modo en el final de *El fantasma de la libertad*. Son recuerdos de Zaragoza, como ya les he contado. Quizá, en *El ángel exterminador* la carga de la policía no tenga relación con el encierro en la iglesia, y sean los hechos coincidentes por casualidad. Pero yo no sentí la imagen de otra manera, sino así: la fachada de la iglesia, tiros, gritos, los corderos que entran en el templo. Si no se les ocurre a los críticos mejor explicación, podrían decir que me gustan las situaciones de caos, que soy un anarquista. (*Ríe.*)

T. P. T.: ¿En qué quedamos? ¿Marxista o anarquista?

Debo tener una veta anarquista, porque ya se sabe: los españoles somos todos anarquistas, si nos rascan un poco. No, estoy bromeando. Quizá soy anarco-nihilista... pero pacífico. Mentalmente, puedo colocar bombas en muchos sitios: en un ministerio, en una fábrica, en un embotellamiento de automóviles, en un lugar de ésos donde se oye música a todo volumen. Ahora, a lo único que yo me afiliaría sería a la Sociedad Protectora de Animales. Pero también me gustaría ser dictador y aplicar unas cuantas penas de muerte. Mentalmente, insisto. «¿Qué hacía este jovencito?»... «Majestad, tocaba la guitarra a tantos decibelios»... «Pues ¡a la guillotina!»

T. P. T.: Según parece, ya antes había estado usted a punto de hacer una película muy parecida a El ángel exterminador, con un grupo encerrado en un barco perdido.

Tuve ese argumento, pero nunca estuvo a punto de filmarse. Una amiga de Sadoul, que trabajaba en un periódico de izquierda, me envió un argumento estupendo que aún conservo. Una balsa perdida en el mar, con 45 personas. Una especie de adaptación de *Le Radeau de la Méduse [La balsa de la medusa]*. Muy difícil de hacer, muy complicado técnicamente. Hitchcock hizo algo parecido. Es como una apuesta imposible: ese espacio tan reducido, tantas personas amontonadas.

T. P. T.: *El ángel exterminador* ¿no viene de *La balsa de la medusa*?

No tiene nada que ver. Hay mil situaciones parecidas a ésa. Si ustedes quieren, pueden hacer una película de ciencia ficción: quince astronautas en un cohete aislado en el espacio. La diferencia fundamental es que en *El ángel exterminador* no hay ninguna circunstancia material que impida a los personajes la salida.

J. de la C.: ¿Usted no ha visto películas de desastre, que se han puesto de moda recientemente?

No las he visto, y me gustaría verlas. Es placentero ver cosas que se destruyen; secuencia tras secuencia de destrucción progresiva, edificios que se derrumban, trenes y automóviles que chocan, incendios.

T. P. T.: El problema de las actuales películas de desastre es que son edificantes, no llegan al nihilismo total. Estarían muy bien si fueran espectáculo puro: el barco que se hunde, la torre que se quema. Pero eso está mezclado con personajes y situaciones muy convencionales, con psicologismo barato.

Ya sé: el marido y la mujer que estaban disgustados, vuelven a unirse; el cura descreído recupera la fe. Caracteres convencionales. Yo haría esa película sobre el barco que se hunde. Retiraría al cura descreído, al matrimonio que se reconcilia, o bien haría que el cura se pusiera a disparatar y el matrimonio se de-

vorara. Me angustiaría, sufriría con los demás. Hace años vi una película preciosa, creo que se llamaba **Cavalcade**. Había un foxtrot al final, maravilloso. Se veía el Londres victoriano, los coches de caballos, los salones, todo muy bien hecho. Al final los novios se embarcaban, felices, llenos de esperanza. Veíamos un salvavidas del barco, con el nombre de éste: Titanic. Es fascinante. No he visto la película del Poseidón. Creo que es terrible: tres días con el barco inmóvil bocabajo. Una situación así me horroriza. Es peor que un incendio.

J. de la C.: Esto del placer de la destrucción podría relacionarse con la noción de desperdicio, de derroche, de la que habla Bataille. Se relacionan con el amor y el erotismo.

El erotismo es un placer diabólico y se relaciona con la muerte y la carroña. He puesto algo de eso en escenas de amor de mis películas.

J. de la C.: Uno puede angustiarse viendo *El ángel exterminador*, pero también sentirse a gusto. Sentir el placer de ver cómo esa sociedad que ha empleado siglos en llegar a tan alto punto se degrada en hora y media de pantalla, se destruye literalmente a la vista. *El ángel exterminador*, si a usted no le molesta, puede verse como una comedia.

No me molesta. Hay algo de comedia, sí. Para concluir, diría que es una película fracasada. Podría ser mucho mejor, por razones de las que ya hemos hablado.

T. P. T.: Pero antes de terminar, quisiera insistir un poco sobre el valor que tiene la repetición en la película. Se supone que la repetición cerraría el círculo, en lugar de abrirlo, pero en el película es al revés.

Es una idea mía, algo personal. Yo me repito mucho en mis películas, cuando hablo, etc. Esto no tengo ni que hacérselo notar a ustedes, mis pacientes entrevistadores. Soy hombre de obsesiones. En cuanto a lo que usted dice, en el final de la película no hay liberación. Sólo es momentánea. Pero la situación de encierro se va a repetir infinitamente. Regresarán a la situación inicial, volverán a hacer los mismos gestos. Han salido del encierro en casa de los Nobile, pero se quedan encerrados en la iglesia. Y ahora en la iglesia será peor, porque ya no son veinte personas, sino doscientas. Es como una epidemia que se extiende hasta el infinito.

20. *Le journal d'une femme de chambre*

J. de la C.: *Diario de una camarera* **¿se la propusieron?**

Iba a filmarla para Alatriste, con Silvia Pinal como intérprete, aquí en México. Silberman me pidió que la hiciera para él en Francia. Propuse a Silvia, pero por ser ella mexicana y la película francesa, Silberman no aceptó. O sea que en realidad propuse yo la película.

T. P. T.: ¿Cambió usted mucho la novela?

La novela es sólo un punto de partida. En ella, Célestine sirve en muchas casas consecutivas. Preferí concentrar los episodios que me interesaban en una sola casa. Añadí un elemento de otro episodio: el viejo fetichista.

J. de la C.: Según entiendo, la novela es como un Sade rebajado.

No, porque hay episodios que no son sexuales. Sade rebajado sería más bien otra novela de Mirbeau, *El jardín de los suplicios*, que tiene, en efecto, muchos elementos sádicos.

T. P. T.: El guión es su primera colaboración con Jean-Claude Carrière, con quien luego trabajará usted casi exclusivamente.

Silberman me propuso varios nombres para trabajar en el guión, pero no me parecieron adecuados. Entonces me dijo que me iba a presentar a un joven que no había hecho cine pero que era muy inteligente. Acepté. Silberman habló con Carrière y le preguntó: «¿Bebe usted vino?» Carrière dijo que no. «Pues a Buñuel dígale que sí.» Cuando Jean-Claude y yo comenzamos a trabajar le ofrecí vino y él aceptó «encantado». Tuvo que beber más de una botella conmigo. Ahora que recuerdo, sí

había hecho algo de cine: un corto con Pierre Etaix, el cómico.

J. de la C.: ¿Conocía usted la versión de Jean Renoir, hecha en Hollywood [*The Diary of a Chambermaid*]**?**

No. Me propusieron verla, pero no acepté. Preferí ignorar esa versión, mientras no hiciera la mía.

J. de la C.: La novela está ambientada en la *Belle Époque* (si no me equivoco, pues no la he leído). Usted cambió la época.

Me encanta la *Belle Époque*, pero como no quería tener el engorro complementario de reconstruir ese ambiente, situé la acción en los años veinte.

T. P. T.: Hay un detalle que la sitúa en el tiempo: una manifestación de los reaccionarios franceses a favor de Chiappe.

Chiappe era el prefecto de policía que daba palos a las manifestaciones de izquierda. En la manifestación de la película intervienen los Camelots du Roi y la Jeunesse Patriotique. Gritan: «¡Abajo la República! ¡Mueran los judíos! ¡Viva Chiappe!» Es un recuerdo de mis tiempos de París, en los años treinta, cuando los derechistas intentaron tomar el Congreso. Además, Chiappe era una bestia negra para los surrealistas.

J. de la C.: La película describe muy ácidamente a la burguesía rural francesa. Los personajes son burgueses... y son moralmente unos miserables.

Sí *(Ríe.)* También lo es en parte Célestine,

porque aspira a convertirse en burguesa y no le importan los medios a los que tenga que recurrir. Delata a su amante y se casa con el viejo capitán de al lado, para vivir «como una reina».

J. de la C.: Llama la atención que Célestine, que ha sido un personaje pasivo durante la película, sólo una especie de mirada, entre en acción al final. Delata a su amante, se casa con el rico capitán. La delación parece un poco gratuita.

No lo es. Ella quiere que sea castigado el asesino de la niña. Le dice a Joseph: «¿Quién mató a la niña?» Y cuando sabe que ha sido él, lo delata. Luego escribe con el dedo en la mesa: «¡Salaud!»[1].

J. de la C.: Es un poco desconcertante, porque nunca hemos visto que tenga una actitud moral. Parece indiferente hacia todo.

Pero no con el asesinato de la niña. Se acuesta con Joseph para saber si él es el asesino. Hablan y él deja entender que en efecto cometió el asesinato.

J. de la C.: Mi interpretación es que el hecho de que él fuese el asesino resultaba más incitante, eróticamente, para ella.

No lo creo.

T. P. T.: Jeanne Moreau ¿fue elección de usted?

Sí. Bueno, la había propuesto Silberman. Fuimos a comer con ella en Saint-Tropez. Yo sólo conocía «cinematográficamente» a la Moreau, por una película de Malle. La encontré encantadora y vi que estaba muy bien para el papel. Sobre todo por su manera de caminar, con ese balanceo sobre los tobillos. Esto iba muy bien para la escena en que el viejo fetichista le pide que se calce unas botas viejas y camine con ellas. Célestine le dice que si quiere puede ponerse unas botas más nuevas. «¡No, póngase éstas! ¡Son de lo más bello!», dice el viejo. *(Ríe.)*

T. P. T.: Otra vez el fetichismo del pie.

Puedo tener esa obsesión, como la de los insectos, y supongo que no me van a meter en la cárcel por eso. En realidad, los pies y los zapatos, de hombre o de mujer, me dejan indi-

ferente. Me atrae el fetichismo del pie como elemento pintoresco y de humor. La perversión sexual me repugna, pero puede atraerme intelectualmente.

J. de la C.: Hay una escena muy fuerte y muy bella: los caracoles subiendo por las piernas de la niña muerta.

No tengo explicación para esa imagen. Debí sentir la inmediatez física de los caracoles, la sensación de humedad y de baba...

J. de la C.: Ante esa imagen, se siente que la naturaleza ya se está apoderando de la niña, pudriéndola para disolverla en el ciclo natural.

Yo sólo veo unos caracoles que suben por los muslos de la niña. Ahora, en el subconsciente, tal vez...

J. de la C.: Don Luis... ¿y el oso hormiguero?

¿Cuál? En ninguna película mía hay osos hormigueros.

J. de la C.: ¿No hay un oso hormiguero en su subconsciente? ¿Lo juraría usted? Porque usted dice que en sus películas no hay ciertas cosas, pero que podría haberlas subconscientemente. Por lo visto el subconsciente es un baúl-mundo muy cómodo.

(Ríe.) Ah, está bien eso.

T. P. T.: Don Luis, no es por acosarlo a usted, pero déjeme recordar algunas imágenes: la leche en los muslos de la niña de *Los olvidados*...

Y hay también muchas gallinas en ***Los olvidados***. No irán ustedes a decir que quiero acostarme con una gallina.

T. P. T.: Y en *Susana* los huevos rotos que escurren por los muslos de la protagonista; y en *Ensayo de un crimen* la sangre sobre los muslos de la institutriz de Archibaldo...

Que tiene medias negras y zapatos de charol.

J. de la C.: Ahí tiene usted. ¿Quiere más pruebas?

La niña del ***Journal*** no tiene zapatos de charol, porque es muy pobrecita, pero las otras sí, con medias y ligas. Y también Silvia Pinal en ***Simón del Desierto***.

T. P. T.: Entonces no se trata de imágenes inocentes.

---

[1] *Salaud*: cabrón.

No sé. Más o menos. Se me imponen como imágenes y las pongo, pero si empezara a darles un significado, las quitaría. Cuando ustedes me llaman la atención sobre ellas, me asombro, sinceramente lo digo… Hoy se ve que al venir ustedes a casa se han puesto de acuerdo para «extorsionarme».

J. de la C.: No, pero lo haremos… El episodio de la niña asesinada, ¿está en el libro?

Sí, y además es un elemento importantísimo, el leitmotiv del libro. No había caracoles, esos los puse yo, lo reconozco. Pasaba también la sombra de un jabalí.

T. P. T.: Sobre cuyo significado tampoco se ha interrogado usted.

Nunca.

J. de la C.: Usted nos ha dicho que nunca se ha psicoanalizado.

Un psicoanalista me declaró sujeto no-psicoanalizable. Yo creo conocerme bien. No hay nada que pueda descubrirme un psicoanalista. El psicoanálisis es en realidad un sustituto contemporáneo nuestro de la confesión católica. En él uno descarga su conciencia durante veinte o treinta minutos. Eso lo hago yo conmigo mismo.

T. P. T.: Y además están sus películas; ¿para qué psicoanalizarse?

Algo me descargo en ellas, pero detesto sobre todo meter símbolos, literarios o fabricados. Mis imágenes tienen un sentido directo antes que nada. La niña asesinada está abandonada en el bosque; el bosque es húmedo y hay caracoles; éstos suben por las piernas de la niña. Todo es natural.

J. de la C.: En sus películas ortodoxamente surrealistas las imágenes se manifiestan explosivamente, aunque no se «fundan» con el relato. En sus películas posteriores aparecen también imágenes explosivas, pero «justificadas» por el relato.

Ahora no puedo comenzar una película con caracoles en el cuello de un personaje u hormigas en su mano. Dejo que el relato vaya haciendo aparecer sus propias imágenes y, muchas veces, si esas imágenes son «de choque» demasiado obviamente, las suprimo. Claro, las obsesiones visuales aparecen de una manera u otra. La avestruz, en *El fantasma de la libertad*, fue una visión compulsiva… No, no es un avestruz: es un ave australiana.

T. P. T.: Al entrar en el cine industrial usted se vio obligado a aceptar una historia más o menos coherente.

Sí, había que contar una historia. A veces, dentro de esa historia yo podía introducir elementos inquietantes, que sugirieran una dimensión distinta de las cosas. En mis últimas películas he vuelto a ser más libre.

J. de la C.: Pero ha seguido usted «contando una historia».

Un perro andaluz y *La Edad de Oro* son experiencias irrepetibles. No puedo estar metiendo ojos cortados y manos con hormigas en todas mis películas, pero subsisten mis tendencias irracionales.

J. de la C.: *Le journal d'une femme de chambre* **es una de sus películas menos sueltas, menos «desmelenadas». No se ve nada, de hecho, que no pudiera darse en la realidad inmediata.**

Hay una mezcla de intenciones. Por un lado, el intento de hacer un cine industrial honrado, que interese al público, que no lo haga salir de la sala. Porque yo soy muy consciente de que se ha invertido dinero en la película, está el trabajo de mucha gente, y eso da una cierta responsabilidad. Por otra parte está el imperativo subconsciente, que trata de salir a la luz. Filmo para el público habitual y también para los amigos, para los que van a entender tal o cual referencia, más o menos oscura para los demás. Pero procuro que estos últimos elementos no entorpezcan el discurso de lo que estoy contando. Por ejemplo: en *La joven* le ponen unas botas al muerto. Recordé que le puse las botas a mi padre muerto, y que tuve que cortar el cuero de las cañas para que entraran en los pies. Horrible. Éste es un recuerdo que acaso sólo conocen unos amigos, pero de cualquier manera enriquece la escena, ¿no? Pero son detalles concretos, no símbolos. Ya sé que hay una tendencia inevitable a dar una intención simbólica a cualquier imagen. Está usted leyendo una novela en la que dice: «Entonces Fulanito miró hacia la vela y se quedó absorto contemplando la caída de los goterones de cera.» Si usted, al leer eso, tiene una preocupación de tipo sexual, hará inmediatamente la asociación: la vela es el falo, los goterones de cera son el esperma… ¡Tonterías!

T. P. T.: ¿Los surrealistas vieron *Le journal d'une femme de chambre*?

Han visto otras películas mías. Ésta, no sé. Breton se emocionó hasta las lágrimas con *Vi-*

ridiana. En cambio, parece que no le gustó *El ángel exterminador*.

J. de la C.: Me hubiera gustado conocer la reacción de Breton ante la escena en que Piccoli, en *Le journal*, trata de seducir a una criada fea, vulgar, casi jorobada, diciéndole: «Yo creo en el amor loco.» Es una escena desagradable. Se diría que usted reniega allí del *amour fou*...

No reniego: lo profano. Está bien profanar. Un cristiano puede profanar algún elemento de su religión. Yo también puedo profanar la idea del *amour fou*.

J. de la C.: ¿Pero quién profana allí? ¿El personaje o usted?

La invocación del *amour fou* en boca de un personaje tan abyecto es puro humor. Aparte de eso, tampoco soy un fanático de ese sentimiento. No tengo inconveniente en profanarlo verbalmente si me invitan ustedes a una buena comida. Atenuante: quien profana, cree. A un católico que comulga por la mañana y por la tarde le pisan un callo y lanza una blasfemia: «¡Me cago en... !» Una cosa es renegar y otra profanar.

J. de la C.: Pero hace cincuenta años usted no se habría atrevido a filmar una escena así.

Es muy distinto. Entonces yo estaba dentro del grupo surrealista, un grupo muy compacto ideológicamente, en el cual yo era un sectario. Se trataba de escandalizar a la gente, de ir contra la moral común, contra el amor «sensato». Ahora tengo tanta libertad como quiero y puedo blasfemar sobre el *amour fou*, si se me ocurre. Es vivificante, a veces, blasfemar contra lo que uno cree.

T. P. T.: Pero en *La Edad de Oro* sería inimaginable que un personaje antipático dijera. «Creo en el *amour fou*.»

Diría más bien: «Me cago en el *amour fou*.» Pero siempre hay que separar lo que piensa el autor de una obra y lo que piensa el personaje.

▲ **Buñuel dirige a Georges Géret y Jeanne Moreau.**

21. *Simón del desierto*

J. de la C.: El personaje y el asunto de
Simón del Desierto **parecen en principio ex-**
travagantes, y sin embargo tienen base his-
tórica.

Están recogidos en un maravilloso libro ha-
giográfico del siglo XIII, *La leyenda áurea*,
de Jacobo de Voragine, y que García Lorca
me recomendó leer. Federico encontraba delicioso el capítulo de Simeón el Estilita, es decir
de un santo que vivía sobre una columna, en
medio del desierto, y apreciaba sobre todo esta
descripción: «La mierda chorreaba por la columna como la cera gotea de los cirios» (cito
aproximadamente). Es una imagen tentadora,
¿verdad?, porque tenemos el máximo de espi-
ritualismo junto al máximo de realismo. Los
pintores y escritores de cosas santas, en la Edad
Media, no temían apuntar los detalles más gro-
seros, no tenían la estética de la estampita religiosa de sacristán… que por otro lado puede
ser encantadora. Esa imagen se me quedó gra-
bada.

J. de la C.: ¿Y por qué no está en la
película? ¿Autocensura?

No. Digamos más bien: prurito realista. Un
hombre que come lechuga y sólo toma agua,
es como un pajarito, no puede tener grandes
evacuaciones. Esto, por cierto, lo digo en alguna parte de la película. Por lo demás, en aquellos tiempos, un asceta subido en una columna
no era extravagante, y ni siquiera excepcional.
Se dieron muchos casos semejantes, desde el
siglo V hasta el XIV, sobre todo en el oriente
de Europa. Ucrania, Egipto, Siria, Turquía,
tuvieron a estos llamados «estilitas». Algunos
eran incluso mujeres. Uno de ellos estuvo en

su columna cuarenta y dos años, y a otro, en
un invierno terrible de Siria, lo cubrió por tres
días la escarcha: parecía una figura de hielo y
se le daba por muerto; «revivió» cuando lo
bajaron y arroparon. Tipos extraordinarios.

J. de la C.: Tipos aislados, como Robin-
son, como en cierto modo el protagonista de
El, **a quien imagino fácilmente terminando**
su existencia encima de una columna.

T. P. T.: También recuerda a *Nazarín,*
en cierto modo.

Bien visto: se trata de personajes solitarios,
que se ponen al margen de la historia, de la
vida cotidiana, y todo por una idea fija. Me
atraen los personajes con ideas fijas, porque
yo mismo soy uno de ellos, ya lo habrán notado
ustedes. También el marqués de Sade lo era,
aunque no en el sentido de la santidad precisamente.

J. de la C.: Existe la posibilidad de que
Sade, en el fondo, haya querido pasarse la
vida en la cárcel.

Eso no lo sabemos, pero no es ilógico como
hipótesis. En la cárcel, que junto a todos sus
inconvenientes podía darle un delicioso aislamiento, Sade estaba en libertad de entregarse
a su imaginación. Nazarín quiere estar solo
con la naturaleza y con Dios. En realidad también se aísla, pero en una época en que el
aislamiento no es fácil. La soledad puede ser
terrible, pero también deseable. Lo reconozco
en mí mismo: a veces, cuando estoy solo, deseo que vengan un amigo, o dos, porque me
aburro mirándome las puntas de los zapatos o
viendo volar una mosca. Pero también me gus-

ta estar solo «con mi alma» y soñar despierto, imaginar lo imaginable... y lo inimaginable. ¿Qué sentido tiene salir a la calle y ver sólo techos de automóviles y sufrir el ruido? Hoy el silencio es casi imposible, algo precioso que es difícilísimo de encontrar en alguna parte. Va usted, por ejemplo, al Polo a gozar del silencio y no me extrañaría que de pronto apareciera un esquimal en su trineo... y con una radio portátil y estruendosa. ¿Se imaginan ustedes lo que debe haber sido el silencio en la Edad Media? Salía usted del pueblo o de la ciudad y a los pocos pasos se hallaba el silencio, o los sonidos naturales, que son maravillosos: el canto de los pájaros, el de las cigarras, o el rumor de la lluvia. Eso lo hemos perdido en nuestra época. Hay un instrumento infernal, que podría realmente haber inventado el diablo, o un enemigo de la humanidad: la guitarra eléctrica. Qué época diabólica la nuestra: la multitud, el smog, la promiscuidad, la radio, etc. Yo volvería encantado a la Edad Media, siempre que fuese antes de la Gran Peste del siglo XIV.

J. de la C.: Una Edad Media «trufada» con aspectos de la *Belle Époque*, porque cuando en *Simón* Silvia Pinal aparece de demonio seductor va vestida de marinerita, según una moda infantil del final del XIX.

Con medias negras, sujetas con broches, y con un aro. Son elementos que considero muy excitantes, mucho más que el desnudo completo. A principios de siglo, en mi niñez, ver a una mujer que subía al tranvía y mostraba un poco del tobillo y de la pantorrilla, la pierna enfundada en media oscura pero apenas visible, era una aventura erótica extraordinaria, en lo subjetivo. Peor para ustedes, que no han conocido eso.

J. de la C.: *Simón del Desierto* **me recuerda algo** *La tentación de San Antonio.* **Pero con la añadidura del humor.**

Sí, hay algo de humor negro... Negroide, si usted quiere. Pero sólo hay unos toques dispersos, porque en realidad el personaje me conmueve. Me gusta mucho su sinceridad, su desinterés, su inocencia. Por ejemplo, llega un monje a avisarle de que los bárbaros están avanzando, hablan de algunas cosas y entre ellas de la noción de propiedad. «¿Qué es la propiedad?», pregunta Simón. «La propiedad

▲ Entre *Robinson* y *Nazarín*: *Simón del desierto.*

es lo que es tuyo.» Simón no comprende. «Te voy a dar un ejemplo», dice el otro. «Supongamos que este báculo es tuyo, ¿verdad? Pues ahora te lo arrebato.» Y Simón «Muy bien, quédate con él.» El otro se desconcierta: «No, no, tú debes protestar porque te lo he quitado.» «¿Por qué? Quédate con él.» De modo que Simón no sabe ni entiende qué es la propiedad. Es más inocente que un niño, porque el niño se aferraría al objeto. Simón no necesita más que el aire, un poco de agua y de lechuga. Es libre, y lo sería hasta en un calabozo. El mismo Robinson -y aquí hay una diferencia con Simón- no es libre, porque tiene una necesidad angustiosa de compañía.

T. P. T.: Con su libertad y su falta de sentido de la propiedad, su aislamiento del «establishment», Simón es como un hippy auténtico.

Los hippies podrían haberlo nombrado su Santo Patrón y llevar medallitas con su imagen. Pero, ya ven ustedes, en nuestro tiempo los hippies fracasaron. Y a muchos de ellos los fascinó también el ruido, el rock, la guitarra eléctrica y otras cosas demoníacas.

T. P. T.: Precisamente el Diablo lo trae al siglo XX y lo lleva a una ruidosa «disco- theque». ¿Por qué?

No sé. Recuerden ustedes que no es una película terminada: en la idea original debían ocurrir más cosas, pero se acabó el dinero —esto ya me había pasado con **Subida al cielo**— y hubo que dejarlo en un mediometraje. Simón debía terminar en una columna más alta, de veinte metros, al lado del mar, donde llegaban los Jerarcas de la Iglesia. Filmé sólo dieciocho días. Como la historia quedaba interrumpida, busqué un final que no fuera Simón rezando en su columna, pues eso ya lo habíamos visto demasiado tiempo. Yo estaba interesado en conocer la reacción de Simón al volver al «mundo». Pero resultó dudosa.

T. P. T.: Pero ¿por qué vuelve a este «mundo», el siglo XX?

No sé.

J. de la C.: Podría ser porque nuestro tiempo está desacralizado.

En efecto, hoy lo sagrado cuenta muy poco. Aunque no seamos creyentes, podemos sentir esto como una pérdida. Un pobre hombre católico de la Edad Media sentía que su vida, por dura que fuese (pienso sobre todo en un leñador en lo más profundo de un bosque),

tenía un sentido, formaba parte de un orden espiritual. Para ese hombre, la voluntad y la mirada de Dios estaban en todas partes. Vivía «con Dios». No era como un huérfano. La fe le daba una fuerza interior tremenda. Fíjense ustedes, Gilles de Rais —cuya vida me hubiera gustado filmar si no fuera por los problemas de la «reconstrucción de época»—, ese depravado asesino, era al mismo tiempo un devoto creyente, había sido compañero de armas de Juana de Arco. Cuando se descubrieron sus crímenes y se le condenó, pidió sinceramente perdón ante el pueblo. Y esto es lo extraordinario: mucha gente, incluso los padres de los niños a los que había torturado, violado y asesinado, lloraban con él, lo compadecían. ¡Qué época envidiable! Comparto enteramente la nostalgia de Huysmans en *Là-Bas*, una extraordinaria novela (allí, por cierto, se cuenta la vida de Gilles de Rais).

J. de la C.: Gilles de Rais y Sade por un lado; Simón y Nazarín, por otro. El santo y el criminal. Son dos polos magnéticos para usted.

Sí, me interesan más que la vida de un oficinista... o la de un artista genial.

J. de la C.: Es curioso que en las dos películas en que usted aparece como actor, y dirigido por otros, haya hecho tipos como un cura (en *En este pueblo no hay ladrones*, de Alberto Isaac) y como un verdugo (en *Llanto por un bandido*, de Carlos Saura).

Pero no hay comparación. Un cura no es necesariamente un santo; y un verdugo... es más que nada un funcionario. Esos papeles me los propusieron realizadores amigos y me pareció divertido interpretarlos. Me hubiera gustado también interpretar a un guardia civil y a un oficial nazi. Creo que la actuación que me salió mejor fue la del verdugo. La idea de Saura era que yo, como verdugo, aplicara garrote vil a unos cuantos personajes reales de la intelectualidad española de izquierda. La censura no lo permitió. Isaac debe de ser un buen director de actores, pero hundió mi «carrera». A Octavio Alba, un periodista español, que hacía el papel de sacristán, lo dirigió muy bien y me «roba cámara». A mí me dejó libre, sin aconsejarme nada, sin marcarme los gestos. Me mató como actor.

T. P. T.: Un joven director mexicano, Arturo Ripstein, le propuso aparecer como inquisidor en *El Santo Oficio*, pero usted se negó.

Es que podría acostumbrarme, y eso estaría mal. Está bien sentir la delicia de ser verdugo por un momento, pero no hay que abusar.

T. P. T.: A pesar de las dificultades y la interrupción del rodaje, Simón me parece una de sus películas más libres.

En principio, sí, porque Gustavo Alatriste, que es *rara avis* como productor, me deja hacer lo que yo quiera. Me hubiera gustado darle un mejor acabado a la película. Tuvimos muchos problemas imprevistos. Estábamos ya preparados para filmar bajo cielo nublado, sólo faltaba dar la voz de «¡Cámara!, y de pronto, ¡cielo despejado! Figueroa se adaptaba: «No importa, ¡adelante!» Yo también me conformaba. Y así no hay continuidad visual: tiene usted un plano con cielo anubarrado y en el contraplano un cielo abierto, con otra luz.

T. P. T.: Pero está bien, porque rompe usted la verosimilitud convencional, la «impresión de realidad». Por ejemplo, en la escena en que vemos deslizarse por el desierto un ataúd, a usted no le importa que se vean las cuerdas con que lo arrastran.

Me importaba, pero hay un momento en que, cuando el rodaje se pone pesado y hay que repetir tomas demasiadas veces, me digo: «Se acabó, que vaya así.» Pero no se trata de detalles como el sombrero de copa que me hubiera gustado meter en la cocina, en *Los olvidados*. Allí sí quería causar desconcierto en el espectador, por un instante, imponerle una duda («¿Lo he visto? ¿No lo he visto?»). Aquí las cuerdas se ven demasiado.

J. de la C.: A mí me gusta, porque da una dimensión del diablo como alguien al que tampoco las cosas le salen del todo bien: un «chapucero». Yo también creo que esos «descuidos» ayudan a la película. También la no-concordancia de los cielos nublados y despejados, o el detalle de que la barba de Simón debía llegarle a los pies y no es así.

Esto de la barba es otra cosa. No me interesaba dar un tiempo definido en la historia. ¿Cuánto tiempo lleva Simón en la columna? No se sabe. Es intencionado... Lo mismo que cuando vemos a Simón en la columna y luego abajo, en el suelo, apoyado en el regazo de su madre. ¿Qué ha sucedido? ¿Ha bajado de la columna? No, sólo se lo imagina. Pero... ¿parece realmente que sí ha bajado? Ah, no importa. Prefiero que no quede preciso.

J. de la C.: Esto nos lleva a la parte «fabulosa» de la película. Usted se ha definido muchas veces como materialista.

Y lo soy. Desde que perdí la fe. Y porque no me queda más remedio. Tal vez no siempre me gusta serlo.

J. de la C.: A eso voy. En la película hay por lo menos un verdadero milagro: el hombre mutilado que recupera de pronto sus dos manos.

Sí es un milagro, pero ninguno de los allí presentes le da importancia. Es como hoy sucede con los milagros de Lourdes, que nadie les hace caso y son considerados como cosa de rutina. Ni siquiera el hombre que recibe el milagro le da importancia. ¿Qué es lo primero que hace con sus milagrosas manos? Darle un coscorrón a su hija: «¡Anda, niña, vámonos a casa!» El hombre debe pensar: «Es un santo milagroso, es natural que me haya hecho el milagro.»

T. P. T.: Pero el milagro se ha realizado, y esta vez no es una ilusión, porque todos los presentes son testigos. Aquí, un cura podría decir que usted es creyente.

Un cura, hoy, abriría una investigación eclesiástica sobre ese milagro. En mi pueblo hubo un milagro. En el siglo XVII, me parece. Un hombre al que le habían amputado una pierna, le rezaba fervorosamente todos los días a la Virgen del Pilar, le ponía siempre cirios, y una mañana ya tiene otra vez en buen uso la pierna... que ya había enterrado. ¿Es verdad? Para millones de personas, sí. Los milagros han existido históricamente. Que usted les busque una razón racional, científica, es otra cosa. Pero mucha gente era testigo de que se resucitaban muertos, los ciegos volvían a ver... Cuando le contaba el milagro de mi pueblo a un dominico, se reía: «Se le pasa a usted la mano, Buñuel.» Es que... Déjenme aclarar esto. En una obra de imaginación, ¿va uno a excluir todo lo que no sea materialista y comprobable? No. Hay un elemento de misterio, de duda, de ambigüedad. Soy ambiguo siempre. La ambigüedad me es consustancial, porque rompe las ideas hechas, inmutables. ¿Dónde está la Verdad? La Verdad es un mito. Ser materialista, además, no significa negar la imaginación, la fantasía, ni que puede haber ciertas cosas inexplicables. Racionalmente, no creo que a un manco le crezcan las manos, pero puedo hacer como si lo creyera, porque me interesa lo que viene después. Además, estoy trabajando con el cine, que es una máquina de fabricar milagros. Gracias al cine podemos ver ahora a un actor que murió hace cincuenta años, o cómo germina una semilla y se convierte en planta, o cómo sale del fusil la bala y va a pegar en un jarrón, cuyos fragmentos se posan en el suelo con la gracia de una bailarina. Y ahora estos «milagros» ni siquiera nos asombran. Es una lástima que el cine no se haya inventado siglos antes. El más trivial noticiero de la Edad Media sería maravilloso: la muerte en la hoguera de Juana de Arco, un baile de sociedad en el castillo de Gilles de Rais, un documental sobre el cultivo de la remolacha en aquellos tiempos.

T. P. T.: En *Simón del Desierto* **se pasa de la Edad Media a nuestro siglo en un vuelo de avión supersónico.**

Eso lo perfeccioné en *La Vía Láctea*, donde los personajes no necesitan ya ningún avión para pasar de una época a otra.

J. de la C.: Hay una novela maravillosa, con una historia de amor que vence las barreras del tiempo: *Peter Ibbetson*, **de George du Maurier. Gustaba mucho a los surrealistas. Allí los viajes en el tiempo se hacían mediante los sueños...**

Sí, los sueños son el «primer cine» que inventó el hombre, e incluso con más recursos que el cine mismo. Ni el más rico de los productores le podría financiar a usted la «superproducción» que hay en ciertos sueños. Pero hablamos siempre de sueños y olvidamos la «ensoñación», la *rêverie*. Creo que yo la prefiero al sueño, porque, como ya hemos dicho en otra de estas entrevistas, el sueño no lo puede usted dirigir, y la *rêverie*, hasta cierto punto, sí.

J. de la C.: ¿Ha soñado usted alguna vez con Cristo?

No sé, lo habré quizá soñado, pero no lo recuerdo. ¿Por qué me lo pregunta?

J. de la C.: Porque hay una curiosa iconografía «buñueliana» de Cristo. Recuerdo, por ejemplo, el Cristo sadiano de *La Edad de Oro*, **el Cristo poste telefónico de** *Cela s'appelle l'aurore*, **el Cristo que ríe a carcajadas de** *Nazarín* **(que ya había usted prefigurado en un texto surrealista), el Cristo que se afeita la barba en** *La Vía Láctea*. **Y en** *Simón del Desierto*...

Ahí no aparece Cristo.

J. de la C.: En cierta forma sí: Silvia Pinal aparece con barba «nazarena» y un cordero en los brazos.

Pero no es Cristo, sino el Diablo, que toma esa forma para engañar a Simón. El engaño le falla y tira el cordero al suelo.

T. P. T.: Sin embargo podría hablarse de una obsesión respecto a Cristo.

Lo he reconocido ya: culturalmente, soy cristiano. Habré rezado dos mil rosarios y no sé cuántas veces habré comulgado. Eso ha marcado mi vida. Comprendo la emoción religiosa y hay ciertas sensaciones de mi infancia que me gustaría volver a tener: la liturgia en mayo, las acacias floridas, la imagen de la Virgen rodeada de luces. Son experiencias inolvidables, profundas.

T. P. T.: Hay quien dice que «los problemas religiosos que Buñuel plantea en sus películas están ya superados».

Para alguna gente, sí, pero no para todo el mundo. Y si están superados, ¿qué me importa? No hago películas de tesis, ni religiosas ni ateas.

J. de la C.: ¿Su única tesis sería: «Que nada se sabe»?

Podría ser, pero hasta esa «tesis» la pondría en duda.

▲ «No sé qué es un actor buñueliano» (Catherine Deneuve).

22. Belle de jour

T. P. T.: Usted hizo *Belle de Jour* **para los hermanos Hakim, que tienen fama de productores terribles.**

Mi agente en París me dijo que los Hakim me proponían **Belle de Jour** y me dio la novela. Es una historia un poco folletinesca y yo en principio no quería hacerla. Les dije que, en todo caso, exigía libertad total. Particularmente, no aceptaba la cláusula según la cual los productores tenían derecho a intervenir en el montaje de acuerdo a sus intereses. Insistieron, finalmente nos pusimos de acuerdo, hice la adaptación con Carrière y todo marchó sobre ruedas. Terminada la película, había el peligro de que la censura no la dejara salir fácilmente. Los Hakim me decían: «Dejando que la censura corte algo, uno evita que corte aún mas.» Había una escena, la del Cristo, que podía ser considerada desagradable, y se cortó.

T. P. T.: ¿Cómo era esa escena? Según parece se trataba del Cristo de Grünewald.

No se cortó la escena, que es el episodio de **Belle de Jour** en la mansión del necrófilo, un duque interpretado por Georges Marchal. Tenía más valor con el Cristo de Grünewald, que es la imagen más terrible de Cristo, ¿la conocen ustedes? De un realismo feroz. Esa imagen era importante porque preparaba la escena siguiente.

J. de la C.: Catherine Deneuve parecía, en principio, una actriz poco «buñueliana». ¿La eligió usted?

Los productores ya la tenían programada. Me la presentaron y comí con ella. Me pareció de un tipo posible para el personaje: muy bella, reservada y extraña. La acepté. Durante el ro-

daje noté que no me entendía. Se quejaba a alguien: «No comprendo por qué tengo que hacer tal cosa.» Le decían: «Hay que hacer lo que te pide Buñuel.» No quería que se le viese el pecho y la peinadora le ponía allí una banda. Debía aparecer un momento desnuda, poniéndose una media y, para evitar que en un movimiento se le viese un pecho, se recogía los dos con un tafetán. En *Tristana* se portó mejor, no me dio problemas. Excelente actriz. En fin: me la habían propuesto los productores, sí, pero yo tenía libertad de aceptarla o no. Si no tengo esa libertad, no hago una película.

T. P. T.: Creo que finalmente le convino a la película. Su belleza es un poco asexual, un poco abstracta, y eso da un contraste interesante al personaje.

Sí, muy bien. Por eso después la elegí para *Tristana*.

T. P. T.: Tampoco Jean Sorel sería un actor «buñueliano».

No me interesa que los actores sean «buñuelianos». Además, no sé qué es un actor «buñueliano». A Sorel yo no lo había visto; lo conocí cuando hablamos para la película. Un tipo muy simpático, muy agradable. En el primer día de rodaje estábamos en el parque: Sorel, Catherine, los dos cocheros y el landó, con todo listo para hacer las tomas. Los actores debían decir un diálogo de amor convencional, del género de: «Te amo. Qué felicidad estar contigo. Te adoro…» El ayudante viene y me dice que los actores quieren hablar conmigo. Sorel había tachado sus líneas y había escrito encima su diálogo. Le digo: «¿Qué ha hecho usted?» Muy cortés, me dice: «Perdone usted,

¿esto no le parece ridículo?» Le respondo: «Sí, pero ¿sabe usted todo lo que sucede después? Tras este diálogo banal, usted comienza a azotarla con un látigo, la arrastra por el fango. Díganlo ustedes tal como está escrito.» Y lo dijeron así.

J. de la C.: En la novela de Kessel ¿hay ese doble plano de realidad e imaginación?

No, eso lo puse yo de mi parte, porque era lo que me estimulaba para filmar la historia. Al final, lo real y lo imaginario se funden. Yo mismo no podría decirles qué es lo real y qué es lo imaginario en la película. Para mí forman una misma cosa. Todo lo «real» estaba en la novela: la pareja burguesa, los gángsters, el burdel, pero cambié en eso algunas cosas. En el libro, el personaje de Rabal es un sirio. Lo hice español para que cantara flamenco, como hace en una corta escena.

T. P. T.: ¿Por qué canta flamenco?

¿Por qué no? ¿Por qué lleva usted una camisa de ese color y no de otro?

J. de la C.: Para mí, la película tiene tres planos: la vida decente de Séverine con su marido, la vida de burdel y la vida imaginaria. Ahora bien, el burdel podría pertenecer a su vida imaginaria.

No. La vemos en la vida normal con su marido. En esa vida normal ella tiene fantasías «indecentes». Luego entra en el burdel realmente, es decir que tiene de verdad una vida «decente» y otra «indecente». Más claro: ella le pregunta al marido sobre los burdeles y él se extraña por la pregunta. Esto es real. Al día siguiente ella ve a Piccoli, en el tenis, le pregunta dónde están esas «casas» y él le da una dirección. La vemos ir a esa dirección, pero no se atreve a entrar y huye… Todo tiene una secuencia lógica, es real.

J. de la C.: Pero como la película se balancea entre la realidad y la imaginación, podría suceder que lo que ocurre luego, la vida en el burdel y la relación con Marcel (Clementi) sea pura fantasía.

No. Una mujer que le pregunta a su marido qué es un burdel no podría inventar las aberraciones que ve allí. Por ejemplo: un ginecólogo muy digno que va al burdel para disfrazarse de mayordomo y humillarse ante una prostituta.

T. P. T.: ¿No es una aberración muy común?

Sé que es algo vivido. No por mí, sino por una amiga mía, bailarina del Paramount de París. El personaje era un famoso tocólogo madrileño. ¿Cómo podría Séverine imaginar que hay gente así? Los episodios imaginarios son distintos. Ella está rezando a la hora del Angelus; de pronto «ve» una manada de toros y dice que esos toros se llaman Remordimiento y el último Expiación. Es porque ella tiene necesidad de expiar. Pero que los toros tengan esos nombres es bonito, ¿no?

T. P. T.: Pero insisto en que algunos episodios dejarían la incertidumbre de si son imaginarios o reales. Por ejemplo: en el episodio del ginecólogo, precisamente. Como el hombre no encuentra satisfactorio el comportamiento de ella, la echa del cuarto y llama a otra prostituta. Cuando Séverine sale del cuarto, no lleva sostén. Pero cuando observa furtivamente lo que el hombre hace en el cuarto con la otra, Séverine ya tiene sostén. ¿Esto sería un falso *raccord*?

No, no podría ser un falso *raccord* porque en un rodaje hay muchos ojos y alguien me lo habría advertido. Vemos que el hombre cierra la puerta y luego que ella está en otra habitación. Entre los dos planos hay un momento en que no lo vemos, y en ese tiempo ella puede haberse colocado un sostén.

T. P. T.: Otro posible falso *raccord*: cuando Séverine va al castillo del aristócrata necrófilo, entra con un abrigo y sale con otro diferente.

No lo creo; tendría que verlo. Ese sí sería un falso *raccord*, y ni en la fantasía está permitido. Ni siquiera en una fantasía filmo lo que me dé la gana. Porque incluso las fantasías, que no son arbitrarias, tienen una forma de realismo. En el caso de que Séverine entrara con un abrigo de piel de tigre y saliera con uno de armiño, podría ser que le han regalado éste por sus servicios, ¿verdad? En mis primeras películas y en las de México puede haber ocurrido un falso *raccord*; es más difícil que sucediera en mis películas francesas, que técnicamente están más cuidadas, tienen más recursos. Es verdad que en **Belle de Jour** la falta de transición entre lo real y lo imaginario puede parecer un falso *raccord*; para mí no lo es. Además, el episodio del necrófilo sucede realmente, no es un sueño ni una ensoñación. ¿Les parece a ustedes una *rêverie*? No me importa: yo hago la película y la dejo libre. Si ustedes ven la película de otra manera a como la hice,

muy bien. Incluso aceptaría que la visión de ustedes es mejor.

T. P. T.: Pasemos a otro caso. En la escena inicial, la de los créditos, Sévérine y su esposo van en un landó, suenan las campanitas del vehículo, etc. La cámara los acompaña en panorámica. De pronto, el vehículo avanza en dirección contraria.

No hay falso *raccord*, sino elipsis. La escena, por cierto, es imaginaria. Ella está imaginando que van en landó, hablando de amor, que él la baja del vehículo, la entrega a los criados para que la arrastren y luego le den latigazos, atada a un árbol. Luego, la cámara sobre el rostro de ella y la voz de él, fuera de cuadro; «¿En qué piensas, Sévérine?, y vemos que están en la recámara matrimonial (esto es realidad) y ella responde: «Pienso en ti.»

J. de la C.: Puesto que usted dice que deja libre la película, puedo imaginar también que *Belle de Jour* es la historia de una prostituta que «sueña» ser una burguesita decente.

Muy bien, esa es la *Belle de Jour* de usted. Si la filma, me gustaría verla. Y luego lo acosaría con preguntas, como ustedes hacen conmigo.

J. de la C.: Desde luego, es inútil preguntarle qué hay en la cajita que el cliente asiático muestra a Sévérine.

(*Ríe.*) Ya sé que la cajita inquieta, y más con el zumbido que le puse. Una prostituta rechaza al asiático por la cajita, pero Sévérine mira su interior y acepta lo que el cliente propone. Yo mismo no sé qué hay en la cajita. Debe ser algo extraordinario, una cosa útil para una perversión insospechada. Produjo más curiosidad de la que yo podía sospechar. Una vez, el doctor Méndez, jefe de farmacología del Instituto Mexicano de Cardiología, me invitó a comer a su casa. Había invitado también al doctor Chávez, el gran cardiólogo, jefe del Instituto, porque éste quería conversar conmigo. Chávez llegó tarde, colgó su capa española, se disculpó por el retraso. Ya sentado, me dijo de repente: «Oiga, Buñuel, ¿qué hay en la cajita?» Me sorprendió: un eminente científico, un *savant*, preocupado por el contenido de la cajita.

T. P. T.: A todos, científicos y no científicos, nos ha intrigado eso.

J. de la C.: Un amigo, publicista, decía que la publicidad de la película era poco imaginativa. «Yo hubiera organizado un

---

Buñuel «disparando» ante la mirada de Pierre Clementi y un «gendarme». ▲

concurso -me decía- sobre este tema: Adivine qué hay en la cajita y gane cinco mil pesos.»

T. P. T.: He preguntado al respecto a algunos amigos y todos coincidíamos en que la cajita debe contener algún insecto. Un abejorro, por ejemplo.

Puede ser, porque está el zumbido. Ahora yo les pregunto a ustedes: ¿para qué serviría el abejorro?

J. de la C.: A mí me parece de una claridad meridiana. El asiático quiere meter el abejorro en el sexo de Séverine.

Y el abejorro le devoraría el sexo: ¡pzzzzzzzzz! *(Ríe.)* Como depravación no está mal.

T. P. T.: Por cierto que Sévérine, cuando ve lo que hace un cliente del burdel, se asombra de que exista tal depravación.

Porque no se da cuenta de que ella misma está entrando en otra especie de depravación. Ella separa sus fantasías eróticas de lo que

hace en la realidad. Creo que en el acto de amor a las mujeres no les gustan las fantasías.

T. P. T.: En México, ésta es una de sus películas que mayor éxito ha tenido. Tal vez la que más. Había grandes colas en los cines.

Y en Italia y en España…

T. P. T.: Esto sería muy indicativo, porque se trata de países donde tradicionalmente la sexualidad femenina ha sido reprimida, y una gran parte del público de *Belle de Jour* lo constituían mujeres.

Parece que sí, que atrajo a las mujeres. ¿Cómo se explican ustedes eso?

J. de la C.: Precisamente en la medida de esa represión. La película demostraría que toda mujer decente desea algunas veces ser una puta. Tal vez también muchas prostitutas fueron a ver la película, sintiendo que las «reivindicaba».

Fernando Cesarman, el psicóanalista, ha dicho que soy un misógino, que en mis películas la mujer queda siempre por los suelos. No sé.

▲ «Voyeuse de jour.»

Yo no creo ser misógino. Quizá entiendo poco a las mujeres. También es verdad que me encuentro mejor entre hombres que entre mujeres.

T. P. T.: En lo cual sería usted muy español. «La mujer honrada, pata quebrada y en casa.»

J. de la C.: Y al mismo tiempo, podría ser usted considerado un «cineasta de la mujer». Hasta por los títulos: *Susana, La joven, Viridiana, Tristana, Le journal d'une femme de chambre...*

Pero rara vez tomo el punto de vista de la mujer. Reconozco que el mundo de mis películas tiene el tema del deseo, y como no soy homosexual, el deseo toma naturalmente la forma de la mujer. Soy como Robinson cuando ve el espantapájaros vestido con ropas femeninas.

J. de la C.: Yo diría que en *Belle de Jour* **se reconoce un poco usted en el personaje de Piccoli, que parece sentirse muy a gusto, muy «familiarmente» en un burdel.**

Puede haber algo de mí mismo, sí. Me hubiera gustado ser un *habitué* de un burdel donde me trataran como a un amigo de la casa y tuvieran conmigo toda clase de atenciones. «Don Luis, aquí tiene usted su vino preferido. Don Luis, esto. Don Luis, lo otro.»

T. P. T.: Sin embargo, el de Piccoli es un personaje negativo. Delata a Séverine ante su marido.

Ese puede ser un acto de piedad. Piensa: «Este hombre está paralítico, adora a su mujer y se siente disminuido ante ella. Si le digo lo que su mujer hace, la odiará y eso puede ser para él una especie de consuelo.»

T. P. T.: La idea del landó y los cocheros y de la fustigación de Séverine parecería responder a alguna obsesión suya.

Esa idea viene en realidad de *La femme et le pantin [La mujer y el pelele]*, de la primera vez que pensé en filmarla. Es que a mí la imagen de dos lacayos de fin de siglo, con sombrero de copa, la escarapela, los botones dorados en la levita, dando latigazos a una mujer desnuda, me parece interesante.

J. de la C.: Lo importante es que humillan y fustigan a una mujer que en la jerarquía social está por encima de ellos.

En la imaginación de ella eso es eróticamente más interesante. Por eso, como ustedes ven, ella no es muy diferente del ginecólogo al que le gusta ser pisoteado por una prostituta.

T. P. T.: La película tiene dos finales. Después de la delación de Piccoli, el marido se «libera», se levanta de la silla de ruedas, todo parece arreglado... pero vuelven a oírse las campanitas del carruaje... Que hemos visto que están relacionadas con las fantasías eróticas de Séverine.

No hay dos finales, sino un final ambiguo. Yo no lo entiendo. Esto indica falta de certidumbre mía. Es el momento en que no sé qué hacer, tengo varias soluciones y no me decido por ninguna. Entonces, en el final, he puesto mi propia incertidumbre. Ya me ha pasado otras veces. Sólo puedo decir que en la vida hay situaciones que no terminan, que no tienen solución.

T. P. T.: ¿Qué hará, entonces, Séverine? ¿Volverá al burdel?

Sí y no. Es problema de ella.

23. *La Vía Láctea*

J. de la C.: *La Vía Láctea* **es una película inusitada: es como una larga discusión que abarca siglos.**

Muchas cosas se me ocurrieron después de haber releído, ya aquí en México, un libro extraordinario lleno de datos históricos y más interesante que una novela; es la *Historia de los heterodoxos españoles*, de Marcelino Menéndez Pelayo. Me interesaron las herejías como me interesan las inconformidades del espíritu humano, sea en religión, en cultura o en política. Un grupo crea una doctrina y a ella se adhieren miles y miles de individuos. Luego, cormienzan a surgir los disidentes que creen en todo lo que predica la religión, menos en un punto o en varios. Son castigados, echados del grupo, se les persigue, y aparecen los enfrentamientos sectarios, en los que se odia más al discrepante que al enemigo declarado.

T. P. T.: Esto puede ocurrir en la Iglesia, o en un Partido Comunista... o por ejemplo en el movimiento surrealista.

Puede ocurrir lo mismo, cuando aparece el espíritu de secta. Con el surrealismo ocurrió algo parecido, aunque Breton no torturaba ni quemaba vivo a nadie; se limitaba a expulsarlo. Debo aclarar que Breton no me expulsó nunca, a pesar de que he trabajado en el cine comercial y he tenido la debilidad de recibir premios.

J. de la C.: ¿Sólo se basó usted en el libro de Menéndez Pelayo?

Me documenté más, leí libros de teología y de historia eclesiástica. Carrière me regaló un libro magnífico, una Historia de la Iglesia en ochenta y tantos volúmenes, publicado en Francia hacia 1880. Dos volúmenes están dedicados a las herejías, y elegí las principales, las que van del siglo IV hasta el IX y los protestantes. Quería una forma un tanto novelesca, no una película de sketches, y pensé en dos mendigos que peregrinan a través del tiempo y el espacio y encuentran herejías en el camino.

J. de la C.: Es una idea buena, pero no tan insólita como el hecho de que un *maître d'hotel* **explique en un restaurante el misterio de la transustanciación.**

Me aburría poner a dos sacerdotes discutiendo el dogma y busqué un ambiente «inadecuado», para crear una especie de desplazamiento. Un maître, unos camareros y una camarera que discuten de teología lo hacen más gracioso que si fueran cardenales y obispos. Este episodio, además, está ligado al hecho de que los peregrinos hayan llegado al restaurante a pedir limosna.

T. P. T.: La peregrinación de los mendigos es un hilo conductor. En *El fantasma de la libertad*, **que también tiene episodios muy diversos, ya no usa usted ese hilo.**

Es otro recurso. En *El fantasma* no hay un solo tema o una sola historia, sino personajes que viven un pequeño episodio y dejan lugar a otros que a su vez hacen lo mismo. Es una forma diferente de «continuidad discontinua».

T. P. T.: Parecería que usted tiende a desechar la historia única, que es la misma de principio a fin. Esta pluralidad de personajes y episodios también se da en *El discreto encanto de la burguesía*.

Sí, aunque de manera no acentuada. Al leer una novela o ver una película, ¿no han sentido ustedes ganas de que el autor pase a otro personaje, a otra historia? Yo sí. Por ejemplo, si leo *Crimen y castigo*, puedo decirme: «Qué lata seguir todo el tiempo a Raskolnikov. Ahora, en lugar de subir con él una escalera más, desearía decirle: «Adiós, buenas noches», y en cambio seguir al chico que sale a comprar el pan y que se ha cruzado un instante en el camino.»

J. de la C.: Yo creo que el «procedimiento» de *La Vía Láctea* **podría estar inspirado por la picaresca española, o por la novela cervantina. En el** *Quijote***, sobre todo, los personajes hacen un alto en el camino, encuentran a un pastor o a un hidalgo viajero, y durante uno o dos capítulos, Cervantes cuenta otra novela dentro de la novela. Es un recurso que viene de la novela bizantina.**

Sí, reconozco que esto puede venir de ciertas obras literarias. El colmo de ese «procedimiento», un libro encantador, es el *Manuscrito hallado en Zaragoza*, que me fascina. También en *Gil Blas* hay historias interpoladas. Claro que en ninguno de esos libros hacen lo que yo:

pasar de una época a otra. Esto último sucede en *Peter Ibbetson*, pero sólo mediante sueños.

T. P. T.: Para el lector que no haya visto su película pongamos un ejemplo. Los dos peregrinos salen de una «posada» o albergue de *nuestro tiempo* **(donde han presenciado la discusión del policía y el cura loco) y poco después, en el camino, descansan en el bosque y encuentran a Prisciliano y su secta.**

Es la tempestad la que provoca el encuentro. Los peregrinos discuten sobre la existencia de Dios, uno de ellos dice que si Dios existe, que envíe un rayo. Y el rayo cae. Esto lo tomé de una experiencia mía de cuando era adolescente e iba en carro, con unos amigos, desde Calanda a una masía. Yo había dejado ya de creer; uno de mis amigos era católico. Había una tempestad, vimos relumbrar un rayo que cayó muy cerca y yo dije: «Si hay Dios, que caiga sobre nosotros un rayo.» Todos protestaron. Me acordé de eso para la tempestad de la película.

J. de la C.: He leído el guión y la aparición de Prisciliano precede a la tormenta.

Es posible. Lo importante es que me basta cualquier detalle para pasar de una época a

▲ Jesucristo recibiendo instrucciones de Buñuel.

150

otra. Por ejemplo: dos estudiantes de otros tiempos asisten a la escena en que van a quemar a un obispo que era herético, es decir que van a quemar su cadáver. Un luterano levanta la voz y lanza un discurso también herético. Quieren prender a los estudiantes y éstos huyen. Salen corriendo, llegan a un río, descubren la ropa de unos cazadores de la época actual que se están bañando, se visten con ella y ya los tenemos en nuestros tiempos.

J. de la C.: Es un hallazgo muy brillante: en lugar de máquina del Tiempo, cambio vestimentario.

T. P. T.: Y sin truco: a la vista del espectador y en el mismo paisaje.

Se trataba de que el espectador se diera cuenta del paso a otra época. Esta escena precede al milagro del rosario. Un milagro en serio: creo que lo tomé de Gonzalo de Berceo. Uno de los estudiantes es católico, saca el rosario y explica que sirve para rezar a la Virgen. El otro tira el rosario al aire, le pega un tiro y lo destroza. En la noche, aparece la Virgen y devuelve el rosario intacto. El estudiante católico cuenta esto a un cura, y a su vez éste cuenta otro milagro. Una monja, tentada por el Diablo, deja el convento y se va con un hombre al que ama. Anda por el mundo mucho tiempo y luego, arrepentida, retorna al convento y encuentra que ni la abadesa ni las otras monjas habían advertido su ausencia, porque la Virgen había tomado el lugar de la ausente. Y otro «milagro», muy distinto. Los peregrinos huyen de una posada llevándose un jamón y la guardia civil los detiene. «¿Y este jamón?» «Nos lo han regalado en la posada.» «Pues en ese caso, pueden seguir su camino.» ¡Imagínense a un guardia civil que atrapa a dos pícaros huyendo en la noche con un jamón y los deja seguir el viaje a la primera explicación! La Guardia Civil siempre queda bien en mis películas. *(Risas.)*

T. P. T.: En esta película aparece Cristo como personaje. Es un Cristo según la imagen convencional, de estampa religiosa, pero su comportamiento no es convencional.

Son cosas que me imaginaba cuando tenía diez u once años. Imaginaba a Cristo corriendo o afeitándose la barba, y me escandalizaba yo mismo. Pero seguramente Cristo corrió alguna vez, o se afeitó la barba. No siempre debió andar despacio y solemnemente; alguna vez se recortó la barba, porque, si no, le habría llegado a los pies. Filmé la escena de la maldición de la higuera, que es notable: allí Cristo se encoleriza con un pobre árbol porque éste no le da su fruto. «Yo te maldigo y serás estéril». Y caían todas las hojas del árbol. Pero con el trucaje, la escena parecía de dibujos animados, como de Walt Disney, y la suprimí.

J. de la C.: Sus últimas películas tienen una fluidez «clásica», sin que las imágenes aparezcan violentamente, como en las primeras películas, las surrealistas. Lo asombroso o extraordinario ocurre dentro del relato, sin «chocar» con él.

T. P. T.: Además con una posible explicación realista.

¿En *La Vía Láctea* explicación realista? No creo. Hay elementos fantásticos.

T. P. T.: Por ejemplo: en una fiesta escolar campestre, un personaje oye una descarga de fusiles y pregunta al que tiene cerca: «¿Qué ha sido eso?» El otro responde: «Es que imaginé que fusilaban al Papa».

Ahí tiene usted. No hay explicación realista. ¿Cómo puede alguien oír los tiros que se imagina otra persona?

T. P. T.: Sí, ahí la fantasía invade la realidad, pero queda la duda: podría haber un campo de tiro allí cerca.

De acuerdo, pero yo no muestro ningún campo de tiro. He mostrado la ensoñación del fusilamiento del Papa, luego la situación real. Si fueran tiros casuales, sería increíble que coincidiera con el final de la ensoñación.

J. de la C.: A mí me gusta que lo imaginado se haga concreto de alguna manera en estas escenas. Me gusta también que las pequeñas historias, con sus sueños o ensoñaciones, vayan enlazándose a través de diversos personajes. El argumento de la película es como el agua de una fuente que va cayendo de un plato a otro.

El fantasma de la libertad es exactamente eso.

J. de la C.: Se trata de un tipo de construcción totalmente nuevo. La vuelve usted a usar en *El discreto encanto de la burguesía* y en *El fantasma de la libertad*.

No. En *La Vía Láctea* y en *El discreto encanto* hay hilos conductores: los dos peregrinos o el grupo de burgueses. En *El fantasma de la libertad* ya no hay personajes continuos que sirvan de enlace. Tienen su pequeña

historia y salen, para que venga un nuevo personaje y una nueva historia. Por eso quizá el público se desconcertó. *El fantasma* tuvo menos éxito que *El discreto encanto*.

J. de la C.: Pero en *La Vía Láctea* **también nos desconcierta usted mucho. Por ejemplo: usted nos explica ahora que el episodio del jamón robado y los guardias civiles es sólo una broma. Pero, por el contexto global, el espectador podría pensar que hay aquí alguna alusión a un dogma.**

Esto no sólo sucede con el episodio del jamón. Hay otras bromas y la gente piensa que deben tener alguna significación oculta. No perdonan nada.

J. de la C.: Por ejemplo, el episodio de la limosna. El mendigo que tiene algunas monedas, recibe unas monedas más; el otro, que carece enteramente de dinero, no recibe nada.

Es un precepto que está en los Evangelios: «Al que no tiene, nada le será dado; al que tiene, le será aumentado.» Aquí no hay un gag mío, sino una cita evangélica que casi parece una herejía.

T. P. T.: Por fin pone usted en escena, en esta película, a su admirado Marqués de Sade.

Sade no fue un hereje, pero lo interpolé en el relato para que representara el ateísmo total. Sade ha torturado a una dulce niña, ella afirma creer en Dios y él, dulcemente, como un buen padre, trata de convencerla de que Dios es una idea absurda. La niña no se convence. Recordé a una niña, hija de un amigo mío que es ateo. La niña comete una pequeña falta en la mesa y el padre la riñe y la envía a su cuarto. Al retirarse la niña grita: «¡Pues creo en Dios, creo en Dios y creo en Dios!» Es una bonita venganza de niña.

T. P. T.: ¿Por qué el episodio de la monja crucificada enlaza con el del duelo «teológico»?

Los jansenistas se crucificaban y crucificaban a las monjas. Querían sufrir como Cristo. Llega un jesuita, en mi película, y grita indignado que eso es un sacrificio inmundo, una herejía. Las cosas que se dicen, mientras se baten a espada, pertenecen a los textos de las verdaderas discusiones sobre esos temas. En

▲ **El Marqués de Sade (Michel Piccoli) tortura a la niña.**

el texto hoy no entendemos nada. Imaginé que en lugar de ver a dos hombres sentados, hablando y hablando, el «duelo teológico» podría ser un duelo a espada de verdad. Procuro que haya ideas visuales, hasta en los temas más abstractos. Si se tratara sólo de poner en una película discusiones verbales, mejor escribiría un libro... pero soy «ágrafo», es decir: reacio a la escritura.

T. P. T.: Esta es otra película suya, además de Simón del Desierto, **donde aparece el Diablo, en la figura de Pierre Clementi.**

Los peregrinos, por la carretera, hacen autostop. Pasa un automóvil, le hacen señas y el vehículo no se detiene. El peregrino joven lo maldice: «¡Ojalá te estrelles!» Fuera de cuadro, oímos que el automóvil se estrella. El conductor ha muerto y el Diablo está en el asiento trasero, oliendo una flor. Por la radio se oye un texto muy hermoso de San Juan de la Cruz. Lo leyó mi amigo el Padre Julián y luego me pidieron que lo leyera yo. El texto dice: «Allí las lágrimas no sirven para nada, el arrepentimiento tampoco.»

T. P. T.: ¿Por qué huele una flor el diablo?

Más que el diablo es el Angel de la Muerte. No tiene ningún significado que esté oliendo una flor, o quizá lo tenía y ahora no lo recuerdo. Pero ¿todo debe tener un significado? Tengan cuidado: los veo en peligro de convertirse en cahieristes du cinéma.

T. P. T.: En el final, el episodio de los ciegos es muy ambiguo. Se supone que Cristo devuelve la vista a un ciego...

La manera en que lo hace está también en los Evangelios. Toma un poco de tierra, escupe en ella, toca los ojos del ciego y éste se cura. ¿Dónde está lo ambiguo?

T. P. T.: En que luego el ciego «curado» dice: «Acaba de pasar un pájaro. Lo reconocí por el ruido de las alas.»

Claro. Puede haber visto pasar realmente el pájaro, pero si antes no veía, ¿cómo sabe que es un pájaro? Por el ruido de las alas.

T. P. T.: Otro de los ciegos sigue usando el bastón para estar seguro del terreno que pisa, como si no viera.

Eso puede ser por varias razones. Tal vez sigue estando ciego, pero no quiere desilusio-

La Crucifixión de la monja. ▲

nar a Cristo. Lo más posible, sin embargo, es que todavía tiene reflejos de ciego y no se acostumbra a su nueva situación. Además no sabe, visualmente, cómo es un hoyo o una zanja.

J. de la C.: Cristo hace el milagro con tierra y saliva. En un poema de García Lorca se dice: «La Virgen cura a los niños con salivilla de estrella.»

Pudo haberlo tomado también de los Evangelios, hacer una extrapolación poética. Lo que me extraña en ese milagro es que Cristo actúa como un médico. Los médicos están operando y piden a la enfermera una pinza o unas tijeras. En la película, Cristo le dice a San Juan: «Dame un puñado de tierra», y el otro le pone la tierra en la mano. Hombre, Cristo podría haber cogido la tierra él mismo.

T. P. T.: *La Vía Láctea* se filmó en 1968, año de «la rebelión juvenil.»

Mayo del 68 en París. Salí a buscar exteriores para la película y no pueden imaginar mi asombro al encontrar en la Rue Saint-Jacques una barricada de seis metros de altura.

T. P. T.: Quizá por eso los anarquistas que fusilan al Papa son parecidos a los rebeldes del 68.

Creo que la bandera la lleva una muchacha. Van armados muy irregularmente, muchos de ellos son jóvenes.

J. de la C.: La película es muy seria por su tema, pero tiene constantes «ocurrencias».

Imagínense ustedes lo que sería si no tuviera rasgos de humor. Resultaría insoportable, como una conferencia. Y a pesar del humor, sé que para alguna gente ha sido un *latazo*. La película no era como para dar dinero. Silberman sabe explotar sus películas y creo que manejó bien ésta. Pero si no pongo un poco de picaresca y de aventuras, ni Silberman la salva.

J. de la C.: ¿Qué ha opinado de ella la Iglesia?

De toda la iglesia, no sé. En una comida tuve una larga discusión con padres dominicos; estaban el prior y el padre Julián, mi amigo. Son teólogos empedernidos y la película no les gustaba, los intranquilizaba un poco. En cambio sé que a los jesuitas sí les gustó. La que gustaba a los dominicos era *Simón del Desierto*.

J. de la C.: En esta película advierto una serenidad, digamos una falta de pasión de usted, que se va acentuando en las siguientes. Una especie de serenidad, sí.

No sé si es verdad eso que dice usted. Podría ser. Con la edad, uno va viendo todo con mayor serenidad. Pero de pronto yo puedo entusiasmarme o indignarme como cuando era joven. Tal vez me he ido haciendo un poco intelectual, y tiemblo sólo de pensarlo.

J. de la C.: La misma «risa buñueliana» se ha serenado, es más bien una sonrisa.

El humor está en mayor o menor medida en todas mis películas, hasta en *Los olvidados*, que es tan tremenda. En las últimas películas, las que he escrito con Carrière, por ejemplo, hay más humor. A partir del mismo guión. Estoy esperando a Carrière y falta una hora para que llegue, digamos. Tomo dos martinis y como esto estimula la imaginación, se me empiezan a ocurrir cosas. Luego llega Carrière, que toma un falso aperitivo azucarado, y le cuento mis ocurrencias. Si los dos reímos, está bien. Si no, quito la «ocurrencia».

T. P. T.: No todo el mundo ríe con *La Vía Láctea*.

Depende del público. Un público inocente y poco culto reirá mucho menos que un público de intelectuales, o que un grupo que reconozca algunas bromas privadas. El público es imprevisible. Al lado de mi casa vive la hija de Giral, que fue primer ministro durante la guerra de España. Ella no se ha educado en la religión, no sabe ni santiguarse, pero la película le gustó más que *Belle de Jour*, que necesita menos referencias culturales para ser entendida. ¿Por qué? Misterio. En una exhibición privada invité a unos amigos: Hernando Vines y su mujer, Carlos Fuentes, Julio Cortázar, etc. Al terminar, Fuentes estaba entusiasmado y Cortázar muy frío: se despidió muy atento y se fue. Le pregunté a Fuentes: «¿Qué le ha parecido la película a Cortázar?» Carlos me respondió: «Ha dicho que está pagada por el Vaticano.» *(Risas.)* Sin embargo, tengo un premio que me otorgaron por ateo, el Prix du Chevalier de la Barre, un escritor ateo anterior a Sade. Vean ustedes qué contradicciones.

J. de la C.: Usted podría decir la frase que en México se atribuye a varios personajes, entre ellos a un presidente de la República: «No soy ateo ni creyente, sino todo lo contrario.» *(Buñuel ríe.)*

24. *Tristana*. El azar

T. P. T.: Como *Tristana* es una película de narración más clásica entre las últimas de usted, se piensa que podía ser un viejo proyecto.

La iba a hacer en 1952 con Ernesto Alonso y Silvia Pinal. Es una de las peores novelas de Galdós, género «Te amo, pichoncita mía», muy cursi. Sólo me interesaba el detalle de la pierna cortada. Curiosamente, eso también atraía a Hitchcock. En una comida que me dieron los directores de Hollywood, Hitchcock, sentado a mi lado, exclamaba repetidamente: «¡Ah, la pierna cortada de Tristana!...» Bueno, el proyecto no siguió adelante en los años cincuenta. En el 62 se iba a realizar con Epoca Films en España, pero la censura no quería que Buñuel filmara más allí. Pasaron los años y volví a presentar el proyecto. Fraga Iribarne se oponía. Le escribí a mi amigo Rafael Méndez, un sabio español, jefe de farmacología en el Instituto de Cardiología de México: «Querido Rafael, tu amigo Fraga se opone a la película.» Rafael toma el avión —fíjense ustedes qué amigo—, se presenta en Madrid y habla con Fraga. Este le dice: «Que hable Buñuel conmigo.» Yo quería que la entrevista fuera con testigos, pero Fraga insistió en que debíamos ser él y yo a solas. Me pareció inteligente y simpático Fraga, no me recibió altivamente. Me dijo que en España no estaban preparados para mis películas; le dije que *Tristana* la filmaría con fidelidad al guión presentado. «Bueno —me dijo—, tiene usted luz verde. Haga la película y ya veremos.» No me cortaron nada, no me molestaron en absoluto. Una curiosidad: los guardias civiles de la película —en España, desde luego, está prohibidísimo ridiculizar a los guardias civiles, aunque yo no me proponía hacerlo— están interpretados por gitanos.

J. de la C.: Dialéctica total, porque la Guardia Civil y los gitanos son enemigos tradicionales.

Cuando se iba a filmar una escena en la plaza de Toledo en la cual los guardias atacan a los obreros, llegó un comandante auténtico de la Guardia Civil. Un ayudante mío le preguntó: «Señor comandante, ¿los guardias están bien formados?» El hombre dijo que estaban bien y siguió su camino. Debieron parecerle guardias auténticos.

J. de la C.: Hay una curiosa escena que es marginal a la historia. Un perro rabioso recorre las callejas. Llaman a un guardia civil, él busca el perro y luego oímos dos tiros.

Es relativamente marginal, porque gracias a ese episodio Tristana, que por miedo al perro se refugia en un patio, conoce al pintor. En el cine español, un guardia civil tiene que acertar con un disparo. Aquí se oyen dos tiros. Luego reaparece el guardia enfundándose la pistola y justificando haber tenido que disparar dos veces. «Tuve que hacerlo porque el primero me falló. Había un niño cerca y la bala al rebotar podía alcanzarle.»

T. P. T.: Tristana tiene caprichos misteriosos, como el de la decisión entre dos calles iguales...

Es un recuerdo familiar mío. Cuando era pequeña, mi hermana Margarita ponía sobre la mesa dos migas de pan y sin venir a cuenta me preguntaba: «Luis, ¿cuál te gusta más?» Yo le decía: «Ninguna, las dos son iguales.» Ella: «Pues la derecha es la mejor.» Parece una tontería, ¿verdad? Yo encuentro en esto cierto misterio. Entre dos cosas idénticas, ¿por qué escogemos una y no la otra? Y esa «tontería» puede alterar una vida. En *Tristana*, ella pasea con la criada. Llegan a una encrucijada. Tristana dice: «¿Cuál prefieres que recorramos?» Las calles son casi iguales. La criada dice que le da lo mismo. Tristana escoge una, camina por ella y encuentra el perro, se mete en el patio y conoce al pintor. Si hubiera ido por la otra calle, no habría historia, o habría otra radicalmente diferente. Esto vuelve a suceder con Fernando Rey. Ella pregunta: «De esas dos columnas, ¿cuál te gusta más?» Él dice: «Ninguna, qué tontería.» Pero más tarde él repite la experiencia con dos garbanzos, aunque le parezca una tontería. No dice nada, pero los observa fijamente y escoge uno de ellos. Luego vi que esto lo repetían en una película de Alain Delon: él va a servirse una copa, duda entre dos vasos idénticos y finalmente elige el que le gusta.

J. de la C.: Supongo que esto tiene que ver con el azar, que fue una preocupación esencial de los surrealistas.

No lo diré como un dogma, pero creo que en la vida todo es azar. Se podría hacer una película en la que se demostrara que Napoleón nació porque siglos atrás un romano se rascó la nariz en cierto momento. Y por encadenamiento de circunstancias, eso lleva al nacimiento de Napoleón. O pongamos por caso que Hitler no llega a nacer. Fíjense qué distinta sería la historia de nuestro siglo.

J. de la C.: Dénos usted el argumento de ese «azar».

Muy bien. Hitler no nace porque una noche determinada su padre no se acuesta con la esposa. ¿Por qué no se acuesta con ella? Ese día, en el trabajo, ha estado todo el tiempo pensando en su mujer. Sale del trabajo y encuentra a un amigo, los dos van a emborracharse y el señor Hitler llega a su casa como una cuba, se duerme en el suelo y no fornica con su mujer. ¿Por qué encontró precisamente aquel día a su viejo amigo? Éste es un hombre del campo, se le rompe la reja del arado y va a la ciudad a comprar una, y allí encuentra al señor Hitler. ¿Por qué se rompió la reja del arado? Porque al arar topó con una piedra. Los ejemplos son tontos, pero creo que sirven. Los pequeños

detalles pueden cambiar una vida, la historia misma.

T. P. T.: Pero no todo es azar. El verano o el invierno, aunque se adelanten o atrasen un poco, no ocurren al azar.

Hablo sobre todo de conducta humana, pero la naturaleza puede desencadenar el azar: una tormenta me obliga a refugiarme en una choza del campo. Allí hay una pastora guapa, siento el deseo y la violo. De esa violación nace Sócrates. Es hijo mío (no reconocido), pero también de la pastora y de la tormenta. Si en lugar de meterme en la choza me meto en una cueva, encuentro allí un oso que me devora, y Sócrates no nace. Seamos menos fantasiosos: ¿por qué estoy aquí tomando una copa y hablando con ustedes? Yo quería estudiar música; si hubiera sido finalmente músico, no estaría yo aquí. Estoy aquí porque un día se me ocurrió ir al Vieux Colombier a ver una película de Fritz Lang y me interesó hacer cine. Pero tampoco estaría aquí si el final de la guerra de España me encuentra en Calanda. Sólo me conocerían ustedes por el libro de Sadoul: «Luis Buñuel: malogrado cineasta español, autor de *Un perro andaluz*, *La Edad de Oro* y *Las Hurdes*. Fusilado por las fuerzas franquistas cuando se iniciaba su prometedora carrera cinematográfica.»

J. de la C.: Dénos un ejemplo de azar en la historia de España.

Facilísimo: si el rey don Rodrigo no se acuesta con La Cava (ese día pudo haberse levantado con dolor de cabeza y no estar para esas cosas), el conde don Julián no se hubiera vengado trayendo los moros a España. Yo quisiera dedicar toda una película a los mecanismos del azar, desde un incidente político de hoy hasta el hombre de las cavernas, retrocediendo en el tiempo.

T. P. T.: Lo que da un notable aire de libertad a las últimas películas de usted es precisamente el hecho de que en ellas lo mismo puede suceder eso que vemos que cualquier otra historia.

De acuerdo, aunque nunca llego a la gratuidad o al absurdo. En una película interviene mucho el azar. Ya les he dicho que *Viridiana* nació tan azarosamente como esto: Alatriste me propone una película, yo no tengo todavía un argumento. Esa mañana me he cruzado en la calle con una inglesa muy guapa que me recuerda a la reina de España que tanto me atraía en mi adolescencia y de ahí surge el

embrión de **Viridiana**. Si la chica no llega a cruzarse en mi camino, no pienso en la reina y en cambio le propongo a Alatriste cualquier otra cosa.

T. P. T.: ¿Y se cruzó usted realmente en la calle con esa chica?

Creo que no, pero pudo ser. Tal vez ese día la chica iba a salir al cine con su novio, el novio tardaba en salir de su oficina, la chica se enfadó y echó a caminar, al azar también, y yo me crucé con ella. O tal vez sucedió lo contrario: me detuve a atarme los zapatos en una esquina y no vi pasar a la chica. Pero estamos poniendo demasiados ejemplos y hubiera bastado con uno. El lector de estas entrevistas se va a aburrir.

J. de la C.: Espero que se interesará mucho por ellos, don Luis. A mí me interesan. ¿Por qué surgen estas pequeñas historias en la mente de usted? ¿Por qué en cada caso aparece Napoleón, Sócrates, Hitler, una muchacha? Todo esto nos dice *algo* sobre usted. ¿Qué nos dice? No sé, pero nos dice algo.

Pero hay que parar, porque si no, el libro de ustedes va a ser eterno.

T. P. T.: Paremos la deliciosa persecución del azar. Volvamos a *Tristana*. Que yo sepa, ésta es la primera y la única de sus películas, donde la heroína es una mutilada. Esto, en lugar de restar atractivo erótico a la película, lo aumenta.

Sí, hay una relación sexual perversa. Lo digo en **Tristana**. Durante la guerra española yo iba al Café de la Paix, donde tenía citas con alguien para tratar de cuestiones políticas. Vi frecuentemente a dos muchachas cojas, de unos 19 o unos 20 años, muy espigadas, muy bonitas y pintadas. Se paseaban con sus muletas, no ocultaban que les faltaba una pierna. Eran prostitutas y nunca les faltaban clientes, tenían un éxito tremendo. En la película lo cuento por boca de don Lope. Catherine Deneuve no es precisamente mi tipo de mujer, pero coja y maquillada la encuentro muy atractiva.

T. P. T.: Una de las escenas más eróticas de la película es aquella en que Tristana se

---

«No es mi tipo de mujer, pero coja y maquillada la encuentro muy atractiva.» ▲

muestra al muchacho mudo. Es un primer plano, no vemos que ella le muestre su desnudez, pero la escena es de verdadero esplendor erótico.

Soy muy discreto y, además, importa sobre todo estimular la imaginación del espectador. Mostrar los pechos de ella hubiera debilitado la escena, ¿verdad?

T. P. T.: Aparte de la obsesión erótica, parece existir en *Tristana* **la obsesión gastronómica. Esto lo advirtieron los** *Cahiers du Cinéma* **y enumeraron las ocasiones en que aparece la comida. Encontraron dieciséis...**

¿Ven ustedes cómo todos los críticos ven lo que no hay? Yo juraría que sólo hay tres escenas de comida.

T. P. T.: Hay más, eso es seguro. Aunque no sean comidas completas, son escenas con cierta relación con la comida, los alimentos, los utensilios de cocina. La manzana que come Saturno, las «migas de campanero», el chocolate, las sartenes.

Puede ser, pero casi en cualquier película ustedes pueden encontrar muchas referencias gastronómicas (sin hablar de *La Grande Bouffe*, porque allí el tema es ése: la comida adquiere dimensiones pantagruélicas).

J. de la C.: ¿Qué es eso de migas de campanero?

Las migas se hacen con trocitos de pan, ajo y aceite, en una sartén al fuego, y deben quedar blandas. Las que hicieron en el estudio parecían balas, de tan duras. Cuando el campanero se las sirve a Tristana, sonaban como una granizada. Entonces el hombre las llama «migas de campanero». También pudo llamarlas «migas de artillero», pero él es campanero.

J. de la C.: Tiene gracia, porque una amiga mía, que por supuesto había visto la película, me dijo una vez: «Tengo ganas de ir a España y comer unas buenas migas de campanero.» Le dije que esas migas no existían, que eran invento de usted. «¡Qué va! —me respondió—. Las migas de campanero son conocidísimas en Madrid y las he comido infinidad de veces cuando era niña.»

Eso lo improvisé yo. No existen las migas de campanero.

T. P. T.: Don Lope es un tipo inolvidable, uno de los personajes mejor trazados por usted, pero muy contradictorio. O más bien:

▲ Tristana comiendo las «migas de campanero».

gracias a que es contradictorio. Es un burgués ocioso, un «señorito», pero cuando un policía persigue a un ladrón, o a un anarquista, se pone del lado de este último.

No es tanto que se ponga del lado de un anarquista o de un ladrón. Más bien se pone contra la policía, como también contra los curas. Esto ya estaba en la novela y además es algo que se da en ciertos caballeros españoles, por lo menos en mi época. Puede seducir a una pobrecita huérfana, valiéndose de su condición de «protector», y al mismo tiempo indignarse del abuso del fuerte sobre el débil. Al final se transforma, toma azucarillos y chocolates con los curas, saluda a la guardia civil. La vejez nos cambia a todos.

J. de la C.: El personaje se parece al don Jaime de Viridiana y, si usted no se enfada, un poco a usted.

Don Jaime y don Lope se parecen un poco, sí, pero quizá exageran ustedes lo del parecido porque lo ven interpretado por un mismo actor, Fernando Rey. También es posible que sea algo autobiográfico. Tenemos algo en común: la vejez.

J. de la C.: Es conmovedor que don Lope,

al principio, parezca sólo haberse «aprovechado» de Tristana, y luego sienta amor por ella, después de que le cortan la pierna.

Y llega hasta el punto de permitir que la vuelva a visitar el pintor, que se la había quitado. En una escena que me gusta, cuando él acaba de comprar unos pastelitos o unos mazapanes para ella, se encuentra con el pintor en la calle y le ruega que vaya a visitar a Tristana. No sé si yo llegaría a eso, pero lo comprendo. Y lo comprendo también cuando le dicen que hay que cortarle la pierna a la muchacha. Dice: «¡Pobre chica!», se indigna porque la ciencia hace esas cosas; pero al mismo tiempo piensa: «Ahora será enteramente mía.»

J. de la C.: Don Lope comienza poseyendo a Tristana y termina poseído por ella.

Poseído de una manera terrible, ¿verdad? Queda totalmente a merced de ella.

T. P. T.: Tristana es muy pasiva al comienzo. Se deja seducir por don Lope como si eso estuviera en el orden de las cosas, pero desde el momento en que le cortan la pierna, cambia totalmente: se vuelve una puritana tiránica.

No tan puritana, porque le gusta excitar al

Don Lope (Fernando Rey) y Tristana (Catherine Deneuve). ▲

chico sordomudo. Tiránica sí: se desquita con don Lope y finalmente, con toda frialdad, le provoca la muerte. En la novela seguían viviendo juntos, él ya muy viejecito, ella yendo asiduamente a la iglesia. Ni la novela de Galdós ni mi película «tratan de la «liberación femenina» ni de nada parecido. En tiempos de Galdós eso era inconcebible; en los años en que se sitúa la película era rarísimo. El final de Galdós no me parecía bien, pero tampoco me gustaba el mío. Me molestaba mucho que terminase con la muerte de don Lope, me parecía melodramático, pero no podía ver otro final sino ése. Ella se venga de don Lope: él tiene un ataque al corazón y ella finge que llama al médico. Después abre la ventana: está nevando. Es un final con «coleta», me desagrada. Tal vez por eso metí una serie rápida de imágenes retrospectivas.

T. P. T.: ¿Qué piensa usted de Tristana? ¿Le atrae o le repele?

De una manera u otra, don Lope y ella me llegan al corazón. El galán joven, el pintor, me interesa mucho menos, casi nada. Casi es sólo un pretexto para que suceda lo que sucederá entre don Lope y Tristana.

J. de la C.: No recuerdo si en la película se ve algún cuadro del pintor, pero yo apostaría a que es un artista mediocre.

No lo sé, ni me importa. No es una película de arte. Las biografías de artistas que se han llevado al cine me parecen una lata.

J. de la C.: Entonces no hablaremos del «color toledano» de la película...

T. P. T.: Ni de «la palette de monsieur Buñuel».

Mejor. ¡Abajo «la palette de monsieur Buñuel»! No sé si es un avance el cine en color. Creo que falsea más las cosas que el cine en blanco y negro (en el que además existía el gris, y con eso bastaba). Una cosa que no soporto de las películas en color es la sangre. No es que no lo soporte; más bien, me da risa. Siempre parece falsa.

T. P. T.: Ciertos sonidos tienen mucha importancia en sus películas. Los tambores de Calanda, las campanillas de un landó. Aquí son las campanas de Toledo.

Eso podría venir del campanario de *Là-Bas,* pero no: vienen de mi infancia, de aquellas campanas que presidían la vida de mi pueblo. También de esto hemos hablado.

J. de la C.: En una escena, Tristana se inclina sobre una estatua yacente y parece que va a besarla.

No. Está fascinada por la imagen de la muerte. Cuando con los amigos íbamos a Toledo, siempre visitábamos esa estatua, la del cardenal Tavera, de Berruguete. Es extraordinaria: se ve la piel translúcida, el comienzo de la putrefacción. Tristana no besaría un cadáver, ni en persona ni en estatua, y menos de un cardenal. Tiene algunos defectillos, pero no es necrófila ni sacrílega. Hay una escena de estatua que «revive» en *El fantasma de la libertad*; no para dar un beso, sino un puñetazo.

▲ Deneuve y Buñuel.

25. *El discreto encanto de la burguesía*

T. P. T.: ¿Por qué la burguesía es encantadora? ¿Por qué ese encanto es discreto?

¿Por qué no? He conocido burgueses encantadores y discretos. ¿Ustedes creen que todo lo que ha aportado la burguesía es malo? No. Algo habría que conservar de ella.

J. de la C.: Hay personas que se extrañan de que usted viva como «un burgués».

Soy burgués, pero «discreto». Si fuera un burgués *comme il faut* viviría «de mis rentas», no haría películas.

T. P. T.: En *El discreto encanto de la burguesía* **hay una escena irónica, o ambigua. Un burgués dice a otro: «Van ustedes a ver cómo la gente del pueblo nunca podrá refinarse.» Llaman al chófer y le dicen: «Maurice, nos gustaría que tomase usted una copa con nosotros». Agradecido, el chófer acepta y se toma la copa de un solo trago, sin paladear, sin «estilo». Le dicen que puede retirarse, luego comentan: «¿Han visto ustedes? Es lo que no debe hacerse con un martini seco.» El embajador dice: «Ningún régimen político podrá dar al pueblo el refinamiento necesario. Y, sin embargo, me conocen, no soy un reaccionario.» ¿Es usted el que habla por boca de ese personaje?**

(Ríe.) ¡No! Me hace gracia el episodio, nada más. En todo caso allí se probaría tan sólo la relatividad de ciertos «experimentos sociales». Entre el chófer y esos personajes burgueses hay diferencia de costumbres. Quizá el embajador de la película no sabría beber vino en bota o en porrón con el arte consumado con que lo puede hacer un obrero. Y el obrero podría decir: «¡Qué falta de educación del señor embajador! ¡Mira que no saber algo tan sencillo como beber el vino en bota!» Bueno, este obrero sería más bien un campesino, ¿verdad?

T. P. T.: Entonces la película no sería una sátira feroz de la burguesía.

No es una sátira, y mucho menos feroz. Creo que es la película que he hecho con un espíritu de humor más amable. Tampoco busqué que la gente lanzara carcajadas de principio a fin. Me molestó mucho que en la publicidad dijeran: «On rit comme des fous, comme des fous, comme des fous!)» («Se ríe uno como loco.») Me dio una vergüenza enorme ver los carteles, con esa boca enorme y pintada sobre unas piernas y bajo un sombrero hongo. Yo hubiera fusilado al publicista.

J. de la C.: Algunos sí han visto la película como una sátira. Por ejemplo: vemos varias veces a los personajes principales caminar por una carretera, al parecer sin llegar nunca a ninguna parte. Esto puede interpretarse de este modo: la burguesía ya no tiene «destino histórico», no sabe dónde va. El «encanto discreto» sería como el perfume de una flor a punto de morir.

Comprendo que se entienda así, porque además vemos a los personajes caminar por la carretera en el final. Lamento, sin embargo, decir que ahí no hay ningún mensaje. También me daría vergüenza haberme propuesto a mí mismo: «Voy a demostrar aquí que la burguesía está perdida.» Además, yo creo que lo que está a punto de extinguirse no es sólo la burguesía. En muchos lugares el proletariado se está aburguesando poco a poco, se hace menos revolucionario. Los que ahora creen tener la revolución en sus manos son, por ejemplo, los estudiantes. En mayo del 68, en París, se portaban más «revolucionariamente» que los obreros, que los miraban actuar un poco indiferentemente. Pero no ha habido revolución en el 68, Francia no ha cambiado. Aparte de eso, puede ser conmovedor ver cómo pintaron en las paredes de las calles consignas anarquistas, maoístas... e incluso surrealistas. Parecía como si creyeran que el orden social cambiaría totalmente al siguiente día. Era un intento de revolución más romántico que otra cosa.

T. P. T.: La muchacha revolucionaria que intenta atacar al embajador ¿sería un ejemplo de esto?

La muchacha puede ser una idealista revolucionaria, pero el embajador tiene más astucia que ella.

J. de la C.: A unos espectadores de izquierda que conozco, ese episodio les molestó. Decían que usted se burlaba de la juventud revolucionaria, que mostraba demasiado una simpatía por el embajador de una república «gorila» de América Latina.

¡Es absurdo! A tal estupidez no tengo nada que responder. Por otra parte yo no simpatizo con el embajador. Lo muestro al principio muy gentil con la chica revolucionaria. Trata de seducirla, es amable con ella, luego le dice: «Voy a ser generoso contigo. La puerta está abierta, vete.» La chica sale y vemos al embajador asomarse a la ventana y hacer una seña a unos policías o agentes secretos, que apresan

brutalmente a la chica. Lo que no puedo hacer es presentar en todo momento al embajador como un canalla de melodrama. Eso sería demasiado...

T. P. T.: ...maniqueo.

No puedo dividir a los personajes en buenos absolutos y malos absolutos. El embajador me divierte, eso sí. Me gusta la escena en que, en una recepción de alta sociedad, se acercan a preguntarle cosas sobre su país, la República de Miranda. Le dicen muy cortésmente: «Señor embajador, ¿es verdad que en su país el volcán Tal o Cual hace erupción cada veinte años?» «No, señora, ese volcán no está en mi país, sino en tal otro.» Se acerca otro invitado: «Señor embajador, en el país de usted no tendrán champagne ni caviar como aquí.» «No, señor, pero tenemos también cosas muy buenas.» El comandante: «Excelencia, parece ser que en su país hay una gran corrupción administrativa.» El embajador ya está harto, pero sigue esforzándose por ser amable: «En otros tiempos, tal vez, pero ahora somos una democracia auténtica y la corrupción no existe...» Finalmente, la gota que colma el vaso: «Me han dicho que en el país de usted la gente se mata por la cosa más trivial y son incontables las muertes que hay todos los días.» «No, coronel, está usted ofendiéndome.» «No es mi intención. Lo he leído en un informe muy serio.» «Señor coronel, acaba usted de insultar a la digna República de Miranda.» «Pues aquí entre nosotros, la República de Miranda me importa un rábano.» El embajador estalla: «Y yo me paso todo el ejército de usted por el c...» El coronel abofetea al embajador. La gente se interpone entre ellos, hay explicaciones. El embajador tarda un poco en reaccionar, luego aparta a dos señoras, saca un revólver y llama al coronel. Este se vuelve y el embajador dispara. *(Ríe.)* Me gusta porque de pronto desaparece el barniz de civilización.

T. P. T.: ¿A qué país latinoamericano corresponde la República de Miranda?

A ninguno en particular. Lo compondrían elementos de varios países.

J. de la C.: Algunos espectadores, aquí en México, pensaron que se trataba precisamente de México, por la marihuana que fuman los burgueses en una escena.

¡Pero la están fumando en el salón de un país europeo, y además la marihuana se puede encontrar en todas partes!

▲ **«...descubren que los pollos son de goma y que están en el escenario de un teatro.»**

J. de la C.: En *El discreto encanto* **volvemos a encontrar el tema de la comida... pero por ausencia. Esto parece también simbólico: los burgueses de la película nunca, por una razón u otra, pueden comer. Como los burgueses de** *El ángel exterminador* **no pueden salir...**

No es simbólico, es que a mí me interesan las frustraciones. Tomé algunas anécdotas reales, mías o de amigos. Por ejemplo, es real el episodio en que los personajes llegan a un restaurante, ordenan la cena, notan algo raro mientras esperan y luego descubren que en otra habitación hay un velatorio: el dueño del negocio ha muerto. Y en otra escena en que los personajes logran por fin cenar, o comenzar a hacerlo, y descubren que los pollos son de goma y que están en realidad en el escenario de un teatro, creo que es un sueño que me contaron.

J. de la C.: Hay sueños en la película, pero entran en ella de manera sorprendente: no se anuncian como sueños, sino como parte de la realidad, y luego advertimos nuestra confusión.

Es que los sueños son una continuación de la realidad, de la vida de vigilia. En una película sólo adquieren valor si no anuncia usted: «Esto es un sueño», porque entonces el público dice: «Ah, es un sueño, entonces no tiene importancia.» El público se decepciona. Y la película pierde misterio, poder de inquietar.

J. de la C.: Lo más interesante es que esos sueños no parecen hallarse encerrados en la cabeza de cada personaje. Comunican no sólo con la vida de vigilia, sino además con un personaje distinto al que sueña... Esto es muy original y poético.

¿Por qué, si alguien está soñando, yo no puedo ver lo que sueña? ¿Por qué no puedo entrar en su sueño y modificarlo? Esto es una limitación fastidiosa. En cine, puedo abolirla.

J. de la C.: Entonces la película podría también titularse como un libro de Breton: *Los vasos comunicantes.*

En parte, nada más, porque no sólo trata del problema de los sueños. Ustedes mismos han señalado otros asuntos.

J. de la C.: El sueño del soldado me parece muy convincente, uno de los pocos sueños que el cine ha sabido «registrar» con una atmósfera onírica, un desarrollo onírico...

Esa secuencia en que el soldado llega donde están las dos mujeres, en un café, y les pregunta, sin ningún motivo: «¿Han tenido ustedes una infancia dichosa?», es de las que más me gustan. Es algo muy mío. Veo, por ejemplo, a una mujer en un café, me parece interesante (no importa que no sea bonita), encuentro en su rostro un reflejo de serenidad, pienso: «Esta mujer debe haber tenido una niñez feliz, se le nota en todo». ¿Por qué no acercarse a ella y preguntarle acerca de ello?

T. P. T.: ¿Hizo usted eso en su etapa surrealista?

No, entonces más bien hubiera hecho una pregunta agresiva, «en contra». Algunos surrealistas sí habrían hecho una pregunta semejante. Vean ustedes, algunos de ellos salían a la calle «en estado de», al azar. Podrían haber hecho preguntas como ésas. El soldado de la película, hasta donde yo sé, no es un surrealista...

J. de la C.: Pero tiene un perfecto comportamiento surrealista: contar un sueño a unas desconocidas, espontáneamente, sin ningún motivo. Un sueño que, sospecho, es de Luis Buñuel.

Sí. Soñé, creo que más de una vez, que iba por una calle larga, al anochecer, y encontraba a un primo mío que en realidad había muerto: lo saludaba, hablaba con él. Luego yo buscaba a mi madre, llamándola. «Madre mía, ¿qué haces perdida entre las sombras?» Fue mucho después de la muerte de mi madre. Luego, cuando el sueño del hombre asesinado, los padres sentados en la cama, con aspecto de fantasmas, toda la reproducción de la recámara es igual a la de mis padres. Son cosas que vuelven a la memoria y las reproduzco lo más fielmente posible. Otras veces también lo hago sin darme cuenta. Luego veo la película y advierto un detalle: «Esto es un recuerdo mío; esto es algo que me contó un amigo.» Es preferible cuando ese detalle ha surgido inconscientemente.

T. P. T.: ¿Cómo explica usted al obispo que quiere trabajar de jardinero y al que luego emplean de mayordomo improvisado?

La idea puede haber surgido por los curas obreros. Si hay un cura que se va a trabajar a una fábrica, puede haber un obispo que comparta esas ideas y que además siempre haya querido ser jardinero. Le preguntan: «¿Y cuánto nos cobrará usted?» Responde: «Lo usual, señora, la tarifa del sindicato.» *(Ríe.)* Voy a contarles una cosa: en Nueva York, después de la guerra de España, cuando me encontraba sin trabajo, le dije a unos amigos norteamericanos: «¿No conocen ustedes a alguien que necesite un mayordomo? Yo podría tomar ese empleo.» Lo decía por necesidad, pero también porque me hubiera gustado ser un mayordomo.

J. de la C.: Me desconcierta usted, don Luis. Yo hubiera imaginado cualquier otro tipo de trabajo: desde boxeador (usted boxeó) hasta... gángster. Pero ¡mayordomo! No lo concibo en usted. Es un trabajo servil.

No, un buen mayordomo llega a ser como el amigo más íntimo del señor. El trabajo es cómodo, vive usted como un millonario. Cuando el señor sale de viaje, tiene usted toda la casa a su disposición, los vinos de la bodega, los mejores trajes del señor. Bueno, yo sería un mayordomo serio y muy digno. No me aprovecharía de la situación.

J. de la C.: Lo visité a usted mientras se filmaba *El discreto encanto de la burguesía* **en Billancourt y lo vi utilizar la televisión.**

Es la primera vez que usé el sistema de la televisión acoplado a la cámara cinematográfica y luego lo volví a hacer en las dos películas siguientes. Es muy cómodo y muy preciso. Puede usted dirigir sin levantarse de la silla, y además ve exactamente lo que luego se va a proyectar en la pantalla, todo previsto al milímetro. Calculo que en los rodajes habituales el director tiene que mirar, aunque sólo sea un momento, unas quinientas veces por el visor.

T. P. T.: Usted se convierte, con el acoplamiento de la televisión, en espectador objetivo de la película. Ya está usted viendo una imagen.

Primero ensayo sin cámara y sin monitor. Luego me siento y hago un ensayo ya con la cámara y corrijo los encuadres y los movimientos según los veo en la pantallita de televisión. La ventaja además es que me doy cuenta de si el operador, voluntariarnente o no, altera el encuadre o el movimiento de la cámara, o si se descuida y deja que aparezca un proyector, etcétera.

T. P. T.: Hemos hablado de la fluidez de relato y de movimiento de cámara de sus últimas películas. Yo también lo vi filmar una escena de *El discreto encanto.* **Se trataba de la llegada de Delphine Seyrig, Paul Frankeur, Fernando Rey y Bulle Ogier a una casa donde la criada, Milena Vukotic, los recibía. La criada subía al primer piso, para avisar a los señores que los invitados habían llegado. Un plano-secuencia con un movimiento complicadísimo de la cámara. Luego, viéndolo en la pantalla, ni lo noté.**

Es mi manera de trabajar: nunca me ha gustado hacer visible la técnica. Me molesta mucho una gran dolly o un arabesco muy complicado. La cámara debe moverse suavemente, sin que el espectador lo note. Pero no planeo demasiado esos movimientos. Es una cosa de instinto y práctica. Arturo Ripstein me hizo notar un movimiento de grúa en la misma película. A mí la grúa me molesta mucho, siempre se advierte que ha sido utilizada. No hay que hacer movimientos gratuitos, es preferible siempre aprovechar el movimiento de un personaje y seguirlo, «justificar» la dolly o el travelling.

J. de la C.: Estas últimas películas suyas parecen tender al uso del plano general, el plano americano y el plano medio, pero rehuir el primer plano.

Odio el primer plano, aunque a veces es necesario. El primer plano sirve mucho para efectos melodramáticos fáciles.

J. de la C.: «Privilegia» a un personaje, y en las últimas películas de usted, salvo *Ese oscuro objeto del deseo,* **no hay personajes privilegiados.**

Hay muchos personajes, muchas pequeñas historias.

26. *El fantasma de la libertad*

J. de la C.: ¿De dónde viene el título *El fantasma de la libertad*?

De una colaboración entre Marx y yo. La primera línea del Manifiesto Comunista dice: «Un fantasma recorre Europa...», etc. Por mi parte, veo la libertad como un fantasma que tratamos de asir... y... abrazamos una Figura de niebla que sólo nos deja un poco de humedad en las manos.

T. P. T.: Hay otra referencia. En el «duelo teológico» de *La Vía Láctea*, **el jansenista le grita al jesuita: «¡La voluntad antecedente no es más que una simple veleidad! ¡Yo siento en toda circunstancia que mis pensamientos y mi voluntad no están en mi poder! ¡Y que mi libertad es sólo un fantasma!»**

Es curioso, no lo recordaba. Es la misma idea, pero en un cuadro teológico. La teología no es mi especialidad, pasémosla por alto. En Marx, igualmente, el fantasma que recorría Europa era el del comunismo, y se hizo tangible con la revolución bolchevique. En mi película, el título surgió irracionalmente, como el de *Un perro andaluz*: y sin embargo no creo que nada pueda adecuarse mejor, en cada caso, al espíritu de la película.

J. de la C.: ¿Es usted escéptico acerca de la libertad?

Sí. Incluso en ciertos momentos históricos el pueblo ha rechazado totalmente la idea de libertad. El grito que se oye al comienzo de la película, «¡Vivan las ca'enas!», es decir: «¡Vivan las cadenas!», lo lanzó realmente el pueblo español durante la invasión napoleónica del país. Preferían las cadenas monárquicas a los derechos humanos y a la cierta libertad que les ofrecía la Revolución Francesa.

T. P. T.: La película tiene una construcción «azarosa».

Ya hemos hablado sobre esto. Creo que el azar, la casualidad, gobiernan nuestras vidas. Estoy aquí hablando con ustedes porque un espermatozoo paterno penetró el óvulo materno donde habría de formarme. ¿Por qué entró ese espermatozoo y no otro de los miles que coleaban alrededor? (Y perdón por lo de «coleaban»). Sin embargo, *El fantasma de la libertad* sólo imita el mecanismo del azar. Fue escrito en estado de consciencia; no es un sueño ni una corriente delirante de imágenes.

J. de la C.: Me gusta que ninguno de los personajes parezca necesario; es decir, podrían ser ésos o cualesquiera otros. Y lo mismo podría sucederles lo que vemos en la película que cualquier otra cosa.

Son a la vez gratuitos y necesarios.

J. de la C.: En alguna parte André Breton, citando a alguien, dice que el azar es otra línea que toma la necesidad, o el cruce de dos diversas líneas de necesidad.

Creo que sí, pero también que puede haber un azar puro, en el que no intervenga para nada la necesidad. *(Ríe.)* Qué filosóficos estamos.

T. P. T.: En la construcción de la película, cada personaje está como eslabonado entre el episodio que ha vivido y el que van a vivir otros personajes. Es lo que usted nos decía: seguir a Raskolnikov por la escalera, verlo cruzarse con el chico que baja por el pan,

dejar a Raskolnikov y seguir al chiquillo, que será el personaje del próximo episodio.

Un mismo relato a través de personajes diferentes y que van turnándose. Yo había entrevisto ya esto en *La Edad de Oro*, donde comenzamos con los alacranes, seguimos con los bandidos, luego con la fundación de la ciudad, luego con los amantes y la fiesta en el salón y terminamos con los personajes de los *120 días de Sodoma*. La diferencia es que en *El fantasma* los episodios están más enlazados, chocan menos entre ellos: «fluyen» naturalmente.

T. P. T.: Pero no recuerdo que el francotirador gratuito, o el asesino-poeta como usted lo llama, esté eslabonado con los otros personajes.

Sí, lo está. Hemos tenido el episodio en que el comisario le dice al gendarme que se limpie los zapatos. Este guardia va al limpiabotas y allí hay otro señor, hablando con el limpiabotas. Dejo al guardia y sigo al nuevo personaje, que es el francotirador. El enlace es, si quiere usted, demasiado sutil, pero existe igualmente.

J. de la C.: El punto «nodal» sería la posada o albergue, donde se entrecruzan varias historias, algunas muy breves: los frai- les, la sádica y el masoquista, el jovencito y su tía...

Hay secuencias que son un poco independientes del transcurso de la película. Una de ellas es la del jovencito y su tía. Otra, más adelante, la de la niña perdida y sin embargo visible. Este episodio ya lo había pensado antes para una película que no filmé: *Cuatro misterios*. El episodio del jovencito y la tía está muy concentrado: podría dar materia para un melodrama de hora y media, ¿verdad? El hecho de que se crucen varias historias en la posada tal vez es un recuerdo de la venta del *Quijote*, donde llegan los protagonistas y otros personajes y cada uno cuenta su historia. Allí don Quijote acuchilla los pellejos de vino.

T. P. T.: Los pasos de una aventura a otra, en la película, son como puertas que se abren una tras otra.

Bien visto. Me parece que hay un cuadro surrealista con puertas abiertas y sucesivas. Esto no lo pensé al escribir *La Vía Láctea*. Lo pienso ahora que usted ha empleado la metáfora. Cada episodio da a otro episodio, sí, cada personaje a otro, y así podríamos seguir *ad infinitum*. La película, si nos atuviéramos a su espíritu, no debería terminar nunca.

▲ **Buñuel con Serge Silberman.**

J. de la C.: O cerrarse en círculo.

No, si se cierra en círculo, no es la libertad, es la muerte. Cumplido el ciclo vital: fin.

J. de la C.: Sin seguir ningún orden, se me ocurre una pregunta, don Luis: ¿por qué la lección sobre las costumbres de la Polinesia, en la escuela de la Policía?

Me pareció divertido porque... Verán ustedes: yo nunca he estado en una escuela de policía. Entonces me digo: ¿cómo es una escuela de ésas? Quizá la primera imagen que aparece, dado que la palabra escuela solemos asociarla con nuestra infancia, es un cierto número de gendarmes sentados ante sus pupitres, escuchando al maestro, mirando al pizarrón, haciéndose bromas furtivas, chiquilladas. El maestro debe hablar de algo. ¿De qué? Lo hice hablar un poco de antropología. Da una breve lección acerca de las diferencias de costumbres entre los países, para demostrar cómo lo que un país considera malo, otro lo tiene por bueno, y al revés. Esto me sirve como prólogo a la siguiente escena, en la cual, unas personas refinadísimas, que mantienen una conversación muy culta, defecan sin recato y en cambio comen en privado, solitarios. Es la inversión de lo que hacemos, ¿verdad? Defecamos solos y en privado; comemos con otras personas. Pero ¿quién puede asegurar que un día lo normal, lo decente, no será precisamente lo contrario? Por lo demás, comer es también repugnante como espectáculo: abrir la boca, introducir el alimento, masticar, ensalivar. ¿Por qué sólo de las evacuaciones hemos hecho un acto solitario y secreto? Recuerdo que en el año 21, durante mi servicio militar, había en el cuartel, como retrete, sólo una tabla con agujeros en fila y que daba a un pozo. Mientras un soldado obraba, otros esperaban. Al principio eso daba asco; pero había que acostumbrarse y luego hablaba uno con el compañero. La secuencia de la que hablamos se me ocurrió por asociación de «tesis y antítesis»: defecación en público, comida individual y en secreto.

T. P. T.: Es decir, una inversión de las situaciones, que es una constante de la película.

Y, si se fijan bien, las hay en otras películas mías. Menos evidentes, quizá.

J. de la C.: Se diría que el «tema» del excremento valdría más no menearlo, pero la película lo plantea, y también otras ante-

---

Buñuel mirando por el visor (rodaje de *El fantasma de la libertad*). ▲

riores de usted. En *La Edad de Oro* vemos a la protagonista sentada en la taza, «el trono», del retrete, y luego una erupción de lava que simula muy bien el excremento. En *Gran Casino*, el charco de fango o «chapopote» (petróleo crudo) que remueve con un palo Jorge Negrete, sugiere que esa cursi escena de amor es -hay que emplear la palabra- «pura mierda». En *El ángel exterminador* un enorme armario de tres puertas es usado como *water-closet*.

Pero en esa película tal empleo del armario está sugerido, y además un personaje «poetiza» la situación, hablando de que vio volar un águila, de que había viento. (Ya comentamos esto en su momento y les dije que está asociado a un recuerdo mío.)

J. de la C.: Bien. En *El fantasma de la libertad* **no sólo se defeca durante una reunión de salón; además se habla concretamente del excremento. Aquí tenemos también una especie de lección, esta vez sobre ecología, polución, etc.**

Reconozco que una de las preocupaciones mías es la destrucción irracional de la naturaleza por el hombre. El género humano está en un lento suicidio (no tan lento: cada día se acelera). Produce desechos corporales, industriales, atómicos; envenena la tierra, el mar y el aire; destruye los medios ecológicos, que le

dan el sustento. Siglos y siglos de civilización para llegar a esto: ¡qué maravilla es el hombre! Ningún animal sería tan imbécil. Las plagas de langosta son esporádicas, tienen un límite.

J. de la C.: Usted odia las estadísticas, pero en la escena del salón de retretes da cifras precisas. Resumo lo que dice el guión: «¿Qué será del mundo en veinte años, si la población continúa creciendo en las proporciones actuales? ¿Imaginan ustedes la cantidad de productos tóxicos que se lanza a los ríos todos los días? Los detergentes, los insecticidas, todos los residuos de la industria. Sin olvidar los desechos corporales... Es sencillo: somos actualmente cerca de cuatro mil millones de habitantes de la Tierra. En veinte años seremos siete mil millones. ¿Y qué pesan los desechos corporales que un individuo libera por día? ¿Media libra? Mucho más. Piensen que la orina pesa más que el agua. Incluyendo todo, yo diría por lo menos tres libras. Multiplíquenlo por cuatro mil millones. Esto da... seis mil millones de kilos diarios. Dentro de veinte años...», etcétera.

Sí, ahí soy un poco yo el que habla. ¿Es mucho hablar y poco cine? No me importa: tengo eso en la mente y lo meto «a la menor provocación». Reconozco que allí puede estar mi veta «pedagógica». Y ahora, respetable público, una leccioncilla aunque ustedes no quie-

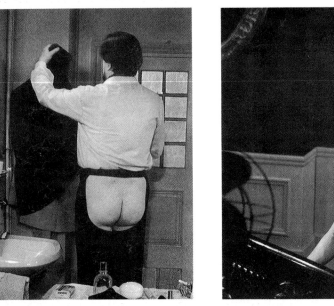

▲ Lo «privado» y lo «público» (Michel Lonsdale y Adriana Asti).

ran. Pero la situación que vemos en la pantalla lo justifica. Soy más racional de lo que parece.

T. P. T.: En el episodio del hombre que da furtivamente unas postales a dos niñas, y una de ellas las enseña a sus padres, hay una «reflexión» sobre la pornografía. Allí también hay una inversión.

Es mi gusto por la sorpresa, lo chocante, la confusión, que todavía queda en mí. Son postales turísticas, triviales: la Madeleine, el Arc de Triomphe, la Tour Eiffel... Los padres de la niña se escandalizan: «¡Es asqueroso, repugnante, obsceno!» Quiero desconcertar: las postales son pornográficas y no lo son; la niña desaparece y está presente. En cuanto a las postales, puede haber una burla del psicoanálisis. En la película podría haber este episodio: Consultorio de un psicoanalista. «¿Qué soñó usted ayer?» «Un ciprés». «Pues es usted un cochino: ¿cómo puede tener sueños tan indecentes?» No, sería demasiado «chistoso» y a última hora lo eliminaría.

J. de la C.: Pero podría usted haber dado la contrapartida de la escena de las postales: un colegio donde estudian las dos niñas. Sus libros de texto son obras de Sade minuciosamente ilustradas; la maestra pide a una de ellas que recite la lección; la niña recita un romance de amor puro, ideal, castísimo, y la maestra, indignada, la echa del salón de clases.

Estaría bien, pero sería demasiado lógico; una inversión geométrica de la escena anterior. Me aburriría ser tan metódico. Ya he contado que en una época pensábamos tomar por asalto, con unos amigos surrealistas, un cine lleno de niños y exhibirles una película pornográfica muy subida, *Soeur Vaseline*, y no lo hicimos por miedo a la policía. Ahora no filmaría la escena que usted dice. No por miedo, sino por vergüenza. No puedo imaginarme filmando en el estudio, poniendo los libros pornográficos delante de las niñas.

J. de la C.: Lo que ha dicho Pérez Turrent sobre la inversión de situaciones me parece muy acertado. Otro ejemplo: el del que usted llama asesino-poeta, el francotirador gratuito. Dispara sobre muchas personas, las mata como a conejos, lo cogen preso y lo condenan a muerte... para luego quitarle las esposas y dejarlo salir a la calle. Los asistentes a la audiencia le piden autógrafos.

Qué absurdo ¿verdad? Pero es una ligera exageración sobre algo real de nuestros días.

Sucede con el terrorismo. Unos señores secuestran un avión y amenazan volarlo con más de cien personas inocentes dentro, empleando dinamita. Las autoridades negocian y dan a los terroristas pasaporte a Libia.

J. de la C.: André Breton dijo en los viejos y buenos tiempos surrealistas (aunque se arrepentiría muchos años después): «El acto surrealista más sencillo sería bajar a la calle y disparar indiscriminadamente sobre la multitud.»

Sí, lo recuerdo, pero me parece que el acto debía realizarse en una conferencia literaria.

J. de la C.: Un precursor inmediato de los surrealistas, Jacques Vaché, amigo de Breton, en una sala de teatro, apuntaba con un revólver a diversas personas del público.

Eso no lo vi. Son provocaciones típicamente surrealistas, pero puramente teóricas. Vaché se suicidó. Breton... no se hubiera atrevido nunca a llevar a la práctica un acto semejante, que es asesinato. Para la escena del francotirador no pensé en los surrealistas como tales, sino en un hecho real, que leí en un periódico de los Estados Unidos. Un tipo subió con un fusil de mira telescópica a la torre de un templo y empezó a disparar sobre los viandantes. Al final, un policía logró avanzar por una cornisa y mató a tiros al individuo. Por lo demás no se puede negar que todos hemos pensado en actos semejantes. *Teóricamente* estoy de acuerdo con actos como ésos, si son puros, gratuitos. Insisto: *teóricamente*. He cazado animales con fusil, en otros tiempos. Hoy no mataría una mosca. Lo que me indigna respecto a los terroristas, cualquiera que sea su filiación política, es que matan gente, o amenazan con hacerlo, y las autoridades pactan con ellos, los periódicos les hacen una enorme publicidad, los convierten en estrellas de alguna manera. Esas noticias, yo las censuraría en todos los periódicos y en la televisión, si tuviera poder para ello. Hay exceso de información.

J. de la C.: Otro caso que podría estar en *El fantasma de la libertad*. Ocurrió también en los Estados Unidos. Una mujer subió a un puente por encima de una carretera muy transitada. Iba desnuda bajo un abrigo de pieles, abrió éste y se mostró a los automovilistas. Hubo un «accidente» tremendo, con muertos y heridos, porque los vehículos chocaron, empotrándose unos en otros.

Eso sería más simpático, más elegante, más atractivo. Un acto gratuito total.

T. P. T.: **Pero podría no ser gratuito. Podría obedecer al deseo de hacerse publicidad, o reflejar una represión sexual.**

Tal vez, pero, bien examinado, el acto gratuito no existe: siempre tendrá algún motivo irracional, oscuro. Lo importante es que se cometa sin propósito de utilidad. Claro, es posible que a la mujer del abrigo la condenaran sólo a unos días de prisión, por faltas a la moral pública, y luego la visitara un productor de Hollywood y le ofreciera un contrato.

T. P. T.: **Eso sucedió, con variantes sin importancia. Es el caso del programa de Orson Welles sobre la invasión de la Tierra por los marcianos. Creó una terrible alarma, causó choques de los automovilistas que iban oyendo la radio y creyeron que el programa no era ficción, sino un noticiario. Luego Welles tuvo un contrato en Hollywood.**

Eso hubiera estado bien si Welles no hubiera aceptado el contrato, si le hubiera dicho al productor: «Lo hice porque me dio la gana hacerlo.» Pero un programa de radio supone mucho trabajo. Es mejor el acto espontáneo, inmediato.

▲ **Buñuel, 74 años, rodando su penúltima película.**

J. de la C.: Asociación de ideas mías, a propósito de la mujer desnuda. Usted en su cine se ha negado, en general, al desnudo «à poil».» Hay desnudos en *Un perro andaluz,* pero no se ve el vello femenino del pubis, por ejemplo. En *El fantasma* hay un desnudo integral y «à poil». Es una escena muy bella: una mujer vieja entre las sábanas de un lecho; el joven amante retira la sábana y vemos el cuerpo de la mujer. Sorprendentemente, es un hermoso cuerpo joven.

Pueden ustedes escoger: es que así la ve el amante o es que ocurre un verdadero milagro erótico. Aclaro que el jovencito y su tía no son todavía amantes: van a serlo. Ah, olvidaba otra posibilidad: hay mujeres de mucha edad que tienen un cuerpo asombrosamente firme y bien formado. No he visto desnuda a mi madre, pero cuando ella, a una edad muy avanzada, iba por la calle, la gente se volvía para verla: tenía un porte de muchacha.

T. P. T.: Hay un desnudo más en *El fantasma*, el de la hermana del prefecto de policía.

Es un desnudo incompleto. La hermana está tocando el piano en la sala. Hace mucho calor y el prefecto se pasea por la casa, con esa pereza del verano. Vemos sólo el busto desnudo de la hermana. Al prefecto se le cae el encendedor debajo del piano y se agacha a recogerlo junto a las piernas de la muchacha, sin siquiera echar una ojeada hacia ella. Es una escena que me gusta. Es ambigua.

J. de la C.: Si no hay idea de incesto, hay por lo menos idea de promiscuidad.

Desde luego. La hermana tiene medias de seda negras y zapatos de tacón alto. Lo hago notar para que puedan ustedes hablar de las «obsesiones de monsieur Buñuel.»

J. de la C.: Dentro de su relajación «veraniega» el momento tiene cierta intensidad de instante vivido. ¿Viene de algún recuerdo?

Nunca he tenido en la sala ni en ninguna parte a una hermana, ni amante, ni nada, tocando el piano desnuda.

T. P. T.: En *El fantasma de la libertad* volvemos a encontrar la presencia de los animales, y de modo muy inquietante, por cierto.

Sí, en el sueño de Jean-Claude Brialy aparecen un gallo, un avestruz. No... No es un sueño: el duermevela, más bien, esa zona de consciencia entre estar dormido y despierto. Los animales son seres muy vitales, me dan alegría. Pero, en un momento dado y fuera de contexto pueden ser muy inquietantes.

J. de la C.: Volvemos a ver el avestruz al final y de hecho con él, con su mirada hacia el espectador, concluye la película.

A mi juicio es lo mejor de la película. La cabeza de esa ave, su mirada extraña y casi femenina, con las pestañas rizadas (no se las ricé; las tiene así), y el fondo sonoro; campanadas, disparos, gritos. Es perturbador, creo.

J. de la C.: Yo veo esa mirada del animal como expresión del asombro ante la locura humana, y como un reproche.

Tal vez, pero yo no lo podría explicar. Es como el final de *El ángel exterminador*, una imagen que me viene al pensamiento de pronto, con gran fuerza y sin relación aparente con la situación. Sentí que debía terminar *El fantasma de la libertad* con la carga de la policía a obreros o estudiantes y con la mirada tan inocente del animal.

T. P. T.: Un episodio muy ambiguo, por el «realismo cotidiano» con que usted lo lleva, es el de la niña extraviada y sin embargo presente.

Otro episodio sin explicación. Si ustedes quieren darle una, puede ser ésta: la facilidad con que dejamos de ver lo que precisamente tenemos siempre ante los ojos. Me pasa mucho: pierdo de vista el encendedor, pregunto: «¿Dónde está el encendedor?», busco en diversos sitios y de pronto descubro que lo he tenido siempre ante la mirada. Está tan presente, que la mirada no lo registra, pasa por encima de él. En lugar de poner un encendedor en ese episodio, pienso que el «objeto» extraviado es una niña. Es más interesante. La niña tira de la ropa del padre y le dice: «Papá, aquí estoy...» y el padre dice que no moleste, que están en una situación muy grave... porque esa misma niña «se ha perdido». Es decir, para los personajes adultos, la niña está y no está.

T. P. T.: ¿Igual que la libertad?
(Buñuel se encoge de hombros.)

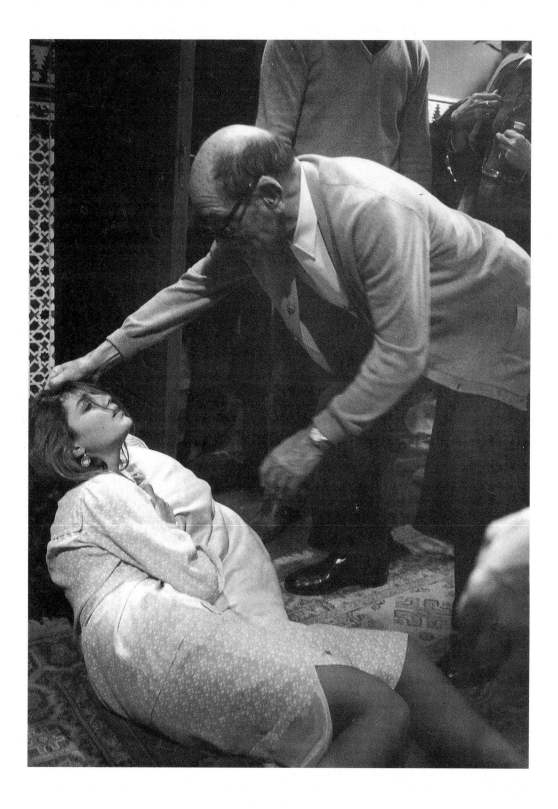

27. *Ese oscuro objeto del deseo*

T. P. T.: ¿Cual es el «oscuro objeto del deseo»? ¿La mujer? ¿Su sexo? ¿Su espíritu?

No sé. Creo que podría ser esas tres cosas... y ninguna. Tal vez el objeto del deseo, en el protagonista, sea en realidad la frustración, que excita más su deseo. Me parece que en la novela de Pierre Louÿs se dice algo así como «un pálido objeto de deseo». Me interesó más lo contrario: un oscuro objeto de deseo.

J. de la C.: La película, desde su rodaje, llamó mucho la atención por una idea original y «absurda»: un personaje interpretado por dos actrices, y además muy diferentes.

Ya lo saben ustedes: fue por necesidad. Yo había pensado que María Schneider estaría bien en el papel. No es una belleza deslumbrante y eso convenía, porque haría más misterioso el atractivo que Fernando Rey debía sentir por ella. Creo que la muchacha está bien en otras películas, pero en la mía no nos entendíamos. Teníamos que repetir una toma tras otra, a veces tratándose de las escenas más fáciles, más simples. Finalmente tuve que decirle a Silberman: «Me he equivocado con esta chica. No me sirve para el papel.» Silberman estaba desolado y no encontrábamos la solución. Era grave, porque la filmación había costado ya mucho dinero. Entonces se me ocurrió decir: «Podríamos emplear a dos actrices...» Inmediatamente después de haberlo dicho, me pareció una tontería. Pero a Silberman le pareció magnífico. «No, Silberman, lo he dicho sin pensar.» «Pero me parece muy bien , lo acepto.» Así es que ya ven ustedes cómo eso que parece tan misterioso tiene explicación.

J. de la C.: No la tiene, don Luis, porque es lógico que usted piense en *otra* actriz, pero no en dos.

T. P. T.: Y además nada parecidas.

Lo de que fueran dos no sé por qué se me ocurrió. Fue un «automatismo». Pude decir dos, tres o diez. No tenía sentido, pero Silberman aceptó. Luego, vienen las interpretaciones de los críticos.

J. de la C.: Un crítico, Emilio García Riera, al salir de la «première» en México me decía que él se explicaba muy bien que la protagonista fueran dos mujeres: «Nadie conoce a la persona que ama, es *esa* persona y a la vez otra.»

García Riera es un chico inteligente, pero eso me parece muy malo. Es una explicación demasiado lógica, me hubiera dado vergüenza pensar en ella al hacer la película.

T. P. T.: Además, lo fácil hubiera sido que usted cambiara de actriz cada vez que el personaje cambia de estado de ánimo. Pero aun en este caso, la actriz puede ser la misma.

No hay explicación racional, ya les digo. Es curioso que el público haya aceptado los constantes cambios de actriz. Al principio pensé: «Van a pensar que son dos personajes diferentes.» Pero no es así. «Aceptan que sea un solo personaje. Para que vean ustedes que el cine es como una especie de hipnotismo. En la vida real, de ninguna manera confundirían ustedes a las dos mujeres. Son de rasgos muy diferentes.

T. P. T.: También se ha explicado de otra

◄ «Una obsesión que nunca puede hacerse realidad» (Con Angela Molina).

manera: esa mujer es *la* mujer: representa a todas las mujeres del mundo.

Eso es peor todavía, un símbolo. No, mi *trouvaille* es completamente arbitraria. Si mi amigo Silberman me hubiera dicho que es una barbaridad, la habría desechado inmediatamente. No puedo explicar por qué pensé en dos actrices. Pude, en efecto, haber sustituido a la Schneider por una sola de las actrices, ¿verdad? Angela Molina o Carole Bouquet...

J. de la C.: Otra explicación posible: Fernando Rey en realidad está enamorado de dos mujeres y cree que son una sola.

Eso quizá podría dar una película interesante, ¿no? Yo creo que ustedes dos son un solo personaje, no me doy cuenta de que son dos, y de ahí parte una serie de episodios. Muy bien, pero sería otra película. Olvídense ustedes de la explicación. Es que no la hay.

T. P. T.: ¿Distribuyó usted las escenas a las actrices al azar?

Al azar, no. Me tenía sin cuidado qué escena correspondía a una y qué escena a otra, pero sólo procuraba que tuvieran el mismo número de escenas.

T. P. T.: Ya antes había usted intentado filmar esta novela de Louÿs. Me pregunto qué le interesaba a usted en ella.

La idea de un hombre que quiere acostarse con una mujer y no lo logra. En el libro, por cierto, el hombre termina acostándose con ella. Luego ella le dice: «Si quieres verme acostada con otro hombre, ven a casa mañana.» El iba al día siguiente y en efecto estaba con otro. Pero a mí me interesaba más la historia de una obsesión que nunca puede hacerse realidad.

T. P. T.: Como les pasa a muchos personajes suyos.

Sí, ya les digo que soy hombre de ideas fijas. Quizá sólo me interesa un tipo de personajes, unas cuantas situaciones.

J. de la C.: ¿Por qué al margen de esta «historia pasional» vemos varios atentados terroristas, al fondo, como si no tuvieran importancia?

Eso es totalmente vivencial mío. En los días en que filmaba la película leía los diarios y me enteraba de un atentado aquí, de otro allá.

J. de la C.: Esto me interesa, porque creo que si usted se hubiera propuesto hacer una película sobre el terrorismo como tema central, tendría que tener en cuenta que el terrorismo hoy es tan frecuente, tan «banal», que apenas llama la atención. Entonces, la mejor película con ese tema sería la que mostrara el terrorismo como cosa casual, al margen, muy al fondo.

Está bien, lo acepto. En efecto, hoy puede usted estar en un café, hablando con una amiga. Se oye una explosión, gritos, la sirena de los coches patrulla y usted sigue la conversación muy tranquilo, sin siquiera volverse a ver qué ha ocurrido. De hecho pasa así en mi película. El mundo se acostumbra cada vez más al terrorismo, ya forma un poco parte de la vida cotidiana, igual que el smog y el ruido.

J. de la C.: Parece arbitrario que Fernando Rey entre en un compartimento de tren y cuente a unos desconocidos la historia de sus frustraciones con Conchita.

T. P. T.: Es lo mismo que el teniente de *El discreto encanto de la burguesía* que cuenta su infancia a dos desconocidas.

Es lo mismo. Me gustan los actos arbitrarios. Pero en realidad en *Ese oscuro objeto de deseo* hay una justificación. Unos señores que van en tren ven de pronto a un burgués muy respetable que echa un balde de agua a una chica. Entonces, para explicar su acto,

▲ **Imágenes del rodaje y de la película...**

Fernando cuenta su historia con Conchita. Ya sé que es una justificación prendida con alfileres, pero no me importa. Mejor, puede tener más gracia.

J. de la C.: Una escena clave de la película me parece aquella en que Conchita está en el jardín con su amante, Fernando Rey los ve y se enfurece, pero no puede hacer nada, porque hay una verja cerrada entre ellos dos.

Eso estaba en el libro. Ella dice: «Mi guitarra es mía y la toco como yo quiero.»

J. de la C.: Lo que llama la atención es que Fernando Rey no parece muy empeñado en salvar el obstáculo que le impide entrar en el jardín y «corregir» a Conchita y al otro.

No, es que no podría saltar la verja. Ni aunque fuera más joven y más fuerte. ¿Usted cree que en realidad a él le gusta que ella lo engañe con otro hombre? No. Ese no es el tema de la película, sino la frustración. Lo mismo sucede cuando ella se pone una especie de cinturón de castidad como un corsé enlazadísimo. No puede desatar las cintas y ella goza esa frustración de él.

J. de la C.: ¿Qué es lo que mueve a Conchita a portarse así con el personaje de Fernando Rey?

Un sentimiento sádico. Ella se aprovecha de él, sabe que le conviene tenerlo contento, pero al mismo tiempo lo odia a muerte, le gusta atormentarlo.

T. P. T.: Y en él habría una tendencia masoquista.

Sí, en eso se corresponden uno con la otra.

T. P. T.: Y se crea un lazo muy fuerte.

Fortísimo, y a fin de cuentas el único que existe entre ellos. No me gusta el final porque

lo vemos entrando con ella en un pasaje, mirando escaparates como marido y mujer. Allí debía constar que la situación sigue igual, que él no ha logrado acostarse con ella. ¿Cómo lo interpretaron ustedes?

T. P. T.: Yo me quedé con la duda.

J. de la C.: Yo creí que sí se habían acostado, porque vemos a una mujer que está bordando, en un escaparate del pasaje, y en la tela montada en el bastidor hay sangre. Inmediatamente hay una asociación con el himen roto...

¿Lo ve usted? Eso está mal realizado, no está claro. Pude meter unas frases de ella, algo así como: «¡Vete al carajo! Ni me he acostado contigo, ni pienso hacerlo.»

J. de la C.: Pero si usted no quería sugerir que se han acostado, ¿por qué esa imagen de la tela remendada?

No sé, tal vez me pareció que debían ver en la vitrina una escena hogareña, una mujer que cose tranquilamente. Lo que despista, y fue mala idea mía, es la mancha de sangre. Lo reconozco. Una mala idea.

J. de la C.: Podría interpretarse de otra manera. Por ejemplo: como el deseo de Fernando Rey de haber penetrado realmente a Conchita. La imagen del bastidor, de la aguja y el hilo penetrando en la tela, podría «cristalizar» su deseo.

Sería demasiado ilustrativo. No usaría eso.

T. P. T.: ¿Por qué Fernando Rey se va con Conchita cargando un saco que no tiene ninguna justificación en la escena?

Fue una ocurrencia mía. Los trabajadores del equipo habían dejado un saco con los tacos de madera del travelling. Entonces se me ocurrió que Fernando Rey, en la escena en que habla con ella y le dice: «¿Por qué eres así

Buñuel con Angela Molina, Carole Bouquet y Fernando Rey. ▲

conmigo?», tomara el saco y se lo echara a la espalda. Después yo mismo me pregunté: ¿por qué he hecho esto? Quise quitarlo y les pregunté a mi hijo Juan Luis y Pierre Lary que vieran los *rushes* y me dijeran si estaba mal. Me dijeron que estaba mejor con el saco y lo dejé.

J. de la C.: ¿Volvemos un poco, don Luis, al «enigma» de los títulos? Es decir ¿por qué *Un perro andalúz, La edad de Oro, El ángel exterminador, El fantasma de la libertad***?**

El título puede dar riqueza a la película, estimular la imaginación. Los pintores surrealistas ponían a sus cuadros títulos que «no correspondían». Por ejemplo: el cuadro mostraba a una mujer sentada en un jardín y el título era «La bienaventuranza llegará el día en que mueran.» El cuadro adquiría entonces una nueva significación, y ésta era extraña, pero no por fuerza arbitraria. En mi caso, si el título se me ha impuesto de pronto en el pensamiento, lo encuentro inmediatamente adecuado. En cambio, un título más racional o deliberado puede parecerme demasiado literario o explicativo, y lo desecho.

T. P. T.: Tiene usted, sin embargo, títulos muy precisos: *Susana, El, Nazarín, Viridiana, Simón del Desierto.*

Allí, generalmente, el título lo da el protagonista de la película. También puede darlo una región: Las Hurdes. Creo que, lo mejor son los títulos precisos o los que a primera vista «nada tienen que ver con la película. Los peores títulos son los de pretensión literaria o simbólica. *Abismos de pasión* es uno de los peores: es de melodrama barato.

T. P. T.: Si *El fantasma de la libertad* **se llamara de cualquier otra manera, digamos** *Un paseo por la gentil Francia***, el público ¿advertiría que se plantea allí el tema de la libertad?**

No lo sé, habría que hacer la prueba. En realidad la película algo tiene que ver con la libertad. ¿ «Muera la libertad» o «Viva la libertad»? Las dos cosas, tal vez. ¿Qué piensan ustedes?

J. de la C.: Las dos cosas al mismo tiempo.

No me opongo a esa interpretación, pero tampoco la suscribo.

T. P. T.: Pero ¿se trata de la libertad en términos sociales o políticos? ¿O de la libertad de abandonarse al azar?

También podría ser —no lo aseguro— las dos cosas.

J. de la C.: Yo creo que uniendo los dos títulos podríamos tener uno que abarca todas las películas de Buñuel: *El fantasma de la libertad: ese oscuro objeto de deseo.*

Está bien, aunque demasiado literario y a posteriori.

T.P. T.: ¿Se preocupa usted mucho de la estructura del guión?

Me interesa mucho, aunque no soy un «estructuralista». Sobre todo, procuro sintetizar, resumir en dos minutos una escena que duraría tres. Pero no tengo normas rígidas: en el rodaje puedo incluir un detalle que haga durar la escena cuatro minutos.

T. P. T.: Pero ¿escribe primero una historia y luego se ocupa de estructurarla?

A veces la historia ya está escrita. Este es el caso en que me han propuesto filmar un libro. Otras veces no hay historia al principio, sino una imagen que me impresiona, o un recuerdo muy vivo. Un ejemplo es *Viridiana*, pero de esto ya hemos hablado bastante. En general, ya al hacer el primer tratamiento de una historia estoy pensándola en términos de eficiencia visual. Tengo incluso en la mente el montaje de los planos, sobre todo mientras estoy filmando. Soy económico y no hago «tomas de protección». El material filmado de *El fantasma de la libertad* debe ser de unos dieciocho mil metros, y rara vez he sobrepasado eso.

T. P. T.: ¿Sus guiones tienen muchas anotaciones técnicas?

Al contrario, son rarísimas. No llevo el guión al estudio, sino un esbozo del decorado, una idea general del lugar que ocupan los muebles, por ejemplo. Cuando ya me encuentro ante el decorado, indico allí mismo los movimientos de los actores y de la cámara. Procuro que los encuadres sean funcionales y no llamen la atención por ellos mismos. Cuando veo películas en las que se ha querido *épater* con la cámara, me salgo de la sala. Las proezas técnicas me dejan frío.

T. P. T.: ¿Ensaya usted mucho con los actores? Porque, para filmar así se sobrentiende que habría que ensayar mucho.

En mi caso es al revés. Hago sólo un ensayo antes de filmar. Tampoco me gusta repetir mucho las tomas. A veces es necesario repetir, claro, por algún detalle que ha salido mal. Pero si hay excesivas repeticiones, llega un momento en que me fastidio y digo: «Basta, ninguna más.» Si usted repite una y otra vez una escena, el juego de los actores se mecaniza, todo se vuelve monótono, sin espontaneidad.

J. de la C.: ¿Y al acabar el rodaje...?

Descanso dos días mientras la montadora empalma en orden las tomas, incluyendo las claquetas. Cuando eso está listo, empiezo a elegir las tomas y ordeno que se supriman las claquetas. Soy muy rápido en este trabajo: lo hago en dos o tres días.

T. P. T.: ¿Durante el rodaje va usted a ver los *rushes*, las tomas de cada día?

Sólo al comienzo del rodaje, los primeros días. Luego me atengo a lo que el productor y el ayudante me digan.

T. P. T.: Hemos hablado poco de la banda sonora, de la música.

Cuido mucho los ruidos, porque pueden dar una dimensión que la imagen sola quizá no tenga. A veces me interesa un ruido que no tenga nada que ver con la imagen y que dé un contraste enriquecedor. La música la pongo cada vez menos. Cuando hay música tiene que estar justificada, debe verse la fuente de la que sale: un gramófono o un piano.

J. de la C.: En sus primeras películas mexicanas hay mucha música de «comentario».

Demasiada. Hoy la quitaría. La música como comentario de la acción es recurso fácil. Suele servir para cubrir fallos de los actores o del director. En algunos casos han puesto música a pesar mío.

J. de la C.: En cuanto a los diálogos...

Para mí, el diálogo debe ser también acción. Tiene que ser breve y movido, formar parte de la progresión de la película. *La Vía Láctea* tiene mucho diálogo, pero allí es

inevitable, porque se discuten ideas abstractas. A pesar de ello, traté de meterlas en un cuadro visual, como el restaurante de lujo donde se discute un dogma.

J. de la C.: Para concluir, don Luis, le haremos dos preguntas que se nos ocurran espontáneamente.

Muy bien, sobre todo si con eso concluimos.

J. de la C.: De no ser usted cineasta, ¿qué le habría gustado ser?

Escritor. O pintor... No, porque hubiera sido muy mal pintor, no tengo dotes para ello. Escritor, sí.

J. de la C.: Extraña respuesta, porque usted mismo ha dicho que es ágrafo, reacio a la escritura.

Sí, lo soy. Pero teóricamente sería escritor, porque se trabaja en una magnífica soledad; y si usted quiere, digamos, presentar el Juicio Final, no necesita millones de figurantes, ni usar medios técnicos, etc. Lápiz y papel, nada más: ¡qué maravilla! ... ¿Y la otra pregunta?

T. P. T.: ¿Qué hay en el saco que lleva a la espalda el protagonista de *Ese oscuro objeto de deseo*?

¿Qué creen ustedes que podría llevar?

J. de la C.: Todo lo que arrastraba con las cuerdas el protagonista de *Un perro andaluz*...

T. P. T.: O sus fantasmas: el de la libertad, los del deseo.

Yo veo sólo un hombre que lleva un saco a la espalda y camina junto a una mujer, y se alejan.

T. P. T.: Con esa imagen podríamos terminar el libro.

Entonces, terminado. Podemos tomar una copa. ¿Qué beben ustedes?

De pie, Robert Mulligan, William Wyler, George Cukor, Robert Wise,
Jean-Claude Carrière y Serge Silberman; sentados, Billy Wilder,
George Stevens, Buñuel, Alfred Hitchcock y Ruben Mamoulian.
Los Angeles, 1972

Filmografía

1. UN CHIEN ANDALOU *(Un perro andaluz)*

Prod.: Luis Buñuel; Francia 1928-1929. **Dir.:** Luis Buñuel. **Arg.:** Luis Buñuel, Salvador Dalí. **F.:** Albert Duverger. **Mús.:** Con discos en las exhibiciones de su época: Tristán e Isolda, de Richard Wagner, y tangos argentinos. (Estas mismas obras fueron incorporadas a la banda sonora de la película en 1960.) **M.:** Luis Buñuel. **Dir. art.:** Schilmeck.
Int.: Pierre Batcheff, Simone Mareuil, Luis Buñuel, Salvador Dalí, Xaume Miravitlles.
Dur.: 17 mn.

Sinopsis

Erase una vez. Un hombre (Luis Buñuel) secciona el ojo de una joven (Simone Mareuil). Una nube pasa delante de la luna. Ocho años después. Un ciclista (Pierre Batcheff) cae accidentado en la calle. La joven lo socorre y lo besa.

En una habitación el ciclista «renace» y acosa eróticamente a la joven. Los dos contemplan por la ventana un extraño suceso callejero: en medio de la multitud un aparente hermafrodita juega con una mano cortada y es atropellado por un automóvil. El ciclista acaricia a la mujer, la persigue por la habitación, arrastrando objetos heteróclitos (piano, burros muertos, etc). Un «doble» aparece e impone al hombre castigos escolares. El ciclista dispara contra su doble y éste muere abrazando el torso de una mujer. La joven observa fijamente una mariposa «cabeza de muerto». El ciclista, vuelto a renacer, acosa de nuevo a la muchacha. La muchacha sale de la habitación a una (imprevisible) playa, donde pasea alegremente con otro joven. *En la primavera.* La joven y su nuevo acompañante aparecen enterrados hasta el busto en la arena, devorados por insectos bajo un sol poderoso.

2. L'AGE D'OR *(La Edad de Oro)*

Prod.: Vizconde de Noailles; Francia, 1930. **Dir.:** Luis Buñuel. **Arg. y G.:** Luis Buñuel (con alguna colaboración de Salvador Dalí). **F.:** Albert Duverger. **Mús.:** Georges Von Parys, Mozart, Beethoven, Debussy, Mendelssohn, Wagner, redoble de los tambores de Calanda

y un pasodoble, en montaje de Buñuel. **M.:** Luis Buñuel. **Dir. art.:** Schilzneck.
Int.: Gaston Modot, Lya Lys, Max Ernst, Pierre Prévert, José Artigas, Jacques B. Brunius, Caridad de Laberdesque, Pancho Cosío, Valentine Hugo.
Dur.: 60 mn.

Sinopsis

Prólogo documental sobre las costumbres del alacrán. Un bandido descubre a un grupo de arzobispos (los mallorquinos) que cantan misa en las rocas. El bandido avisa a sus compañeros y todos se dirigen armados contra los mallorquinos, pero van cayendo exhaustos en el camino. Los mallorquinos son ahora esqueletos diseminados entre las rocas.

Las «fuerzas vivas» de la sociedad llegan a la costa a fundar la Imperial Roma junto a los restos de los mallorquinos. Cuando están colocando la primera piedra, estalla un escándalo: a unos pasos de allí, en el fango, un hombre y una mujer intentan hacer el amor. Son separados; el hombre (Gastón Modot) es detenido. En el trayecto a la prisión, este hombre piensa en su amada, comete varios ultrajes a la moral y la urbanidad y finalmente muestra un diploma que en apariencia le confiere una misión humanitaria. Aprovechando el desconcierto de los policías, escapa.

Fiesta en los aristocráticos salones de los padres de la mujer (Lya Lys), que también piensa en su amado. El protagonista entra y continúa su conducta escandalosa,

mientras ocurren alrededor hechos inquietantes (incendio de las habitaciones de la servidumbre, asesinato de un niño por su padre —el guardabosques—, paso de una carreta campesina por el salón, etcétera). Los enamorados intentan hacer el amor en el jardín, pero varios incidentes se lo impiden. Furioso, el protagonista injuria por teléfono a un ministro, que se suicida, y luego saquea la mansión, arrojando por la ventana un pino, una jirafa, un arado, plumas de un almohadón, a un obispo.

Del Castillo de Selliny salen los personajes de la novela de Sade *Las 120 jornadas de Sodoma.* Uno de ellos, el conde de Blangis, tiene la apariencia de Cristo. Todos parecen venir de una orgía. El conde vuelve a entrar en el castillo con una niña herida. Se oye un grito. El conde sale sin barba. Suena un pasodoble español mientras se agitan al viento cabelleras femeninas clavadas en una cruz.

3. LAS HURDES *(Tierra sin pan)*

Prod.: Ramón Acín; España, 1932. **Dir.:** Luis Buñuel. **Arg. y G.:** Luis Buñuel, basado en un libro de Maurice Legendre. **F.:** Eli Lntar.
Comentario: Texto de Luis Buñuel y Pierre Unik. Mús.: Cuarta Sinfonía de Brahms.
(Nota: El texto y la música sólo fueron incorporados a la banda sonora en 1937, cuando la película pasó a ser distribuida por Pierre Braunberger.) M.: Luis Buñuel.
Dur.: 27 mn.

Sinopsis

Documental «turístico» sobre una de las regiones más atrasadas de España. No hay canciones, no se conoce el pan, las casas no tienen ventanas ni chimenea. La desnutrición y la insalubridad causan paludismo, bocio, cretinismo, enanismo. Los jóvenes emigran en busca de trabajo, las mujeres envejecen prematuramente. Una vieja recorre las calles en la noche tocando una campana y recordando a gritos que los hombres son mortales. El maestro enseña a los niños que se debe respetar la propiedad privada. Un asno muere en la carretera y es devorado por avispas. El cadáver de un niño, en su ataúd, cruza el río. Retorno de los cineastas a Madrid.

---

4. GRAN CASINO (o En el viejo Tampico)

Prod.: Películas Anáhuac, Oscar Dancigers; México, 1946. **Dir.:** Luis Buñuel. **Arg. y G.: Luis Buñuel y Mauricio Magdaleno, sobre la novela** *El rugido del paraíso*, de Michel Weber. **F.:** Jack Draper. **Mús.:** Manuel Esperón. **M.:** Luis Buñuel y Gloria Schoemann. **Dir. art.:** Javier Torres Torija. **Int.:** Libertad Lamarque, Jorge Negrete, Mercedes Barba, Agustín Isunza, Julio Villarreal, José Baviera, Alberto Bedoya, Francisco Jambrina, Charles Rooner, Trío «Los Calaveras». **Dur.:** 85 mn.

Sinopsis

Tres aventureros escapados de la cárcel se emplean en una compañía petrolífera de Tampico. Uno de ellos, Gerardo Ramírez (Jorge Negrete) conoce a la rumbera Camelia (Meche Barba) en el casino de Fabio (José Baviera), que intenta apoderarse de los pozos petrolíferos de José Enrique (Francisco Jambrina), patrón y amigo de Gerardo. José Enrique es asesinado. Su hermana Mercedes (Libertad Lamarque) llega a Tampico y sospecha que Gerardo es el asesino de su hermano. Mercedes se emplea en el casino como cantante. Fabio está aliado con el alemán Van Eckerman (Charles Rooner) para apropiarse de los pozos petrolíferos. Gerardo y Mercedes se enamoran, después de desvanecidas las sospechas. Gerardo hiere y mata a un cómplice de éste, cuando le habían preparado una trampa para asesinarlo. Para liberar a Gerardo, Mercedes vende los pozos a Van Eckerman. Pero antes de partir de Tampico, Gerardo, Mercedes y sus amigos vuelan los pozos petrolíferos. Se supone que los hechos ocurren antes de la nacionalización del petróleo en México.

---

5. EL GRAN CALAVERA

Prod.: Ultramar Films, Fernando Soler, Oscar Dancigers; México, 1949. **Dir.:** Luis Buñuel. **Arg. y G.:** Luis y Janet Alcoriza sobre pieza homónima de Adolfo Torrado. **F.:** Ezequiel Carrasco. **Mús.:** Manuel Esperón. **M.:** Luis Buñuel y

Carlos Savage. **Dir. art.:** Luis Moya. **Int.:** Fernando Soler, Rosario Granados, Andrés Soler, Rubén Rojo, Gustavo Rojo, Maruja Grifell, Francisco Jambrina, Luis Alcoriza, Antonio Bravo, Nicolás Rodríguez. **Dur.:** 90 mn.

Sinopsis

El rico Ramiro (Fernando Soler) es un borrachín que escandaliza a su ociosa y parásita familia. El médico Gregorio (Francisco Jambrina) propone a la familia un plan para «regenerar» a Ramiro: hacerle creer que ha tenido un shock, que ha estado inconsciente todo un año y que mientras tanto la familia se ha hundido en la miseria. Para realizar este engaño, la familia debe vivir humildemente y trabajar. Igualmente Ramiro, que se hace carpintero. Ramiro se entera del engaño y lo utiliza a su favor. Finalmente, la familia cambia. Los hijos de Ramiro: Virginia (Rosario Granados) y Eduardo (Gustavo Rojo) se vuelven seres útiles a la sociedad. Virginia se casa con un muchacho humilde y trabajador, Pablo (Rubén Rojo), después de que éste, con el altavoz de una camioneta de propaganda comercial, interrumpe la boda de la muchacha con el presuntuoso Alfredo (Luis Alcoriza). Final feliz en el que la familia retorna a la riqueza, pero con otra actitud.

---

6. LOS OLVIDADOS

Prod.: Ultramar Films, Oscar Dancigers, Jaime Menasce; México, 1950. **Dir.:** Luis Buñuel. **Arg. y G.:** Luis Buñuel, Luis Alcoriza y (sin crédito como dialoguistas) Max Aub y Pedro de Urdimalas. **F.:** Gabriel Figueroa. **Mús.:** Rodolfo Halffter sobre temas de Gustavo Pittaluga. **M.:** Luis Buñuel y Carlos Savage. **Dir. art.:** Edward Fitzgerald. **Int.:** Stella Inda, Miguel Inclán, Alfonso Mejía, Roberto Cobo, Alma Delia Fuentes, Francisco Jambrina, Jesús García Navarro, Efraín Arauz, Javier Amezcua, Mario Ramírez, Charles Rooner. **Dur.:** 80 mn.

Sinopsis

Un joven delincuente, «El Jaibo» (Roberto Cobo), forma su pandilla entre los muchachos de una barriada pobre de la Ciudad de México. El viejo mendigo ciego don Carmelo (Miguel Inclán) está a punto de ser

robado por ellos y hiere a uno con el clavo de su bastón. La pandilla apedrea al ciego. Uno de sus miembros, Pedro (Alfonso Mejía), al que su madre no le muestra afecto, se hace compañero inseparable de «El Jaibo». En el mercado, Pedro encuentra a un niño campesino que ha perdido a su madre y lo lleva a la casa de unos amigos, donde viven Meche (Alma Delia Fuentes) y «El Cacarizo» (Efraín Araúz). El niño campesino recibe el apodo de «El Ojitos» (Mario Ramírez) y se convierte en lazarillo de don Carmelo. En presencia de Pedro, «El Jaibo» mata a un muchacho al que cree delator. El asesinato obsesiona a Pedro, a quien «El Jaibo» ha impuesto un pacto de silencio. Después de una riña con su madre, Pedro se emplea en una herrería. «El Jaibo» seduce a la madre de Pedro (Stella Inda), visita a éste en su trabajo y roba su cuchillo. Pedro, acusado del robo, es buscado por la policía. Su madre lo lleva al Correccional de Menores. El chico entra en una granja-escuela, cuyo director, para darle una prueba de confianza, lo envía a comprar cigarrillos con un billete de cincuenta pesos. «El Jaibo» le roba el billete y Pedro huye. Pedro busca a su examigo, discuten y pelean a golpes. Furioso, Pedro acusa a «El Jaibo» como asesino de Julián. Don Carmelo trata de abusar de Meche, pero «El Ojitos» lo impide. «El Jaibo» encuentra a Pedro y lo mata en venganza por la delación. La policía intenta detener a «El Jaibo» y le dispara, matándolo cuando intenta huir. El cadáver de Pedro es tirado al basurero por Meche y su padre, mientras la madre busca al chico.

---

7. SUSANA (o Demonio y carne)

Prod.: Internacional Cinematográfica, Sergio Kogan, Manuel Reachi; México, 1950. **Dir.:** Luis Buñuel. **Arg.:** Manuel Reachi, con adaptación de Luis Buñuel, Jaime Salvador y Rodolfo Usigli. **F.:** José Ortiz Ramos. **Mús.:** Raúl Lavista. **M.:** Luis Buñuel y Jorge Bustos. **Dir. art.:** Gunther Gerszo. **Int.:** Fernando Soler, Rosita Quintana, Víctor Manuel Mendoza, Matilde Palou, María Gentil Arcos, Luis López Somoza. **Dur.:** 82 mn.

Sinopsis

En una noche tormentosa, Susana (Rosita Quintana) huye del Correccional de Mujeres y llega a la hacienda del rico y honorable don Guadalupe (Fernando Soler), que la ampara. Susana es considerada por todos una buena muchacha, pero pronto, con su belleza y sus provocaciones eróticas, empieza a alterar la paz cristiana y decente de la casa: sucesivamente conquista al caporal Jesús (Víctor Manuel Mendoza), al hijo de la familia, Alberto (Luis López Somoza), y finalmente al mismo paterfamilias, don Guadalupe. La esposa de éste, doña Carmen (Matilde Palou), y una vieja criada, Felisa (María Gentil Arcos), contemplan indignadas e impotentes el poder que va adquiriendo la muchacha sobre los hombres y la discordia que introduce entre ellos. La vida de la hacienda se vuelve un infierno. Finalmente, Jesús denuncia a Susana ante la policía, doña Carmen fustiga a la intrusa y ésta es devuelta al Correccional. La vida en la hacienda vuelve a ser paradisiaca, en «la paz de Dios».

8. LA HIJA DEL ENGAÑO

Prod.: Ultramar Films, Oscar Dancigers. **Dir.:** Luis Buñuel. **Arg. y Adapt.:** Luis y Janet Alcoriza, sobre el sainete *Don Quintín el Amargao*, de Carlos Arniches. **F.:** José Ortiz Ramos. **Mús.:** Luis Buñuel y Carlos Savage. **Dir. art.:** Edward Fitzgerald.
Intérpretes: Fernando Soler, Alicia Caro, Fernando Soto («Mantequilla»). Rubén Rojo, Nacho Contla, Amparo Garrido, Lily Aclemar, Alvaro Matute, Roberto Meyer, Conchita Gentil Arcos.
Dur.: 80 mn.

Sinopsis

El agente viajero don Quintín (Fernando Soler) vive amargado porque piensa que nada le sale bien. Cuando sorprende a su esposa en adulterio, la echa de la casa y ella se va diciéndole que Marta no es hija de él. Don Quintín abandona a la niña en el portal del borrachín Lencho (Roberto Meyer), que la recoge y la educa como hija propia. Decepcionado de los resultados de su honradez, don Quintín se convierte en dueño de un cabaret y trata tiránicamente a todo el mundo. Marta (Alicia Caro) se ha hecho mujer y se casa con Paco (Rubén Rojo). Antes de morir, la ex-mujer de don Quintín le confiesa que Marta sí es hija de él. Don Quintín quie-

re recuperar y reconocer a su hija, pero un día tiene una riña grave con Paco. La sangre no llega a correr porque don Quintín se entera a tiempo de que Paco es su yerno. Reconciliación y final feliz... (Aunque contento de ser abuelo, don Quintín considera que su nieto tarda en nacer y vuelve a pensar por un momento que nada le sale bien.)

9. UNA MUJER SIN AMOR

Prod.: Internacional Cinematográfica, Sergio Kogan; México, 1951. **Dir.:** Luis Buñuel. **Arg. y Adapt.: Jaime Salvador, sobre la novela** *Pierre y Jean*, de Guy de Maupassant. **F.:** Raúl Martínez Solares. **Mús.:** Raúl Lavista. **M.:** Jorge Bustos. **Dir. art.:** Gunther Gerszo. **Int.:** Rosario Granados, Julio Villarreal, Tito Junco, Jaime Calpe, Joaquín Cordero, Xavier Loyá, Elda Peralta, Miguel Manzano, Eva Calvo.
Dur.: 90 mn.

Sinopsis

El anticuario Carlos Montero (Julio Villarreal) está casado con Rosario (Rosario Granados), de quien tiene un hijo, Carlitos. La severidad del padre obliga a Carlitos a huir. El ingeniero Julio Mistral (Tito Junco) acoge a Carlitos en su casa. Julio y Rosario se convierten en amantes. Rosario tiene de Julio un hijo, Miguel, que pasa por hijo de Montero. Miguel y Carlitos crecen juntos y, ya mayores, se reciben de médicos. Carlos hijo (Joaquín Cordero) se enamora de la doctora Luisa (Elda Peralta), que a su vez está enamorada de Miguel (Xavier Loyá). Cuando Julio muere, dejando su herencia a Miguel, Carlos hijo sospecha de su madre y la acosa con preguntas y jarabes de doble intención. Miguel y Luisa se casan. Montero padre muere, dejando una clínica para Carlos y Miguel. Éstos riñen y Rosario los interrumpe diciéndoles la verdad acerca del padre de Miguel. Los hermanos se reconcilian, Miguel y Luisa continúan su vida conyugal y Rosario se queda sola, pues su hijo Carlos se ha marchado.

10. SUBIDA AL CIELO

Prod.: Producciones Isla, Manuel Altolaguirre y María Luisa Gómez Mena; México, 1951. **Dir.:** Luis Buñuel. **Arg. y G.:** Manuel Altola-

guirre, Juan de la Cabada, Luis Buñuel, Lilia Solano Galeana. **F.:** Alex Phillips. **Mús.:** Gustavo Pittaluga. **M.:** Luis Buñuel y Rafael Portillo. **Dir. art.:** José Rodríguez Granada y Edward Fitzgerald.**Int.:** Lilia Prado, Carmen González, Esteban Márquez, Luis Aceves Castañeda, Manuel Dondé, Roberto Cobo, Francisco Reiguera, Roberto Meyer, Paz Villegas, Beatriz Ramos, Paula Rendón, «Pitouto».
Dur.: 85 mn.

Sinopsis

En un pueblecito costero de México se casan Oliverio Grajales (Esteban Márquez) y Albina (Carmen González), pero no pueden cumplir su noche de bodas porque la madre de Oliverio, Ester (Paz Villegas), está a punto de morir. Los hermanos de Oliverio, Felipe (Víctor Pérez) y Juan (Roberto Cobo), quieren quedarse con toda la herencia. Ester pide a Oliverio que, para impedirlo, busque en otro pueblo a un licenciado amigo que haga un testamento conveniente. Oliverio hace el viaje en el autobús que conduce Silvestre (Luis Aceves Castaneda). En el viaje ocurren diversos incidentes y accidentes. La coqueta Raquel (Lilia Prado) seduce a Oliverio en un punto montañoso de la carretera llamado Subida al cielo. Un diputado de nombre Figueroa (Manuel Dondé), es recibido con rechifla en el pueblo que representa. Estos contratiempos demoran el viaje de 0liverio, que al retorno encuentra ya muerta a su madre. Oliverio imprime en el testamento las huellas de su madre, autentificándolo así. Se supone que el porvenir de los recién casados y de un pequeño sobrino está asegurado.

11. EL BRUTO

Prod.: Internacional Cinematográfica, Sergio Kogan; México, 1952. **Dir.:** Luis Buñuel. **Arg. y G.:** Luis Buñuel y Luis Alcoriza. **F.:** Agustín Jiménez. **Mús.:** Raúl Lavista. **M.:** Luis Buñuel y Jorge Bustos. **Dir. art.:** Gunther Gerszo. **Int.:** Pedro Armendáriz, Katy Jurado, Rosita Arenas, Andrés Soler, Beatriz Ramos, Paco Martínez, Roberto Meyer, Gloria Mestre, Paz Villegas.
Dur.: 83 mn.

Sinopsis

El casero Andrés Cabrera (Andrés Soler) quiere echar de un edificio alquilado a sus humildes inquilinos para vender el terreno. Los inquilinos se oponen, encabezados por don Carmelo (Roberto Meyer), padre de Meche (Rosita Arenas). Cabrera emplea como «hombre de mano» a Pedro alias «El Bruto» (Pedro Armendáriz), un empleado del Rastro (matadero de reses). «El Bruto», que debe favores al casero, aterroriza a los inquilinos y golpea a don Carmelo tan brutalmente que éste muere poco después. «El Bruto» es seducido por la coqueta Paloma (Katy Jurado), la amante de Cabrera. Los inquilinos sorprenden a «El Bruto» y lo hieren. Meche acoge al herido y los dos se enamoran. Celosa, Paloma le dice a Meche que «El Bruto» es el asesino de su padre. «El Bruto» golpea a Paloma y ella se presenta ante Cabrera y le dice que «El Bruto» intentó violarla. Cabrera increpa a su protegido e intenta dispararle con una pistola, pero «El Bruto» lo mata a golpes. La policía persigue a «El Bruto» y finalmente le da muerte.

12. ROBINSON CRUSOE

Prod.: Ultramar Films, Oscar Dancigers, OLMEC (United Artists), Henry F. Erlinch; México-EUA, 1952. **Dir.:** Luis Buñuel. **Arg. y G.:** Luis Buñuel y Phillip Ansel Roll, sobre la novela de Daniel Defoe. **F.:** Alex Phillips. **Mús.:** Luis Hernández Bretón y Anthony Collins. **M.:** Luis Buñuel, Carlos Savage y Alberto Valenzuela. **Dir. art.:** Edward Fitzgerald.
Int.: Dan O'Herlihy, Jaime Fernández, Felipe de Alba, Chel López, José Chávez y Emilio Garibay.
Dur.: 89 mn.

Sinopsis

Robinson (Dan O'Herlihy) naufraga y llega a una isla. Sus esfuerzos por sobrevivir; construcción de la choza y una empalizada; fabricación de objetos, trabajos agrícolas. Los años de soledad, lectura de la Biblia, encuentro y domesticación de Viernes (Jaime Fernández), la amistad con éste y las discusiones de los dos acerca de Dios, la moral, el bien y el mal, etc. Lucha contra los piratas y reembarque de vuelta a la civilización.

13. ÉL

Prod.: Ultramar Films, Oscar Dancigers; México, 1952. **Dir.:** Luis Buñuel. **Arg. y G.:** Luis Buñuel y Luis Alcoriza, sobre la novela homónima de Mercedes Pinto. **F.:** Gabriel Figueroa. **Mús.:** Luis Hernández Bretón. **M.:** Luis Buñuel y Carlos Savage. **Dir. art.:** Edward Fitzgerald, Pablo Galván.
Int.: Arturo de Córdoba, Delia Garcés, Luis Beristáin, Aurora Walker, Carlos Martínez Baena, Rafael Banquells, Manuel Donde.
Dur.: 100 mn.

Sinopsis

El rico Francisco Galván (Arturo de Córdova) es el prototipo del caballero, del hombre de honor. Enamorado de Gloria (Lelia Garcés), logra casarse con ella. En la vida matrimonial se muestra como un hombre profundamente celoso, con bruscos cambios de estado de ánimo. La vida de la pareja se convierte en un infierno. Francisco ejerce diversas violencias sobre su mujer. Esta se queja a su madre (Aurora Walker) y al confesor de su marido (Carlos Martínez Baena), pero ellos no creen en sus argumentos. Un amigo de Francisco y antiguo novio de Gloria, Raúl (Luis Beristáin), sí cree a la mujer. Gloria escapa de la casa, Francisco la busca enloquecido y cree verla entrar en una iglesia en compañía de Raúl. En la iglesia, Francisco delira y ataca al cura. Lo internan y años después lleva en un convento una vida aparentemente pacífica. Pero finalmente lo vemos caminar en zig-zag, como en sus ataques de paranoia.

14. ABISMOS DE PASIÓN

Prod.: Producciones Tepeyac, Oscar Dancigers; México, 1953. **Dir.:** Luis Buñuel.
Arg. y G.: Luis Buñuel, Julio Alejandro, Arduino Maiuri, sobre la novela *Cumbres borrascosas*, de Emily Brontë. **F.:** Agustín Jiménez. **Mús.:** Raúl Lavista, sobre temas de Tristán e Isolda, de Richard Wagner. **M.:** Luis Buñuel y Carlos Savage. **Dir. art.:** Edward Fitzgerald.
Int.: Irasema Dilián, Jorge Mistral, Lilia Prado, Ernesto Alonso, Luis Aceves Castaneda, Francisco Reiguera, Hortensia Santoveña.
Dur.: 90 mn.

Sinopsis

Alejandro (Jorge Mistral) regresa, después de diez años de ausencia, al viejo caserón campestre donde vive Catalina (Irasema Dilian). Los dos se aman desde niños y se han prometido uno al otro. Alejandro fue adoptado en la infancia por los padres de Catalina. Ahora él vuelve rico y dispuesto a desposarse con su amada, que entre tanto se ha casado con Eduardo (Ernesto Alonso), de quien va a tener un hijo. Catalina se niega a separarse de Eduardo. Como revancha, Alejandro se casa con Isabel (Lilia Prado), hermana de Eduardo, a la que da malos tratos. Vive con ella en un lugar apartado y trata como criado a Ricardo (Luis Aceves Castaneda), hermano de Catalina, que en la infancia le había tratado así a él. Alejandro y Eduardo tienen una violenta riña. Catalina confiesa a Eduardo que sólo ha amado a Alejandro, y muere en el parto de un niño de Eduardo. Alejandro se hace aún más sombrío y desesperado y da una paliza a Ricardo un día que éste intenta matarlo. Cuando Alejandro ha entrado en la tumba de Catalina, para besar su cadáver, Ricardo dispara sobre él y le da muerte. Las almas de Catalina y Alejandro se reúnen más allá de la muerte.

15. LA ILUSIÓN VIAJA EN TRANVÍA

Prod.: Clasa Films Mundiales, Armando Orive Alba; México, 1953. **Dir.:** Luis Buñuel. **Arg. y G.:** Mauricio de la Serna, José Revueltas, Luis Alcoriza y Juan de la Cabada. **F.:** Raúl Martinez Solares. **Mús.:** Luis Hernández Bretón. **M.:** Luis Buñuel y Jorge Bustos. **Dir. art.:** Edward Fitzgerald.
Int.: Lilia Prado, Carlos Navarro, Fernando Soto («Mantequilla»), Agustín Isunza, Miguel Manzano, José Pidal, Paz Villegas, Conchita Gentil Arcos.
Dur.: 90 mn.

Sinopsis

«Caireles» (Carlos Navarro) y «Tarrajas» (Fernando Soto, alias «Mantequilla») se enteran de que el tranvía en que han trabajado como conductor y cobrador va a ser retirado del servicio. Borrachos, lo roban y se lo llevan a hacer un recorrido nocturno por la ciudad. En este recorrido hay varios incidentes divertidos e insólitos: al tranvía suben los matarifes del Rastro con piezas de los animales sacrificados, unas beatas con la imagen de un santo, los niños de un hospicio, etc. En el trayecto los persigue «Papá Pinillos», un inspector tranviario jubilado (Agustín Isunza) que quiere seguir siendo útil a la compañía, y que se empeña en delatarlos. Lupita (Lilia Prado), hermana de «Tarrajas», intenta ayudar a los dos amigos. Durante el viaje, que se prolonga hasta el día siguiente, hay un episodio en que «Caireles» y «Tarrajos» pelean con unos acaparadores de alimentos. Hay también una «posada» en la que los inquilinos de una casa-vecindad representan una pastorela. Al final, tras diversas peripecias, el tranvía es devuelto al depósito a tiempo. Se supone que «Caireles» y Lupita quedan como novios.

16. EL RÍO Y LA MUERTE
Prod.: Clasa Films Mundiales; México, 1954. **Dir.:** Luis Buñuel. **Arg. y G.:** Luis Buñuel y Luis Alcoriza, sobre la novela *Muro blanco en roca negra*, de Miguel Alvarez Acosta. **F.:** Raúl Martínez Solares. **Mús.:** Raúl Lavista. **M.:** Luis Buñuel y Jorge Bustos. **Dir. art.:** Gunther Gerszo.
Int.: Columba Domínguez, Miguel Torruco, Joaquín Cordero, Jaime Fernández, Víctor Alcocer, Silvia Derbez, José Elías Moreno, Carlos Martínez Baena.
Dur.: 90 mn.

Sinopsis
En el pueblecito costero de Santa Bibiana todos los hombres llevan pistola al cinto y el menor malentendido puede causar una muerte. El joven médico Gerardo Anguiano (Joaquín Cordero), nacido en ese pueblo, está hospitalizado en la Ciudad de México, metido en un pulmón de acero. Otro santabibianense, Rómulo Menchaca (Jaime Fernández), lo visita y abofetea, retándolo a un futuro duelo. Flashback: se explica la cadena de venganzas entre las familias Anguiano y Menchaca. Felipe Anguiano (Miguel Torruco), novio de Mercedes (Columba Domínguez), se ha visto obligado a matar a Filogonio Menchaca (Jorge Arriaga) y a huir al desierto cruzando el río. Felipe vuelve secretamente al pueblo y se casa con Mercedes. Polo Menchaca sorprende a Felipe y lo mata. Las venganzas se suceden. Gerardo es hijo de Felipe. Fin del flashback. Gerardo vuelve al pueblo y todos, incluso su madre, esperan que cobre venganza de la muerte de su padre.

Cuando parece inevitable el duelo de pistolas entre Gerardo y Rómulo, los dos se abrazan y ponen fin a la historia de sangre entre clanes familiares.

17. ENSAYO DE UN CRIMEN
Prod.: Alianza Cinematográfica, Alfonso Patiño Gómez; México, 1955. **Dir.:** Luis Buñuel. **Arg. y G.:** Luis Buñuel y Eduardo Ugarte, sobre la novela homónima de Rodolfo Usigli. **F.:** Agustín Jiménez. **Mús.:** Jorge Pérez. **M.:** Luis Buñuel y Jorge Bustos. **Dir. art.:** Jesús Bracho.
Int.: Miroslava, Ernesto Alonso, Rita Macedo, Ariadna Welter, Rodolfo Landa, Andrea Palma, José María Linares Rivas, Carlos Riquelme, Leanor Llausás.
Dur.: 91 mn.

Sinopsis
Archibaldo de la Cruz (Ernesto Alonso) ha visto en su infancia morir a su institutriz (Leonor Llausás), alcanzada por una bala perdida, mientras se oía un vals en una cajita de musica. Ya adulto, por el recuerdo asociativo entre muerte y erotismo, cree que su verdadera vocación es la de asesino, pero sus previstas víctimas, como una monja (Chabela Durán) y una coqueta (Rita Macedo), mueren por azar o a manos de otro personaje. Novio de Carlota (Ariadna Welter) y celoso de ella, Archibaldo piensa matarla después de la boda, pero se le adelanta el amante despechado de la muchacha, Alejandro (Rodolfo Landa). Archibaldo, fascinado por Lavinia (Miroslava), no logra asesinarla y debe contentarse con quemarla «en efigie». Pese a sus fracasos, sigue considerándose un asesino y se entrega a la policía, pero ésta lo desengaña y lo deja libre. Archibaldo arroja la cajita de musica al Lago de Chapultepec, encuentra a Lavinia y se alejan los dos tomados del brazo.

18. CELA S'APPELLE L'AURORE *(Así es la aurora)*
Prod.: Les Films Marceu (París), Laetitia Films (Roma); Francia-Italia, 1955. **Dir.:** Luis Buñuel. **Arg. y G.:** Luis Buñuel y Jean Ferry, sobre la novela homónima de Emmanuel Robles. **F.:** Roberto Le Febvre. **Mús.:** Joseph Kosma. **M.:** Marguerite Renoir y Luis Buñuel. **Dir. art.:** Max Douy.
Int.: Georges Marchal, Lucía

Bosé, Gianni Esposito, Julien Bertheau, Nelly Borgeaud, Jean-Jacques Delbo, Robert Le Fort, Brigitte Elloy, Henri Nassiet, Gaston Modot.
Dur.: 108 mn.

Sinopsis
El doctor Valerio (Georges Marchal), contratado por una compañía industrial de una isla del Mediterráneo, presta generosamente sus servicios a obreros y campesinos. Su mujer Angela (Nelly Borgeaud), enferma de los nervios, se marcha al continente europeo de temporada de descanso. Valerio y la bella italiana Clara (Lucia Bosé) viven un amor secreto. Un obrero amigo de Valerio, Sandro (Gianni Esposito), mata a su implacable patrón, culpable indirecto de la muerte de su esposa. Valerio esconde a Sandro en su casa. El jeje de policía, Fasaro (Julien Bertheau), emprende la persecución de Sandro. Angela y su padre rompen con Valerio porque éste protege a un asesino. Sandro sale de la casa de Valerio para no comprometerlo y, descubierto y acosado por la policía, se suicida. Valerio, que ha intentado que Sandro se entregue pacíficamente, se indigna ante esta tragedia, se niega a estrechar la mano de Fasaro y se aleja en compañía de Clara y tres obreros amigos.

19. LA MORT EN CE JARDIN *(La muerte en este jardín)*
Prod.: Producciones Tepeyac, Oscar Dancigers, Films Dismage; México Francia, 1956. **Dir.:** Luis Buñuel. **Arg. y G.:** Luis Buñuel, Raymond Queneau y Luis Alcoriza, sobre la novela de José André Lacour. **F.:** Jorge Stahljunior. **Mús.:** Paul Misraki. **M.:** Luis Buñuel y Marguerite Renoir.
Int.: Simone Signoret, Georges Marchal, Charles Vanel, Tito Junco, Jorge Martínez de Hoyos, Michele Girardon, Raúl Ramírez, Luis Aceves Castaneda, Michel Piccoli.
Dur.: 97 mn.

Sinopsis
En un país latinoamericano, los mineros de un yacimiento de diamantes se amotinan, pese a los consejos pacificadores del padre Lizardi (Michel Piccoli). Entre los amotinados se encuentra el francés Castin (Charles Vanel), padre de la joven muda María (Michele Girardon). Un aventurero europeo, Shark (Georges Marchal), acusado de

robo de un banco, es encarcelado, pero logra escapar y participa en el motín, haciendo volar el depósito de dinamita. La rebelión es reprimida. Lizardi, Castin, María y Shark, a quien se une la prostituta Djin (Simone Signoret), huyen perseguidos por el capitán Ferrero (Jorge Martínez de Hoyos). Los fugitivos se extravían en la selva tropical y disputan entre ellos. Los restos de un avión caído les permite restaurar sus fuerzas e incluso tener una «fiesta» en un claro de la selva. Enloquecido, Castin dispara sobre sus compañeros y mata a Djin y a Lizardi, antes de caer a su vez alcanzado por Shark. Este y María logran escapar hacia la libertad en una canoa.

20. NAZARÍN

Prod.: Producciones Barbachano Ponce, Manuel Barbachano Ponce; México, 1958. **Dir.:** Luis Buñuel. **Arg. y G.:** Luis Buñuel y Julio Alejandro, sobre la novela homónima de Benito Pérez Galdós. **F.:** Gabriel Figueroa. **Mús.:** Vals «Dios nunca muere» de Macedonio Alcalá y redoble de los tambores de Calanda. **M.:** Luis Buñuel y Carlos Savage. **Dir. art.:** Edward Fitzgerald. **Int.:** Francisco Rabal, Marga López, Rita Macedo, Ignacio López Tarso, Ofelia Guilmaln, Luis Aceves Castañeda, Noé Murayama, Rosenda Monteros, Jesús Fernández, Pilar Pellicer, Aurora Molina, David Reinoso, Edmundo Barbero, Raúl Dantés. **Dur.:** 94 mn.

Sinopsis

A comienzos de siglo, en la Ciudad de México, el joven sacerdote Nazario (Francisco Rabal) vive en un mesón pobre, ayudando cristianamente a sus semejantes. La prostituta Andara (Rita Macedo) se refugia en su cuarto después de una riña sangrienta. Beatriz (Marga López), abandonada por su amante «El Pinto» (Noé Murayama), intenta ahorcarse, falla en su intento y es ayudada espiritualmente por Nazario. Para no dejar rastros a la policía, Andara quema unas ropas en el cuarto de Nazarín y provoca un incendio. Las dos mujeres huyen. Nazario, buscado por la policía después del incendio, y censurado por el clero, decide salir a caminar por los campos, viviendo de limosna. En su camino reencuentra a Beatriz y Andara, que se empeñan en seguirle, considerándolo santo pues sus rezos han «hecho el milagro» de curar a una niña moribunda. Nazarín reprende a un militar que ha tratado duramente a un campesino, y un cura presente lo considera un «elemento subversivo».

Nazarín se ofrece a trabajar por sólo la comida en una cuadrilla de trabajadores camineros y provoca sin querer una violenta reyerta entre los obreros y el capataz. Los tres peregrinos sin rumbo llegan a un pueblo apestado, donde Nazarín intenta inútilmente «salvar para el cielo» a una moribunda (Pilar Pellicer). En otro pueblo, el enano Ujo (Jesús Fernández) se enamora de Andara. Los puebleriños, considerando inmoral a Nazarín, lo entregan a las autoridades. Andara y Nazarín son llevados a la capital en una «cuerda de presos», mientras «El Pinto» encuentra a Beatriz y se la lleva con él. Un ladrón y parricida (Luis Aceves Castañeda) maltrata a Nazarín en una prisión del camino y otro ladrón, un sacrílego (Ignacio López Tarso) defiende al cura, le pide el dinero que le quede y le dice que ni hacer el bien ni hacer el mal sirven para nada en este mundo. Vigilado por un guardia rural, Nazarín sigue su camino. Abrumado por su experiencia, dudando de Dios y de los hombres, rechaza la piña que una humilde mujer le da como limosna. Luego retrocede, acepta humildemente el fruto y continúa su camino llorando.

21. LA FIEVRE MONTE A EL PAO (Los ambiciosos)

Prod.: Filme, Gregorio Wallerstein, Films Borderie, Groupe des Quatre; México-Francia, 1959. **Dir.:** Luis Buñuel. **Arg. y G.:** Luis Buñuel, Luis Alcoriza, Louis Sapin, Charles Dorat y Henri Castillou sobre la novela homónima de éste. **F.:** Gabriel Figueroa. **Mús.:** Paul Misraki. **M.:** Rafael Ceballos (versión mexicana) y James Cuenet (versión francesa). **Dir. art.:** Jorge Fernández y Pablo Galván. **Int.:** Gérard Philipe, María Félix, Jean Servais, Víctor Junco, Roberto Canedo, Andrés Soler, Domingo Soler, Luis Aceves Castañeda, Miguel Angel Ferriz, Augusto Benedico, Raúl Dantés, Pilar Pellicer. **Dur.:** 97 mn.

Sinopsis

En un país dictatorial de Sudamérica, Ramón Vázquez (Gérard Philipe), secretario del director del presidio, Mariano Vargas (Miguel Angel Ferriz), cree en la posibilidad de liberalizar el régimen «desde el interior». El asesinato de Vargas es respondido por el tirano Barreiro (Andrés Soler) con una feroz represión, dirigida por Alejandro Gual (Jean Servais), que trata de conquistar a la viuda de Vargas, Inés (María Félix), pero ésta se convierte en amante de Ramón. Para salvar a Ramón de una intriga, Inés se ofrece a Gual. El jurista Cárdenas (Domingo Soler) es encarcelado y Ramón, que ha sido su discípulo, tiene una crisis de conciencia. Inés trata de matar a Gual, éste la somete y la viola. Cárdenas muere en la cárcel; Ramón sofoca un motín y asciende en la jerarquía del régimen. Inés muere cuando disparan sobre ella soldados a quienes Ramón había ordenado detenerla solamente. Con todos sus actos, Ramón no logra más que afianzar la tiranía. Pero compromete su situación cuando ordena, en el presidio, que se alivie a los presos de sus cadenas.

22. THE YOUNG ONE (La joven)

Prod.: Producciones Olmeca, George P. Werker; México-EE.UU., 1960. **Dir.:** Luis Buñuel. **Arg. y G.:** Luis Buñuel y H. B. Addis (Hugo Butler), sobre cuento de Peter Mathiesen, *Travelling Man*. **F.:** Gabriel Figueroa. **Mús.:** canción «Sinner Man», de Lein Bibb, cantada por él mismo. **M.:** Luis Buñuel y Carlos Savage. **Dir. art.:** Jesús Bracho. **Int.:** Zacahary Scott, Bernie Hamilton, Kay Meersman, Graham Denton, Claudio Brook. **Dur.:** 95 mn.

Sinopsis

En una isla de la costa sureña de los Estados Unidos viven tres personas: el guardián del coto de caza, Miller (Zachary Scott), el viejo Pee Wee y su nieta, Evvie (Kay Meersman). Pee Wee muere, Miller hace de la muchacha su amante y le regala ropas de mujer. El clarinetista negro Traver (Bernie Hamilton), perseguido por una multitud de linchadores, acusado de la supuesta violación de una blanca, llega a la isla. Tras una pelea, Miller somete al negro y lo obliga a ser su sirviente. El pastor protestante Fleetwood (Claudio Brook) llega a la isla en compañía del racista Jackson (Graham Denton). Apresado por sus perseguidores, Traver es atado a un árbol. Evvie corta sus ligaduras, Jackson y Traver pelean y el negro humilla a su enemigo... sin matarlo. El pastor «chantajea» a Miller: si permite al negro escapar, callará la seducción de Evvie. Miller ayuda al negro a reparar la lancha y lo deja ir. Evvie será la esposa de Miller.

23. VIRIDIANA

Prod.: Gustavo Alatriste (México), Uninci-Films 59, Pedro Portabella (Madrid); México-España, 1961. **Dir.**: Luis Buñuel. **Arg. y G.**: Luis Buñuel y Julio Alejandro. **F.**: José Fernández Aguayo. **Mús.**: El Mesías de Haendel, la Novena Sinfonía de Beethoven, seleccionadas por Gustavo Pittaluga. **M.**: Luis Buñuel y Pedro del Rey. **Dir. art.**: Francisco Canet.
Int.: Silvia Pinal, Francisco Rabal, Fernando Rey, Margarita Lozano, Victoria Zinny, Teresa Rabal, José Calvo, Luis Heredia, Joaquín Roa, José Manuel Martín, Lola Gaos, Juan García Tienda, Maruja Isbert.
Dur.: 90 mn.

Sinopsis

La novicia Viridiana (Silvia Pinal), antes de convertirse en monja, visita a su tío don Jaime (Fernando Rey). Este es un viejo hidalgo que desde la muerte de su esposa vive retirado en su descuidada hacienda con la criada Ramona (Margarita Lozano), la pequeña hija de ésta, Rita (Teresa Rabal), y el viejo Moncho. Fascinado por su bella sobrina, tan parecida a su difunta mujer, don Jaime trata de convencerla de que viva a su lado, sin lograrlo. Antes de su partida, Viridiana cumple un capricho de su tío: vestir las ropas nupciales de la esposa muerta. Ayudado por Ramona, don Jaime narcotiza a Viridiana e intenta poseerla, pero no se atreve. Horrorizada, la joven decide volver al convento. Don Jaime se suicida después de legar la propiedad de la hacienda a Viridiana y a su hijo natural Jorge (Francisco Rabal). Este llega con una eventual amante y comienza a hacer trabajar las tierras. Viridiana, renunciando al convento, alberga en su parte de la propiedad a un conjunto de mendigos, ejerciendo con ellos la caridad cristiana. Jorge despide a su amante y seduce a Ramona. Una noche en que los dueños están ausentes, los mendigos cenan orgiásticamente en la casa, se emborrachan y disputan. Los amos vuelven repentinamente. «El cojo»

(José Manuel Martín) y «El Leproso» (Juan García Tienda) ponen a Jorge fuera de combate e intentan violar a Viridiana. Llega Ramona con la policía. Esa noche, ya en calma, Viridiana va a buscar a Jorge a su cuarto y lo encuentra con Ramona. Los tres juegan al tute.

24. EL ÁNGEL EXTERMINADOR

Prod.: Gustavo Alatriste; México, 1962. **Dir.**: Luis Buñuel. **Arg. y G.**: Luis Buñuel y Luis Alcoriza. **F.**: Gabriel Figueroa. **Mús.**: trozos de Scarlatti, Beethoven y Chopin, de diferentes Te Deum, de una sonata de Paradiso y cantos gregorianos, con asesoría de Raúl Lavista. **M.**: Luis Buñuel y Carlos Savage. **Dir. art.**: Jesús Bracho.
Int.: Silvia Pinal, Enrique Rambal, Jacqueline Andere, José Baviera, Augusto Benedico, Luis Beristáin, Claudio Brook, Antonio Bravo, César del Campo, Rosa Elena Durgel, Lucy Gallardo, Enrique García Alvarez, Ofelia Guilmain, Nadia Haro Oliva, Tito Junco, Xavier Loyá, Xavier Massé, Angel Merino, Ofelia Montesco, Patricia Morán, Berta Moss, Enrique del Castillo.
Dur.: 95 mn.

Sinopsis

Los Nobile, Edmundo (Enrique Rambal) y Lucía (Lucy Gallardo), ofrecen una cena en su elegante mansión. Temerosos de algo, el cocinero y otros sirvientes han huido de la casa. El mayordomo Julio (Claudio Brook) se encarga de todo el servicio. Blanca (Patricia de Morelos) toca al piano una sonata y a partir de ese momento los invitados, sin saber por qué, no pueden abandonar el salón. A la mañana siguiente falta el agua y sólo hay café para el desayuno. Los invitados, ahora incomprensiblemente prisioneros, se irritan, discuten, culpan a Nobile de la extraña situación. Rusell (Antonio Bravo) enferma y muere; es enterrado tras la puerta de un armario. Tras la segunda puerta se esconden para amarse Beatriz (Ofelia Montesco) y Eduardo (Javier Massé) y luego se suicidan. El tercer compartimiento del armario es usado como retrete. La vida en el salón, sin alimentos, sin higiene, sin intimidad, se hace insoportable: estallan incidentes, un oso recorre la casa, etcétera. Los parientes de los «prisioneros» se agolpan tumultuosamente ante la mansión. Leticia (Silvia Pinal) descubre

por casualidad el modo de vencer el «maleficio»: repetir los gestos de todos durante la audición de la sonata. Los personajes salen de su encierro y celebran una misa de gracias. Al final, descubren que no pueden salir del templo.

25. LE JOURNAL D'UNE FEMME DE CHAMBRE (Diario de una camarera)

Prod.: Speva Films-Ciné Alliances Filmsonor / Dear Film Produzione, Serge Silberman y Michel Safra; Francia-Italia, 1963. **Dir.**: Luis Buñuel. **Arg. y G.**: Luis Buñuel y Jean-Claude Carrière, sobre la novela homónima de Octave Mirbeau. **F.**: Roger Fellous. **M.**: Louisette Hautecoeur. **Dir. art.**: Georges Wakhevitch.
Int.: Jeanne Moreau, Georges Géret, Michel Piccoli, Francoise Lugagne, Jean Ozenne, Daniel Ivernal, Gilberte Geniat, Bernard Musson, Jean Claude Carrière, Muni, Claude Jaeger.
Dur.: 98 mn.

Sinopsis

Años 20. Célestine (Jeanne Moreau) entra al servicio de los Monteil, burgueses provincianos. El viejo Monteil es fetichista del calzado; Monteil hijo (Michel Piccoli), rechazado sexualmente por su pía esposa (Françoise Lugagne), corteja a la joven sirvienta y, ante la reticencia de ella, propone «amour fou» a otra criada, vieja y fea, Marianne (Muni); el joven cura del lugar (Jean-Claude Carrière) tiene gran influencia sobre la señora Monteil y le predica contra los «pecados de la carne». Un vecino, el capitán retirado Mauzer (Daniel Ivernal), arroja basura al jardín de los Monteil para fastidiarlos. El guardabosques Joseph (Georges Géret), brutal y reaccionario, viola y mata a una niña. Célestine se acuesta con él, descubre que es el asesino y lo entrega a la policía. Poco después se casa con el capitán Mauzery se convierte en burguesa. Joseph sale de la cárcel y compra un bar, desde cuya puerta ve gustosamente una manifestación de derechas.

26. SIMÓN DEL DESIERTO

Prod.: Gustavo Alatriste; México, 1964. **Dir.**: Luis Buñuel. **Arg. y G.**: Luis Buñuel y Julio Alejandro. **F.**: Gabriel Figueroa. **Mús.**: El himno de los peregrinos, de Raúl Lavista, y los tambores de Calanda.

M.: Luis Buñuel y Carlos Savage. **Int.:** Claudio Brook, Hortensia Santovena. Silvia Pinal, Jesús Fernández, Enrique Alvarez Félix, Enrique García Alvarez, Luis Aceves Castaneda, Antonio Bravo, Eduardo MacGregor. **Dur.:** 43 mn.

Sinopsis

En la Edad Media, el anacoreta Simón (Claudio Brook) vive en lo alto de una columna, en pleno desierto. Monjes, soldados, gente del pueblo lo visitan, los ricos le regalan una columna más alta. La madre de Simón (Hortensia Santoveña) se instala a vivir en una cabaña al pie de la columna. Simón devuelve las manos a un artesano mutilado (Enrique del Castillo), el cual, sin asombrarse del milagro, da un coscorrón a su pequeña hija y se marcha. El diablo o «la Cosa» (Silvia Pinal) tienta a Simón adoptando diversas encarnaciones. El monje Trifón (Luis Aceves Castañeda) calumnia a Simón diciendo que come bien a escondidas y sufre un ataque epiléptico como castigo del cielo. El monje Daniel (Eduardo MacGregor) avisa a Simón que los bárbaros se acercan. El Diablo, furioso por su fracaso como tentador, reaparece en un ataúd ambulante y traslada a Simón al siglo XX, a una «discotheque» neoyorquina.

27. BELLE DE JOUR (Bella de día).

Prod.: Henri Baum, Paris Film Production (Robert y Raymond Hakim); Francia-Italia, 1966. **Dir.:** Luis Buñuel. **Arg. y G.:** Luis Buñuel y Jean-Claude Carrière, sobre la novela homónima de Joseph Kessel. **F.:** Sacha Vierny. **M.:** Louisette Hautecoeur, **Dir. art.:** Robert Clavel. **Int.:** Catherine Deneuve, Jean Sorel, Michel Piccoli, Genevieve Page, Francisco Rabal, Pierre Clementi, Francoise Fabian, Maria Latour, Francis Blanche, Francois Maistre, Macha Meril. **Dur.:** 100 mn.

Sinopsis

Séverine (Catherine Deneuve) es la bella y frígida esposa del inválido médico Pierre (Jean Sorel). En sus sueños se ve sometida a diversas depravaciones eróticas. El cínico libertino Husson (Michel Piccoli) le da a Séverine la dirección del burdel de Anaïs (Genevieve Page). Séverine llevará una doble vida: señora decente y prostituta de lujo por las tardes. En el burdel conoce a varios clientes de gustos «especiales». Uno de sus clientes, el joven gángster Marcel (Pierre Clementi) se enamora de ella. Marcel dispara contra Pierre, dejándolo inválido, pero muere luego en un encuentro con la policía. Husson revela a Pierre la prostitución de Séverine. Pierre se levanta de su silla de ruedas, curado. Pero es posible que esto sea una ensoñación más de Séverine.

28. LA VOIE LACTÉE (La Vía Láctea).

Prod.: Serge Silberman, Greenwich Films, Fraia Films; Francia-Italia, 1968. **Dir.:** Luis Buñuel. **Arg. y G.:** Luis Buñuel y Jean-Claude Carrière. **F.:** Christian Matras. **M.:** Luis Buñuel y Louisette Hautecoeur. **Dir. art.:** Pierre Guffroy. **Int.:** Paul Frankeur, Laurent Terzieff, Alain Cuny, Edith Scob, Bernard Verley, Francois Maistre, Jean-Claude Carrière, Jean Francois Fosanis, Georges Marchal. **Dur.:** 100 mn.

Sinopsis

En su peregrinación a Santiago de Compostela, Pierre (Paul Frankeur) y Jean (Laurent Terzieff) tienen varios encuentros y peripecias más allá del tiempo y el espacio: un hombre con capa (Alain Cuny) les dice que, en Santiago de Compostela, deberán engendrar hijos con una prostituta; en un albergue conocen a un loco, roban un jamón y son sorprendidos por un guardia civil que los deja libres; en un bosque encuentran a Prisciliano (Jean-Claude Carrière) y su secta, en una de sus «orgías» místicas; contemplan el duelo teológico, a espada, de un jesuita y un jansenista; la exhumación de los restos de un obispo hereje, varios milagros, y conocen a una prostituta (Delphyne Seyrig) que desea engendrar hijos con ellos; etc. Otros episodios intercalados en el relato: una monja es crucificada por sus compañeras; la virgen María (Edith Scob) convence a Jesús (Bernard Verley) para que no se afeite la barba como éste pretende; las bodas de Canán; milagrosa devolución de la vista a los ciegos; Sade (Michel Piccoli) tortura a Justine, etc. La historia recorre herejías que conciernen a seis dogmas o misterios del catolicismo: la Eucaristía, la Naturaleza de Cristo, la Trinidad, el Origen del Mal, la Inmaculada Concepción, el Libre Arbitrio.

29. TRISTANA

Prod.: Epoca Film y Talía Film, Selenia Cinematográfica, Les Films Corona; España-Italia-Francia, 1969. **Dir.:** Luis Buñuel. **Arg. y G.:** Luis Buñuel y Julio Alejandro, sobre novela homónima de Benito Pérez Galdós. **F.:** José F. Aguayo. **M.:** Luis Buñuel y Pedro del Rey. **Dir. art.:** Enrique Alarcón. **Int.:** Catherine Deneuve, Fernando Rey, Franco Nero, Lola Gaos, Jesus Fernández, Antonio Casas, Sergio Mendizábal. **Dur.:** 100 mn.

Sinopsis

Don Lope (Fernando Rey) es un maduro «señorito» toledano, ocioso, liberal, anticlerical y donjuanesco. La huérfana Tristana (Catherine Deneuve) queda bajo su tutela. Don Lope la seduce y convierte en su amante. Tristana acepta pasivamente la situación pero un día conoce al joven pintor Horacio (Franco Nero) y huye con él. Don Lope queda en posesión de una rica herencia. Tristana vuelve enferma y hay que amputarle una pierna y sustituirla por una artificial. Horacio vuelve a Toledo por un tiempo y Don Lope consiente en que visite a Tristana; finalmente el pintor y la muchacha riñen y él se va. Tristana se va haciendo una mujer cada vez mas reservada, pero tiene una especial atención hacia un chico sordomudo, Saturno (Jesús Fernández). Don Lope envejece y se adapta a las convenciones sociales. Una noche en que don Lope pasa por una grave crisis de salud, Tristana abre la ventana para que entre el frío del invierno y finge llamar al médico. Don Lope muere.

30. LE CHARME DISCRET DE LA BOURGEOISIE (El discreto encanto de la burguesía) **Dir.:** Luis Buñuel y Jean-Claude Carrière. **F.:** Edmund Richard. **M.:** Helene Plemiannikov. **Dir. art.:** Pierre Guffroy. **Int.:** Fernando Rey, Delphine Seyrig, Stéphane Audran, Bulle Ogier, Jean-Pierre Cassel, Paul Frankeur, Julie Bertheau, Claude Pieplu, Michel Piccoli, Muni. **Dur.:** 106 mn.

Sinopsis

El embajador de Miranda (Fernando Rey) y el matrimonio Thévenot (Paul Frankeur y Delphine Seyring) están invitados a cenar en casa del matrimonio Sénéchal (Jean-Pierre Cassel y Stéphane Audran), pero hay error en la fecha y los cinco deben ir a un restaurante donde no pueden cenar porque el patrón ha muerto. El embajador usa la valija diplomática para el tráfico de droga. Una comida en casa de los Sénéchal se frustra porque los anfitriones se esconden para hacer el amor. Un obispo (Julien Bertheau) pide a los Sénéchal plaza de jardinero. Las señoras Thévenot y Sénéchal y Florence (Bulle Ogier), en un salón de té, son abordadas por un teniente que desea contarles su infancia, pero además no pueden tomar nada en el lugar. El embajador y la señora Thévenot intentan hacer el amor sin lograrlo. Una muchacha revolucionaria intenta matar al embajador, pero éste la desarma y la entrega a la policía. Maniobras militares interrumpen una cena en casa de los Sénéchal; un sargento cuenta un sueño a los presentes. En otra cena frustrada, los personajes se encuentran de repente en un escenario de teatro. En una velada, los invitados hacen preguntas ofensivas al embajador y éste dispara sobre un coronel. El obispo oye la confesión de un moribundo, se entera de que éste asesinó a sus padres y, tras darle la absolución, lo mata de una escopetazo. En una comida en casa de los Sénéchal irrumpe la policía y se lleva a todos detenidos, *affaire* de tráfico de drogas. En la cárcel aparece el fantasma del Brigadier Sangrante, que en vida torturaba a sus prisioneros. Liberados, el embajador y sus amigos tratan de cenar en casa de uno de ellos, pero entran de pronto unos asaltantes que los tirotean (sueño del embajador). En tres ocasiones, durante el transcurso de la película, vemos a los personajes caminar por una carretera, al parecer sin rumbo.

31. LE FANTÔME DE LA LIBERTÉ (El fantasma de la libertad)
Prod.: Serge Silberman, Greenwich Films; Francia, 1974. **Arg. y G.:** Luis Buñuel y Jean-Claude Carrière. **F.:** Edmond Richard. **M.:** Helene Plemiannikov. **Dir. art.:** Pierre Guffroy.
Int.: Adriana Asti, Michel Piccoli, Monica Vitti, Jean-Claude Brialy, Adolfo Celi, Milena Vukotic, Jean Rochefort, Michel Lonsdale.

Dur.: 103 mn.
Sinopsis
Durante la invasión de Toledo por las fuerzas napoleónicas, un capitán de dragones francés (Bernard Verley) besa la estatua de una mujer arrodillada y es abatido de un puñetazo por otra estatua, la de un caballero. Un hombre sospechoso (Philippe Brigaud) en un jardín, entrega unas tarjetas postales a una niña (I. Carrière): son supuestamente pornográficas aunque sólo representan monumentos célebres de París. Los padres de la niña (Jean-Claude Brialy, Mónica Vitti) las comentan escandalizados. El padre, en una noche de insomnio, ve desfilar por su cuarto una serie de animales y un cartero que le entrega una carta. Al día siguiente cuenta su experiencia al médico (Adolfo Celi), mostrándole la carta como prueba de la realidad del extraño suceso. La enfermera del doctor (Adriana Asti), sale con urgencia fuera de París para ver a su padre agonizante, en su camino encuentra a unos militares que cazan el zorro con tanques blindados, y luego, en un albergue del camino, diversos personajes: unos frailes, un músico y una bailarina, una mujer madura y su sobrino (Hélène Perdrière, Pierre-Francois Pistorio) que son amantes, un sombrerero masoquista (Michell Lousdale) casado con una mujer sádica (Anne-Marie Deschott). Los incidentes se entrecruzan en la movida noche. Al día siguiente, asistimos a un curso en la escuela de gendarmes. El profesor (Françis Maistre) habla de los convencionalismos sociales y pone como ejemplo una elegante reunión social en la que los asistentes se ocultan para comer y, por contra, defecan en compañía. En otro episodio, una familia y la policía se agitan en busca de una niña (V. Blanco) supuestamente desaparecida que... en ningún momento deja de estar a la vista de ellos. La acción pasa a seguir la historia de un hombre, el «asesino-poeta» (Pierre Lary), que desde lo alto de un rascacielos parisiense, mata con fusil a dieciocho personas, es detenido, juzgado, condenado a muerte y luego dejado en libertad. El prefecto de policía (Julien Bertheau), que es y no es el prefecto de policía (y que encuentra a otro personaje que también lo es), cuenta sus recuerdos de la vida en común con su hermana, ya muerta, y recibe de ésta una llamada telefónica desde ultratumba.

Luego va con sus fuerzas policiacas a impedir el asalto de una muchedumbre enfurecida a los animales del zoológico. La muchedumbre grita, como los resistentes españoles del comienzo de la película: «¡Vivan las cadenas, muera la libertad.»

32. CET OBSCUR OBJET DU DÉSIR (Ese oscuro objeto de deseo)
Prod.: Greenwich Films, Les Films Galaxie, Incine; Francia-España, 1977. **Dir.:** Luis Buñuel. **Arg. y G.:** Luis Buñuel y Jean Claude Carrière, sobre la novela de Pierre Lous *La femme et le pantin*. **F.:** Edmond Richard. **M.:** Luis Buñuel y Helene Plemiannikov.
Int.: Fernando Rey, Carole Bouquet, Angela Molina, Julien Bertheau, André Weber, Milena Vukotic.
Dur.: 103 mn.

Sinopsis
Durante un viaje ferroviario de Sevilla a Madrid, el otoñal caballero Mathieu (Fernando Rey) cuenta a sus fortuitos compañeros de vagón sus infortunios con la bailarina Conchita (Angela Molina unas veces, otras Carole Bouquet), a quien poco antes de que saliera el tren él le ha arrojado un cubo de agua fría. La historia es sobre todo la accidentada relación amorosa de Mathieu con una mujer que juega con él, que se vuelve una obsesión. Mathieu pasa, con Conchita, por diversos estados de ánimo, del deseo a la frustración, de las caricias a la violencia. Ella lo incita y luego parece entregársele, pero, por ejemplo, en lugar de mostrarse desnuda tiene un corsé de inumerables cintas férreamente anudadas. Paralela a esta historia ocurre —como posibilidades de una «segunda historia» subliminal— una serie de atentados terroristas, los cuales —a pesar de que Mathieu sufre uno de ellos: un atraco— parecen no inquietar mayormente a los protagonistas ni al curso del argumento central. Finalmente, al término del viaje en tren, Conchita devuelve a Mathieu el cubo de agua fría. El final los muestra casados, recorriendo una galería comercial donde observan, en un escaparate, a una mujer que cose una tela desgarrada y ensangrentada. Mientras se alejan, se escucha un bombazo.

Índice de títulos

Índice onomástico